TOUS
NOS
JOURS
PARFAITS

Jennifer Niven

TOUS NOS JOURS PARFAITS

Traduit de l'anglais (américain)
par Vanessa Rubio-Barreau

GALLIMARD

Conception graphique de la couverture : Lucy Kim et Alison Impey
Photos de la couverture (fleurs) : © Neil Fletcher et Matthew Ward / Getty Images
Lettrage manuel et illustrations : © Sarah Watts, 2015

Titre original : *All the Bright Places*
Édition originale publiée aux États-Unis par Alfred A. Knopf,
une filiale de Random House Children's Books,
un département de Random House LLC,
une entreprise de Penguin Random House, New-York.

Pour ma mère,
Penelope Niven,
mon refuge
le plus lumineux

Les citations de Cesare Pavese, p. 60, p. 296 et p. 313, sont issues de *Le Métier de vivre*,
traduit par Michel Arnaud, Gallimard, 1958, 2008 :
p. 60 : «*L'amour est vraiment la grande affirmation. On veut être, on veut* compter, *on veut – si l'on doit mourir – mourir valeureusement, avec éclat,* rester *en somme.*»
p. 296 : «*La cadence de la souffrance a commencé.*»
p. 313 : «*On ne se souvient pas du jour, juste de l'instant.*»

La citation d'Ernest Hemingway, p. 197, est issue de *Pour qui sonne le glas*,
traduit par Denise Van Moppès, coll. Du monde entier, Gallimard, 1961 :
p. 197 : «*Il n'y a rien d'autre que maintenant (...). Il n'y a que deux jours. Eh bien, deux jours, c'est ta vie et tout ce qui s'y passera sera en proportion.*»

Les citations de Virginia Woolf, p. 81, p. 95, p. 229, p. 255, p. 323, p. 329, sont issues de *Les Vagues*, traduit par Michel Cusin, 2012, Gallimard :
p. 81 : «*Je suis enracinée, mais je m'écoule.*», «*Je sens mille dispositions surgir en moi. Je suis espiègle, gaie, languissante, mélancolique tour à tour. Je suis enracinée, mais je m'écoule. Toute d'or, m'écoulant...*», «*C'est l'instant le plus exaltant que j'aie jamais connu. Je frémis. J'ondule. Je dérive telle une plante sur la rivière, ondoyant de-ci, ondoyant de-là, mais enracinée, pour qu'il puisse venir jusqu'à moi. "Viens, dis-je. Viens."*»
p. 95 : «*Pâle, les cheveux noirs, celui qui vient est un mélancolique, un romantique. Et moi, je suis espiègle et fluide et capricieuse; car il est mélancolique, il est romantique. Il est ici, il se tient près de moi.*»
p. 229 : «*Je suis emportée. Nous nous abandonnons à cette marée lente... Dedans, puis dehors... nous ne pouvons plus sortir de ses remparts sinueux, hésitants, abrupts, de leur cercle parfait.*»
p. 255 : «*Eh bien, maintenant, dirigeons-nous en virevoltant vers les chaises dorées. (...) Lune, ne sommes-nous pas convenables? Ne sommes-nous pas charmants, assis là, tous les deux?*».
p. 323 : «*Si ce bleu pouvait durer toujours, si cette trouée pouvait rester toujours; si cet instant pouvait durer toujours... (...) Je me sens briller dans l'obscurité. (...) Je suis parée, je suis prête. Voici l'arrêt momentané; le moment obscur. Les violonistes ont levé leur archet. (...) Voici ma vocation. Voici mon univers. Tout est organisé et préparé (...) Je suis enracinée, mais je m'écoule. (...) "Viens, dis-je. Viens."*»
p. 329 : «*Si ce bleu pouvait durer toujours, si cette trouée pouvait rester toujours.*»

Les citations de Virginia Woolf, p. 79, p. 80, p. 112, p. 113 et p. 312 sont issues du *Journal intégral 1915-1941*, traduit par Colette-Marie Huet et Marie-Ange Dutartre, Stock, 1988 et de *Ce que je suis en réalité demeure inconnu, Lettres (1901-1941)*, traduit par Claude Demanuelli, Points Seuil, 2010, réunis dans *Romans, Essais*, coll. Quarto, 2014, Gallimard :
p. 79 : «*Je sens que nous ne pouvons plus traverser à nouveau un de ces épisodes épouvantables...*»
p. 80 : «*Fais avec ce qui te tombe sous la main.*», «*Mon propre cerveau m'apparaît comme la plus incompréhensible des machines – toujours à bourdonner, vrombir, planer, rugir, plonger, et finir embourbé dans la gadoue. Et pour quoi? Pourquoi tant d'exaltation?*», «*Quand on pense aux étoiles, par exemple, nos problèmes semblent plutôt dérisoires, ne trouvez-vous pas?*»
p. 112 : «*À toi, le plus cher, je suis certaine que je retombe dans la folie : je sens que nous ne pouvons plus traverser à nouveau un de ces épisodes épouvantables... J'accomplis donc ce qui me paraît la meilleure chose à faire.*»
p. 113, 312 : «*Tu as été en toutes choses tout ce qu'un être humain pouvait représenter. (...) Si quelqu'un avait pu me sauver, cela aurait été toi.*»

La citation de Virginia Woolf en p. 80 est tirée de *Nuit et Jour*,
traduit par Catherine Naveau, 1985, Points, Seuil :
p. 80 : «*Quand on pense aux étoiles, par exemple, nos problèmes semblent plutôt dérisoires, ne trouvez-vous pas?*»

Le monde nous brise tous, beaucoup en ressortent plus forts à l'endroit des fractures.

Ernest Hemingway, *L'Adieu aux armes*

FINCH

6e JOUR D'ÉVEIL

Est-ce un bon jour pour mourir ?

Voilà ce que je me demande le matin quand je me lève. Et pendant ma troisième heure de cours, alors que je m'efforce de garder les yeux ouverts malgré M. Schroeder qui radote. Le soir, au dîner, en passant le plat de petits pois. La nuit, dans mon lit, lorsque je n'arrive pas à éteindre mon cerveau qui tourne à vide.

Est-ce le jour J ?

Et si ce n'est pas aujourd'hui… alors quand ?

Voilà ce que je me demande, perché sur un étroit parapet à vingt mètres au-dessus du sol. Je suis si haut que je suis pratiquement au ciel. Lorsque je baisse les yeux vers le sol, je vois le monde tournoyer. Je ferme les yeux, savourant cette sensation. Peut-être que, cette fois, je vais le faire – me laisser porter par les airs. Comme si je flottais dans une piscine, que je dérivais sans but précis jusqu'au néant.

Je ne me rappelle pas être monté ici. En fait, je ne me rappelle pas grand-chose avant dimanche, en tout cas, rien de ce qui s'est passé cet hiver. C'est chaque fois pareil – le vide, puis le réveil.

Comme ce vieux bonhomme barbu, Rip Van Winkle[1]. Je vais, je viens. On pourrait croire que je m'y suis habitué à force, mais là, c'était pire parce que je n'ai pas dormi pendant plusieurs jours voire même une semaine ou deux – je n'ai rien vu des fêtes, ni Thanksgiving ni Noël ni le Nouvel An. Je ne saurais dire ce qui était différent cette fois, sauf que, quand je me suis réveillé, je me sentais encore plus mort que d'habitude. Réveillé certes, mais complètement vidé, comme si on avait bu tout mon sang. Ça fait six jours que j'ai émergé, et c'est la première fois que je remets les pieds au lycée depuis le 14 novembre.

Quand je rouvre les yeux, le sol est toujours là, dur et inamovible. Je suis perché en haut du clocher du lycée, sur un parapet d'une dizaine de centimètres de large. Le haut de la tour n'est pas très grand, avec juste une petite plate-forme en béton tout autour de la cloche, cerné d'un muret de pierre que j'ai enjambé pour venir ici. De temps à autre, je cogne ma jambe dedans afin de me rappeler qu'il est bien là.

J'ai les bras écartés, comme si je faisais un sermon et que cette ville moyenne et morose était ma paroisse. Je crie :

– Mesdames, messieurs, je vous souhaite la bienvenue à ma mort !

On pourrait espérer que j'aie davantage envie de vivre, vu que je viens de me réveiller et tout, mais c'est seulement quand je suis éveillé que je pense à la mort.

J'ai pris le ton d'un prédicateur à l'ancienne, scandant la dernière syllabe des mots d'un hochement de tête, si bien que j'ai failli perdre l'équilibre. Je me retiens au muret, soulagé que personne ne semble m'avoir remarqué parce que, sincèrement, c'est

1. Héros d'une nouvelle de Washington Irving, qui, ayant bu un verre avec un équipage fantôme, s'endort et ne se réveille qu'au bout de vingt ans (*NdT*).

dur de jouer le gars sans peur et sans reproche quand on se cramponne à la rambarde comme une poule mouillée.

– Moi, Theodore Finch[1], n'étant pas sain d'esprit, je lègue toutes mes possessions terrestres à Charlie Donahue, Brenda Shank-Kravitz et mes sœurs. Tous les autres peuvent aller se faire f-----.

Notre chère maman nous a appris très tôt à épeler ce mot plutôt que de le prononcer ou, mieux, à ne pas l'épeler du tout, et hélas, ça m'est resté.

La cloche a beau avoir sonné, quelques-uns de mes camarades de classe s'attardent encore dans la cour. On vient juste d'entamer le second semestre de terminale mais pour certains, le lycée, c'est déjà du passé. L'un d'eux lève la tête vers moi, comme s'il m'avait entendu, mais les autres ne me regardent pas ; soit ils ne m'ont pas repéré, soit ils m'ont vu mais « Bah, c'est juste ce fêlé de Theodore. »

En bas, le gars tourne la tête et montre un truc dans les airs. D'abord, je crois que c'est moi, puis je la remarque, la fille. Elle est perchée sur le parapet, de l'autre côté du clocher, cheveux blond foncé volant au vent, jupe gonflée comme un parachute. Bien qu'on soit au mois de janvier, et dans l'Indiana, elle est en collants, ses boots à la main, fixant ses pieds, ou le sol – difficile à dire. Elle a l'air pétrifiée sur place.

De ma voix normale, et pas de prédicateur, j'affirme d'un ton posé :

– Mieux vaut éviter de regarder vers le bas, crois-en mon expérience.

Elle tourne lentement la tête vers moi. Je la reconnais, je l'ai croisée dans les couloirs. Je ne peux pas résister.

1. Ce nom de famille anglo-saxon désigne aussi un oiseau, le pinson (*NdT*).

– Tu viens souvent ici ? Parce que c'est un de mes spots préférés et je ne me rappelle pas t'avoir déjà vue dans le coin.

Ça ne la fait pas rire. Elle ne cille même pas. Elle se contente de me dévisager de derrière ses lunettes qui lui mangent le visage. Lorsqu'elle tente de faire un pas en arrière, son pied heurte la balustrade. Comme elle vacille légèrement, avant qu'elle ne panique, je m'empresse d'ajouter :

– Je ne sais pas ce qui t'amène, mais moi, je trouve la ville plus belle, vue d'ici. Les gens paraissent aussi plus sympas, même les pires ont l'air presque gentils. À part Gabe Romero, Amanda Monk et toute la bande avec laquelle tu traînes.

Elle s'appelle Violet Quelque-chose. Pom-pom girl. Super populaire. Pas le genre de fille qu'on s'attend à trouver perchée en haut d'une tour à vingt mètres du sol. Derrière ses lunettes hideuses, elle est plutôt mignonne, un peu poupée de porcelaine. De grands yeux, un visage en cœur, une petite bouche habituée à former un sourire parfait. Le style de fille qui sort avec des types comme Ryan Cross, la star du base-ball, et déjeune avec Amanda Monk et toutes les autres princesses parfaites.

– Mais tu n'es sûrement pas venue pour la vue. Tu t'appelles Violet, c'est ça ?

Elle cligne des yeux, ce que j'interprète comme un oui.

– Theodore Finch. Je crois qu'on était en maths ensemble, l'an dernier.

Nouveau clignement d'yeux.

– J'ai horreur des maths, mais ce n'est pas ce qui m'amène ici. Enfin, si toi, c'est pour ça, je ne te juge pas. Tu es sans doute plus douée en maths, parce qu'il n'y a pas plus nul que moi, mais ça ne me dérange pas. Car vois-tu, j'excelle dans d'autres disciplines, plus essentielles – par exemple la guitare, le sexe, ou décevoir mon père en permanence, pour n'en citer que quelques-unes. Et en plus, il paraît que c'est vrai, ça ne sert jamais dans la vraie vie. Les maths, je veux dire.

Je continue à faire la conversation, mais je sens bien que je faiblis. D'abord, j'ai envie de pisser, si bien qu'il n'y a pas que mon discours qui soit lourd. (*Note pour la prochaine fois : ne pas oublier de se vider la vessie avant de tenter de se suicider.*) Et puis, il commence à pleuvoir et, vu la température, ça va vite virer à la neige.

– Il pleut, dis-je comme si elle ne le savait pas. Dans un sens, on peut se dire que la pluie lavera en partie le sang et que ça sera moins dégueu à nettoyer. Enfin, quand même, le côté dégueu, ça fait réfléchir… Je ne suis pas particulièrement coquet, juste humain… et je ne sais pas pour toi, mais je n'ai pas envie d'avoir l'air d'être passé dans un hachoir à mon enterrement.

Elle grelotte ou elle tremble, je ne sais pas. Je progresse à petits pas vers elle, en espérant que je ne vais pas tomber avant de l'atteindre, parce que la dernière chose dont j'ai envie, c'est de me ridiculiser sous ses yeux.

– J'ai pourtant insisté pour être incinéré, mais ma mère ne veut rien entendre.

Et mon père fera ce qu'elle veut pour ne pas la contrarier davantage, puis en plus « Tu es bien trop jeune pour penser à ça, tu sais que ta grand-mère Finch a vécu jusqu'à quatre-vingt-dix-huit ans, alors inutile de discuter de ça maintenant, Theodore, ça contrarie ta mère. »

– Tu imagines, cercueil ouvert, si je saute, ça ne va pas être beau à voir. Et puis, j'aime bien ma tête comme ça : deux yeux, un nez, une bouche, une rangée de dents qui, il faut bien l'avouer, est mon meilleur atout.

Je souris afin qu'elle puisse constater par elle-même. Tout est bien à sa place, en apparence, du moins.

Comme elle ne répond rien, je continue à avancer tout en faisant la causette :

– Et puis, avant tout, je culpabilise pour le croque-mort. Bon, c'est un boulot de merde, soit. Mais si en plus des petits cons comme moi en rajoutent…

En bas, quelqu'un braille :

– Violet ? Ce serait pas Violet, là-haut ?

– Oh, mon Dieu, murmure-t-elle si doucement que je l'entends à peine. Mon Dieu mon Dieu mon Dieu.

Le vent soulève sa jupe et ses cheveux, on dirait qu'elle va s'envoler.

Comme ça s'agite en bas, je crie :

– Ne risquez pas votre vie pour moi !

Puis je reprends tout bas, juste pour elle :

– Bon, voilà ce qu'on va faire…

Nous ne sommes plus qu'à quelques pas l'un de l'autre.

– Tu vas jeter tes chaussures du côté de la cloche, puis te cramponner au muret, prendre appui dessus et passer ton pied droit de l'autre côté. Compris ?

En acquiesçant, elle manque de perdre l'équilibre.

– Ne hoche pas la tête. Et surtout, ne te trompe pas de sens, va vers la cloche et pas en arrière, OK ? Je vais compter jusqu'à trois.

Elle jette ses boots qui tombent avec un petit *pif pof* sur le béton.

– Un, deux, trois.

Elle agrippe le muret, s'y appuie et passe sa jambe de l'autre côté, si bien qu'elle se retrouve assise à califourchon dessus. Puis elle jette un coup d'œil en bas et se fige à nouveau. Je l'encourage :

– Parfait. Super. Ne regarde pas vers le bas.

Elle lève lentement les yeux vers moi, puis pose son pied droit sur le sol en béton. Une fois qu'elle est bien stable, je reprends :

– Maintenant, passe ta jambe gauche de l'autre côté. Ne lâche pas le muret.

Elle tremble tellement que j'entends ses dents claquer, mais son pied gauche rejoint son pied droit et la voilà hors de danger.

Et maintenant, je suis tout seul perché là-haut. Je risque un dernier regard vers le bas, j'aperçois mon quarante-trois qui ne cesse de grandir – aujourd'hui, j'ai des baskets à lacets fluo –, j'aperçois la fenêtre ouverte du quatrième étage, le troisième, le second, j'aperçois Amanda Monk, qui caquette sur les marches du perron en secouant ses cheveux blonds comme un poney, ses livres au-dessus de la tête, tentant vainement de se protéger de la pluie en restant glamour.

Mon regard s'arrête sur le sol luisant et trempé, et je m'imagine étendu là.

Je pourrais sauter. Ce serait fini en deux secondes. Plus de Theodore Fêlé. Plus de souffrance. Plus rien.

J'essaie de reprendre où j'en étais après cette interruption de quelques minutes pour sauver une vie. L'espace d'un instant, j'y parviens presque : une sensation de paix envahit mon esprit, comme si j'étais mort. Je suis libre, léger. Plus personne et plus rien à craindre, même pas moi-même.

Puis, dans mon dos, une voix résonne :

– Tu vas te cramponner au muret, prendre appui dessus et passer ton pied droit de l'autre côté. Compris ?

Et hop, le charme est rompu. C'est une idée stupide – sauf pour la tête que ferait Amanda en me voyant passer devant son nez. Ça me fait rire rien que de l'imaginer. Je ris tellement que je manque tomber. Et ça me fait peur. Je me rattrape, Violet m'attrape et Amanda lève les yeux.

– 'spèce de malade ! braille quelqu'un.

La petite bande d'Amanda ricane. Elle met ses mains en porte-voix pour demander :

– Ça va, Vi ?

Violet se penche par-dessus le muret, sans me lâcher, pour répondre :

– Oui, oui, ça va !

La porte en haut des escaliers de la tour s'ouvre et mon meilleur ami, Charlie Donahue, apparaît. Il est noir. Pas un peu noir. Noir noir. Et il se fait plus de filles que n'importe qui.

– Y a de la pizza, ce midi, m'annonce-t-il comme si je n'étais pas perché à vingt mètres du sol, les bras écartés, avec une fille agrippée à mes jambes.

– Pourquoi t'as pas sauté, fêlé ? me lance Gabe Romero – aussi connu sous le nom de Gromerdo, alias Sale Con.

Ça les fait rire.

Je répliquerais bien : « Parce que j'ai rencard avec ta mère après les cours », mais je me tais. Un, ça craint, j'avoue, et deux, il monterait me péter la gueule et me jeter dans le vide – ce qui serait beaucoup moins drôle que de le faire moi-même.

À la place, je crie :

– Merci de m'avoir sauvé la vie, Violet. Je ne sais pas ce que j'aurais fait sans toi. Je crois bien que je serais mort à l'heure qu'il est.

Je vois alors le conseiller psy, M. Embry, qui me fixe. *Super. Trop cool.*

Violet m'aide à passer de l'autre côté du mur. Des applaudissements montent d'en bas, pas pour moi, mais pour Violet, l'héroïne. De près, je constate que sa peau est lisse et parfaite, à part deux ou trois taches de rousseur sur la joue droite. Ses yeux gris-vert me font penser à l'automne. Ce sont eux qui me frappent. De grands yeux qui voient tout. Des yeux chaleureux qui ne mentent pas, qui lisent en vous, et ça, je m'en rends compte même à travers ses lunettes. Elle est jolie, grande, mais pas trop, avec de longues jambes fines et des hanches marquées, juste comme j'aime. Il y a trop de filles au lycée qui sont bâties comme des mecs.

– J'étais juste là comme ça… Je n'étais pas venue pour…

– Je vais te poser une question : crois-tu en la notion de jour parfait ?

– Quoi ?

– Un jour parfait. Du début à la fin. Où rien d'affreux, de triste ni d'ordinaire ne se produit. Tu crois que c'est possible ?

– Je n'en sais rien.

– Ça t'est déjà arrivé ?

– Non.

– Eh bien, moi non plus, mais c'est mon but.

Elle chuchote :

– Merci, Theodore Finch.

Elle se hisse sur la pointe des pieds pour m'embrasser sur la joue. Je sens son shampooing, qui a un parfum de fleurs tandis qu'elle me glisse à l'oreille :

– Si tu racontes ça à quelqu'un, je te tue.

Et, ses boots à la main, elle file par la porte qui donne sur une volée de marches branlantes et sinistres débouchant dans les couloirs trop éclairés et bondés du lycée.

Charlie la suit du regard puis, lorsque la porte s'est refermée, il se tourne vers moi.

– Putain, pourquoi t'as fait ça ?

– Parce qu'il faut bien mourir un jour, je préfère être préparé.

Ce n'est pas la vraie raison, bien sûr, mais ça suffira. La vérité, c'est qu'il y a de nombreuses raisons, qui varient en fonction des jours, comme les treize gamins de CM1 abattus la semaine dernière par un FDP qui a ouvert le feu dans leur gymnase, ou la fille de seconde qui vient de mourir d'un cancer, ou le mec que j'ai vu tabasser son chien à la sortie du ciné, ou mon père.

Même s'il le pense, Charlie ne dit pas « espèce de fêlé », voilà pourquoi c'est mon meilleur ami. Car, mis à part cette qualité, que j'apprécie grandement, nous n'avons pas grand-chose en commun.

Techniquement, je suis « à l'essai » cette année. À cause d'un petit incident impliquant un bureau et un tableau noir. (Pour votre information, ce genre de matériel coûte beaucoup plus cher que vous ne l'imaginez.) Ainsi qu'un « fracassage » de guitare durant l'assemblée du matin, l'usage illégal de feux d'artifice, et peut-être une ou deux bastons. En conséquence, j'ai dû malgré moi accepter les conditions suivantes : me présenter à un rendez-vous hebdomadaire avec le conseiller psychologique du lycée, obtenir B de moyenne générale et participer à au moins une activité extrascolaire. J'ai choisi le macramé parce que je suis le seul garçon parmi une vingtaine de filles pas trop moches, ce qui me convient bien. Je dois également me tenir à carreau, me montrer sociable, me retenir de balancer des bureaux et éviter toute « altercation physique violente ». Enfin, je dois absolument, et quoi qu'il arrive, la boucler, parce que c'est toujours comme ça que je m'attire des ennuis. Le moindre petit écart par rapport à ce programme et c'est l'exclusion qui me pend au nez.

En attendant mon rendez-vous avec M. Embry, je me présente à la secrétaire et je m'assieds sur l'une des chaises en bois inconfortables. Connaissant Embryon (c'est comme ça que je l'ai surnommé), il va vouloir savoir ce que je fabriquais perché en haut de cette tour. Avec un peu de chance, on n'aura pas le temps de creuser davantage.

Quelques minutes plus tard, il me fait signe d'entrer. C'est un petit homme trapu, bâti comme un taureau. Dès qu'il referme la porte, son sourire s'évanouit. Il s'assied, se penche par-dessus son bureau et me fixe comme un suspect en interrogatoire.

– Je peux savoir ce que vous fabriquiez perché en haut de cette tour ?

Ce que j'aime chez lui, c'est qu'il est non seulement très prévisible, mais également très direct. Je le connais depuis la seconde.

– J'avais envie d'admirer la vue.

– Vous aviez l'intention de sauter.

– Non, il y a de la pizza au déjeuner. C'est le meilleur jour de la semaine.

Vous remarquerez que je suis très doué pour changer de sujet. Tellement doué que je pourrais décrocher une bourse et un diplôme supérieur en changement de sujet… sauf que ça ne servirait à rien parce que je maîtrise déjà toutes les ficelles du métier.

J'attends qu'il mentionne Violet mais à la place, il insiste :

– Je dois savoir si vous aviez l'intention de vous faire du mal. Je suis sérieux. Si le proviseur l'apprend, vous serez viré avant d'avoir pu prononcer le mot « exclusion ». Sans compter que si vous retournez là-haut et que vous sautez, je serai traîné au tribunal et, vu mon salaire, je vous assure, je n'en ai pas les moyens. Et c'est valable que vous sautiez du clocher du lycée ou de la Purina Tower.

Je me caresse le menton, songeur.

– La Purina Tower, c'est une idée…

Il me dévisage en plissant les yeux. Comme la plupart des habitants du Midwest, Embryon n'a aucun humour quand on touche aux sujets sensibles.

– Ce n'est pas drôle, monsieur Finch. Il n'y a pas lieu de plaisanter.

– Non, monsieur. Pardon.

– Les gens qui se suicident ne pensent jamais à ceux qui restent. Non seulement leurs parents et leur famille, mais aussi leurs amis ou petites amies, leurs camarades de classe et leurs professeurs.

C'est marrant qu'il s'imagine que j'en ai des tonnes, qu'il m'attribue une brochette de petites amies.

– J'ai fait l'andouille. Je vous accorde que ce n'était certainement pas la meilleure façon d'occuper ma première heure de cours.

Il ouvre un dossier et se met à le feuilleter. Je patiente tandis qu'il le parcourt en me jetant de fréquents coups d'œil. Je me demande s'il a hâte que l'année soit finie.

Il se lève et, comme les flics des séries télé, il passe de l'autre côté du bureau pour se planter devant moi, menaçant. Je cherche du regard la vitre sans tain.

– Vous voulez que je prévienne votre mère ?

– Non. Pas la peine.

Non, non, non, non, non.

– C'était idiot, je le reconnais. Je voulais juste voir ce que ça faisait d'être debout là-haut et de regarder en bas. Je n'aurais jamais sauté !

– Si vous recommencez, ou ne serait-ce que si vous envisagez de recommencer, je l'appelle. Et vous ferez une analyse toxicologique.

– Merci beaucoup, monsieur.

J'y mets toute la sincérité possible, parce que je n'ai aucune envie d'avoir un spot braqué sur moi, qui me suit dans les couloirs du lycée et va farfouiller dans mes affaires. Et puis, j'avoue, je l'aime bien, Embryon.

– Pour les stupéfiants, inutile de perdre votre temps, monsieur. Vraiment. À moins que les cigarettes comptent. La drogue et moi, ça ne fait pas vraiment bon ménage. Croyez-moi, j'ai essayé.

Je joins les mains comme un bon garçon.

– Quant à l'épisode du clocher, même si ce n'était pas du tout ce que vous pensez, je vous promets que ça ne se reproduira plus.

– Exactement, plus jamais. Et dorénavant, vous viendrez deux fois par semaine, le lundi et le vendredi, que je voie comment ça va.

– J'en serai ravi, monsieur… Enfin, j'apprécie beaucoup nos entretiens, mais sincèrement, je vais bien.

– Ce n'est pas négociable. Maintenant, parlons d'avant les vacances. Vous avez manqué quatre, presque cinq semaines de cours. Votre mère a appelé pour dire que vous aviez la grippe.

En réalité, c'est ma sœur Kate qui l'a appelé, mais il n'a aucun moyen de le savoir. C'est elle qui a prévenu le lycée parce que maman a déjà assez de soucis.

– Si c'est ce qu'elle a dit, on ne va pas la contredire.

Le fait est que j'étais malade, mais d'un truc un peu plus compliqué à expliquer que la grippe. J'en ai fait l'expérience, les gens compatissent davantage face à un mal visible. Franchement, j'aurais préféré avoir la varicelle, la rougeole ou n'importe quel autre virus aisément identifiable – ç'aurait été plus simple pour moi et aussi pour eux. N'importe quoi plutôt que la vérité : *Je suis retombé. J'ai bugué à nouveau. J'étais à fond, et brusquement mon cerveau s'est mis à tourner en rond, comme un vieux chien plein d'arthrite, qui ne sait pas comment s'allonger. Puis je me suis éteint et j'ai sombré dans le sommeil. Mais pas le sommeil auquel vous vous abandonnez chaque soir. Un long sommeil profond, sombre et sans rêves.*

Embryon plisse à nouveau les yeux et me dévisage pour me mettre sur le gril.

– Pouvons-nous espérer que dorénavant vous fréquentiez régulièrement le lycée sans vous attirer d'ennuis ce semestre ?

– Absolument.

– Et vous suivrez en classe ?

– Oui, monsieur.

– Je vais demander à l'infirmière qu'elle vous fasse le prélèvement.

Il agite son index sous mon nez.

– Une période probatoire, c'est une « période au cours de laquelle on teste les capacités du sujet, une période au cours de laquelle l'élève est censé faire ses preuves ». Si vous ne me croyez pas, regardez dans le dictionnaire. Et bon sang, essayez de rester en vie !

Ce que je ne lui dis pas, c'est que j'ai envie de rester en vie. Et je ne le lui dis pas parce que, vu tout ce qui est consigné dans l'épais dossier sur son bureau, il ne me croirait pas. Autre chose dont il ne croirait pas un mot, c'est que je me bats pour rester dans ce monde merdique. Si je me perche sur le parapet du clocher, ce n'est pas pour mourir. C'est pour garder le contrôle. Ne plus replonger.

Embryon fait les cent pas autour de son bureau, rassemblant une liasse de brochures diverses sur « comment éviter les ennuis ». Puis il me répète que je ne suis pas seul, que je peux venir lui parler, que sa porte est toujours ouverte, qu'il est là et qu'on se revoit lundi. J'ai envie de répondre que, sans vouloir le vexer, ça ne m'aide pas beaucoup. Mais à la place, je le remercie, à cause des cernes noirs sous ses yeux et des rides qui encadrent sa bouche. Il va probablement s'allumer une cigarette dès que je serai sorti de son bureau. Je prends sa paperasse et je le laisse tranquille. Il n'a pas mentionné Violet, tant mieux.

VIOLET

154 JOURS AVANT L'EXAMEN

Vendredi matin. Bureau de Mme Marion Kresney, conseillère psychologique. De petits yeux gentils et un sourire trop large pour son visage. D'après le certificat affiché au mur, elle est à Bartlett depuis quinze ans. C'est notre douzième rendez-vous.

J'ai encore le cœur qui bat à tout rompre et les mains qui tremblent d'être montée là-haut. Je suis glacée et j'ai juste envie de m'allonger. Je suis sûre qu'elle va me dire : «J'ai appris ce que vous avez fait durant la première heure de cours, Violet Markey. Vos parents sont en route. Une ambulance vous attend pour vous conduire dans un centre psychiatrique.»

Mais l'entretien débute par la phrase rituelle :

– Comment allez-vous, Violet?

– Très bien, et vous?

Je suis assise sur mes mains.

– Très bien. Parlons un peu de vous. J'aimerais savoir comment vous vous sentez.

– Ça va.

Ce n'est pas parce qu'elle n'a pas abordé le sujet qu'elle n'est pas au courant. Elle ne va jamais droit au but.

– Vous dormez bien ?

Les cauchemars ont commencé un mois après l'accident. Elle me pose la question à chaque fois, parce que j'ai fait l'erreur d'en parler à ma mère, qui lui en a parlé. Voilà pourquoi je me retrouve dans son bureau. Voilà pourquoi j'ai arrêté de confier quoi que ce soit à ma mère.

– Je dors très bien.

Le truc, avec Mme Kresney, c'est qu'elle sourit en permanence, quoi qu'il arrive. C'est ce que j'apprécie chez elle.

– Des cauchemars ?

– Non.

À un moment, je les notais, mais j'ai arrêté. Je me les rappelle dans les moindres détails. Comme il y a un mois, quand j'ai rêvé que je fondais. Mon père déclarait : « Tu es en bout de course, Violet. Nous avons tous nos limites, voilà la tienne. » Sauf que je ne voulais pas ! Je regardais mes pieds se transformer en flaques et disparaître. Puis mes mains. Ce n'était pas douloureux. Je me souviens que je me suis dit : *Je devrais être contente, ça ne fait pas mal. Je m'efface, c'est tout.* Mais c'était affreux de se dissoudre comme ça, petit morceau par petit morceau. J'avais complètement disparu quand je me suis réveillée.

Mme Kresney s'agite un peu sur sa chaise, sans se départir de son sourire. Je me demande si elle sourit dans son sommeil.

– Si on discutait un peu des études supérieures.

À la même époque l'an dernier, j'aurais été ravie d'aborder le sujet. On en parlait souvent avec Eleanor quand papa et maman étaient couchés. On s'asseyait dehors s'il faisait assez doux, à l'intérieur s'il faisait froid. On s'imaginait les endroits où on irait, les gens qu'on rencontrerait, une fois qu'on aurait quitté Bartlett,

Indiana, quatorze mille neuf cent quatre-vingt-trois habitants, où nous étions aussi à l'aise que des extraterrestres débarqués de l'autre bout de la galaxie.

– Vous avez déposé un dossier à l'UCLA, Stanford, Berkeley, l'université de Floride, l'université de Buenos Aires, l'université des Caraïbes, l'université nationale de Singapour. C'est une liste très variée, mais votre projet, ce n'était pas New York ?

Depuis la fin de la cinquième, je rêvais d'intégrer le programme d'écriture créative de l'université de New York, suite à un séjour avec ma mère qui est prof de fac et auteur. Elle a fait ses études à NYU si bien que, pendant trois semaines, toute la famille a visité la ville et rencontré ses anciens profs et camarades de promo – romanciers, auteurs dramatiques, scénaristes, poètes. J'avais prévu de postuler pour les pré-admissions en octobre mais, après l'accident, j'ai changé d'avis.

– J'ai raté la date limite, ai-je expliqué.

C'était la semaine dernière. J'ai rempli tout le dossier, rédigé ma dissertation, mais je n'ai rien envoyé.

– Parlons de l'écriture. De votre site Internet.

Elle fait référence à *eleanorandviolet.com*, qu'on a créé avec ma sœur quand nous avons emménagé dans l'Indiana. Nous voulions proposer un magazine en ligne qui donne deux points de vue (très) différents sur la mode, la beauté, les garçons, les livres, la vie. L'an dernier, une amie d'Eleanor, Gemma Sterling (qui est devenue une vraie star en jouant dans une Web-série), a parlé de nous dans une interview et notre fréquentation a triplé. Mais je n'ai pas touché au site depuis la mort d'Eleanor, parce que je ne vois plus l'intérêt de faire un site sur deux sœurs si je suis toute seule. De toute façon, à l'instant où nous avons percuté ce rail de sécurité, ma plume est morte également.

– Je n'ai pas envie d'en parler.

– Je crois savoir que votre mère écrit aussi. Elle doit être de bon conseil.

– Jessamyn West a dit : « Écrire est chose si difficile que les auteurs, ayant vécu l'enfer sur terre, échapperont à tout châtiment dans l'au-delà. »

Le visage de la conseillère psy s'illumine.

– Alors, vous avez l'impression qu'il s'agit d'une punition ?

Elle fait référence à l'accident. Ou bien au fait d'être ici dans son bureau, dans ce lycée, dans cette ville.

– Non.

Ai-je l'impression de mériter d'être punie ? Oui. Sinon pourquoi je me serais fait la frange, hein ?

– Vous sentez-vous responsable de ce qui est arrivé ?

Je tire sur ma frange, justement. Elle rebique.

– Non.

Mme Kresney se renfonce dans son fauteuil. Son sourire vacille une fraction de seconde. Nous savons toutes les deux que je mens. Je me demande comment elle réagirait si je lui disais qu'il y a une heure à peine, j'étais perchée en haut de la tour du clocher. Je suis maintenant presque sûre qu'elle n'est pas au courant.

– Vous avez repris le volant ?

– Non.

– Êtes-vous montée en voiture avec vos parents ?

– Non.

– Mais ils le souhaitent pourtant.

Ce n'est pas une question. Elle l'affirme comme si elle en avait discuté avec eux, ce qui est probablement le cas.

– Je ne suis pas prête.

Cinq mots magiques. Qui peuvent me tirer de n'importe quelle situation, ai-je découvert.

Elle se penche en avant.

– Avez-vous pensé à reprendre l'entraînement de pom-pom girl?

– Non.

– Le conseil des élèves?

– Non.

– Vous jouez toujours de la flûte dans l'orchestre?

– Je suis au dernier rang.

Voilà au moins quelque chose qui n'a pas changé depuis l'accident. J'ai toujours été au dernier rang, parce que je ne suis pas très douée.

Elle se renfonce à nouveau dans son fauteuil. L'espace d'un instant, je crois qu'elle a capitulé, mais elle reprend :

– Je m'inquiète pour vous, Violet. Franchement, vous devriez avoir progressé davantage. Vous ne pouvez pas éviter éternellement les trajets en voiture, surtout maintenant que nous sommes en hiver. Vous ne pouvez pas rester figée ainsi. Vous êtes une survivante et cela signifie...

Je ne saurai jamais ce que ça signifie, parce que, au mot « survivante », je me lève et je quitte la pièce.

Je traverse le lycée pour me rendre à mon quatrième cours de la journée.

Au moins quinze personnes – dont certaines que je connais, et d'autres qui ne m'ont pas adressé la parole depuis des mois – m'arrêtent dans le couloir et me félicitent d'avoir eu le courage d'empêcher Theodore Finch de se suicider. Une fille du journal du lycée veut même m'interviewer.

Franchement, quitte à sauver quelqu'un, je n'aurais pas choisi Theodore Finch, cette légende vivante de Bartlett. Si je lui ai rarement parlé, en revanche, j'en ai beaucoup *entendu parler*. Tout le monde en a entendu parler. Il y en a qui le détestent parce qu'ils le trouvent bizarre – il n'arrête pas de se battre, il est constamment exclu du lycée, il fait ce qui lui chante. Et d'autres qui le vénèrent parce qu'ils le trouvent bizarre – il n'arrête pas de se battre, il est constamment exclu du lycée, il fait ce qui lui chante. Il joue de la guitare dans cinq ou six groupes différents et, l'an dernier, il a même enregistré un disque. Mais il est un peu... *too much*. Un jour, il est arrivé au lycée maquillé en rouge de la tête aux pieds, et ce n'était pourtant pas carnaval. Il a raconté à certains qu'il voulait dénoncer le racisme et à d'autres qu'il était contre la consommation de viande. En première, il a porté une cape pendant un mois entier, cassé un tableau noir en deux avec un bureau, et a volé toutes les grenouilles prévues pour la dissection afin de les enterrer au milieu du terrain de base-ball. L'actrice Anna Faris a déclaré que, pour survivre au lycée, il fallait faire profil bas. Eh bien, Finch applique la technique opposée.

J'ai cinq minutes de retard en cours de littérature russe, où Mme Mahone et sa perruque nous collent une dissertation de dix pages sur *Les Frères Karamazov*. Tout le monde grogne sauf moi, parce que, malgré ce que Mme Kresney semble en penser, j'ai des « circonstances atténuantes ».

Je n'écoute même pas la prof détailler ce qu'elle veut, tout occupée à ôter un fil qui dépasse de ma jupe. J'ai mal à la tête. Sûrement à cause des verres trop forts. Eleanor avait une moins bonne vue que la mienne. J'ôte ses lunettes et je les pose sur mon bureau. Elles lui donnaient un style alors que, sur moi, c'est hideux. Surtout avec la frange. Mais peut-être qu'à force de les porter, je deviendrai comme elle, je verrai les choses de son point de vue. Je pourrai être nous deux, comme ça, elle ne manquera plus à personne, surtout à moi.

Le truc, c'est qu'il y a des hauts et des bas. J'ai honte de devoir l'avouer, mais parfois, ça va. Je me laisse surprendre par une émission de télé, une blague de mon père, une anecdote en classe, et je ris comme si rien n'était arrivé. Je me sens redevenir normale – quelle que soit la définition de ce mot. Certains jours, je me réveille joyeuse, je chante en me préparant. Je mets même de la musique pour danser. La plupart du temps, je vais au lycée à pied. Ou bien je prends mon vélo, et j'ai l'impression d'être une fille comme les autres.

Emily Ward me tapote dans le dos pour me passer un mot. Mme Mahone nous confisque nos téléphones au début du cours, si bien qu'on en est réduits à communiquer à l'ancienne, en griffonnant sur un coin de feuille.

C'est vrai que tu as sauvé Finch du suicide?
x
Ryan

Il n'y a qu'un seul Ryan dans cette classe – certains diraient même dans tout le lycée ou même un seul Ryan au monde – Ryan Cross.

Je lève la tête et croise son regard, deux rangs plus loin. Il est trop parfait. Épaules carrées, cheveux châtain doré, yeux verts et juste assez de taches de rousseur pour le rendre moins intimidant. On est sortis ensemble jusqu'en décembre, mais là, on fait un break.

Je laisse le mot posé cinq minutes sur mon bureau avant de répondre. Puis, finalement, j'écris :

Je passais juste dans le coin.
x
V

Je reçois sa réponse au bout d'une minute à peine mais, cette fois, je ne déplie pas le message. Quand je pense au nombre de filles qui rêveraient de recevoir un mot de Ryan Cross… La Violet Markey du printemps dernier en faisait partie.

Quand la sonnerie retentit, je traîne dans la classe. Ryan s'attarde un instant, pour voir ce que je vais faire, mais comme je reste assise à ma place, il prend ses affaires, son téléphone et s'en va.

Mme Mahone s'approche en demandant :

– Qu'y a-t-il, Violet ?

Autrefois, dix pages ne m'auraient pas effrayée. Si le prof en demandait dix, je lui en rendais vingt. Et s'il en voulait vingt, je lui en fournissais trente. J'étais plus douée pour écrire que pour jouer mon rôle de fille, de petite amie et même de sœur. Écrire, c'était tout pour moi. Dorénavant, ça m'est impossible.

Je n'ai même pas besoin de prétexter que je ne suis pas prête. C'est l'une des règles tacites du livre de la vie, au chapitre « Comment réagir quand une élève perd un de ses proches, et ne s'en remet toujours pas neuf mois après ».

Mme Mahone soupire en me tendant mon portable.

– Rédige au moins une page, ou simplement un paragraphe. Fais de ton mieux, Violet.

Mes « circonstances atténuantes » me sauvent la mise.

Ryan m'attend dans le couloir. Je vois bien qu'il se creuse la tête, comme si j'étais un puzzle dont il n'arrive pas à remettre les pièces en place pour retrouver la petite amie rigolote qu'il avait avant.

– Tu es très jolie, aujourd'hui, dit-il.

Il est assez aimable pour ne pas fixer mes cheveux.

– Merci.

Par-dessus son épaule, je vois Theodore Finch approcher. Il m'adresse un signe de tête en passant, comme s'il savait quelque chose que j'ignore, et continue son chemin.

FINCH

6e JOUR D'ÉVEIL (ENCORE)

À l'heure du déjeuner, tout le lycée est au courant que Violet Markey a empêché Theodore Finch de sauter du haut du clocher. Alors que je me rends en cours de géo, je me retrouve derrière un groupe de filles qui discourent sur le sujet, sans se douter le moins du monde que je suis le seul et unique Theodore Finch.

Avec leurs voix haut perchées, on dirait que toutes leurs phrases se terminent par un point d'interrogation. Ça donne : « Paraît-il qu'il avait une arme ? Et elle a dû la lui arracher des mains ? Ma cousine Stacey, qui est au lycée de Newcastle, m'a dit qu'une fois, avec une copine, elles l'ont vu qui jouait dans un club de Chicago, et il les a draguées toutes les deux ? Moi, mon frère était là quand il a allumé les feux d'artifice et paraît qu'avant que la police ne l'emmène, il leur a fait : "Si je vois pas le bouquet final, je veux être remboursé !" T'imagines ? »

Apparemment, je suis irrécupérable et dangereux. *Ouais, exactement. Je suis là, bien réveillé, et accrochez-vous parce que vous n'avez encore rien vu !*

– J'ai entendu dire qu'il avait fait ça pour une fille, je leur glisse avant d'entrer en classe d'un pas nonchalant.

Je m'installe, moi, le tristement célèbre Finch, avec l'impression d'être invincible, regonflé à bloc, étrangement surexcité, comme si je venais juste... hum... d'échapper à la mort. Je jette un regard aux alentours, mais personne ne prête la moindre attention à moi, ni d'ailleurs à M. Black, notre prof, qui est littéralement l'homme le plus énorme que j'aie jamais vu. Il est toujours écarlate, au bord du coup de chaleur ou de la crise cardiaque. Et entre deux mots, il siffle comme une bouilloire.

J'ai passé mon existence entière en Indiana – les années de purgatoire, comme je les appelle –, en ignorant que j'habitais à une quinzaine de kilomètres du point culminant de l'État. Personne ne me l'avait jamais dit, ni mes parents, ni mes sœurs, ni mes professeurs, jusqu'à ce jour précis, en cet instant capital où nous avons abordé le chapitre « Balades en Indiana » – ajouté au programme cette année dans le but « d'éveiller les élèves aux richesses historiques de leur État d'origine afin qu'ils puissent tirer fierté de leurs racines ».

Sans rire.

M. Black s'effondre sur sa chaise en se raclant la gorge.

– Quoi de plus... approprié... pour entamer... ce nouveau... semestre... que de débuter... par le point culminant ?

À cause de sa respiration sifflante, difficile de déterminer si les informations qu'il nous distille l'enthousiasment vraiment.

– Hoosier Hill[1] s'élève à... trois cent quatre-vingt-trois mètres au-dessus du... niveau de la mer... et est situé au fond... du jardin

1. *Hoosier* est le surnom donné aux habitants de l'Indiana sans qu'on en connaisse réellement l'origine, on pourrait traduire par « plouc, péquenaud ». Aux yeux du reste des États-Unis, l'Indiana est considéré comme un État très rural, conservateur, sans grand intérêt historique ou culturel (*NdT*).

d'une propriété familiale… En 2005, un scout du… Kentucky a obtenu… la permission d'y… créer un sentier et… une aire de pique-nique… ainsi que d'y planter un panneau…

Je lève la main, mais il m'ignore.

Tandis qu'il continue à parler, je garde la main en l'air en me disant : *Et si je grimpais là-haut ? Est-ce que la vue est différente quand on est à trois cent quatre-vingt-trois mètres ? Ça ne semble pas très haut, mais visiblement y en a qui en sont fiers… Et d'abord, qui suis-je pour décréter que trois cent quatre-vingt-trois mètres, c'est que dalle, hein ?*

Le prof finit par m'adresser un signe de tête, les lèvres serrées, comme s'il les avait avalées.

– Oui, monsieur Finch ?

Il pousse un soupir digne d'un centenaire en me jetant un regard méfiant et plein d'appréhension.

– Je propose d'organiser une sortie scolaire. Il est capital de visiter les merveilles de l'Indiana tant qu'il est encore temps, parce qu'au moins trois personnes dans cette classe vont décrocher leur diplôme et quitter notre magnifique État à la fin de l'année et qu'en auront-ils tiré, à part une éducation au rabais dispensée par l'un des pires systèmes scolaires de notre pays ? De plus, difficile d'imaginer un endroit pareil sans se rendre sur place. Comme le Grand Canyon ou Yosemite. Il faut y être pour prendre toute la mesure de leur splendeur.

Je ne suis qu'en partie sarcastique, disons à vingt pour cent, pourtant M. Black réplique : « Merci, monsieur Finch » sur un ton bien éloigné du remerciement.

Je m'attelle à dessiner des collines dans un coin de mon cahier, en hommage au point culminant de notre État – sauf qu'on dirait juste des gros tas informes et des serpents volants.

– Theodore a raison… Certains d'entre vous… vont partir du lycée… à la fin de l'année… pour aller ailleurs… Avant de quitter…

notre bel État... prenez donc le temps... de le découvrir... de l'explorer...

Un fracas soudain l'interrompt. Une retardataire a fait tomber un livre et, en voulant le ramasser, a laissé dégringoler toutes ses affaires. Ce qui déclenche l'hilarité générale, parce que nous sommes au lycée, que nous sommes donc ultra prévisibles et que la moindre occasion est bonne pour se marrer, surtout si c'est aux dépens de l'un de nos camarades. La fille qui a tout fait tomber est Violet Markey, la Violet Markey du clocher. Elle est rouge écrevisse et je vois bien qu'elle voudrait mourir. Mais pas en se jetant d'un haut sommet, cette fois, plutôt sur le mode : « Pitié que la terre s'ouvre sous mes pieds et m'engloutisse ! »

Je connais ce sentiment mieux que ma mère, mes sœurs et Charlie Donahue. C'est le sentiment qui m'accompagne depuis que je suis né. Comme le jour où, en sport, je me suis assommé en faisant une tête devant Suze Haines, ou la fois où j'ai tellement ri qu'un truc a jailli de mon nez pour atterrir sur Gabe Romero, et bien sûr pendant toute la durée de la quatrième, de septembre à juin.

Et donc, parce que j'y suis habitué et que cette Violet est à deux crayons de fondre en larmes, je flanque un de mes livres par terre. Tous les regards se tournent vers moi. Je me penche pour le ramasser, envoyant volontairement valser tous les autres – dans les murs, les têtes, les vitres –, et pour faire bonne mesure, je tombe à la renverse avec ma chaise. Ma performance est accueillie par des ricanements, des applaudissements, quelques « fêlé » et un sifflement exaspéré de la part de M. Black :

– Quand vous aurez fini, Theodore... j'aimerais poursuivre...

Je me relève, je redresse ma chaise et ramasse mes livres en faisant la révérence. Puis je salue à nouveau et je me rassieds en souriant à Violet qui me lance un regard où la surprise se mêle au soulagement et... à une certaine inquiétude. J'aimerais penser qu'il y a également une pointe de désir, mais ce serait prendre mes rêves pour des réalités. Je lui adresse mon plus beau sourire, celui qui me permet d'obtenir l'absolution maternelle lorsque je rentre tard ou simplement parce que je suis bizarre. (Sinon quand je surprends le regard de ma mère, les rares fois où elle ose poser les yeux sur moi, elle a l'air de se demander : *D'où il sort, celui-là ? Il doit tenir de son père, ce n'est pas possible.*)

Violet me rend mon sourire. Je me sens instantanément mieux parce qu'elle se sent mieux et parce qu'elle me sourit, à moi, le pestiféré du lycée. C'est la deuxième fois dans la journée que je lui sauve la mise. « Theodore au cœur tendre », comme me surnomme ma mère. « Trop tendre pour son propre bien. » C'est une critique et je la prends comme telle.

M. Black nous fixe tour à tour, Violet puis moi.

– Comme je le disais donc... votre travail personnel dans ce cours... sera de présenter au moins deux... ou encore mieux trois... merveilles de l'Indiana.

Je contemple une autre merveille : Violet concentrée sur le tableau, un vague sourire toujours aux lèvres.

M. Black explique que nous devons choisir les sites qui nous attirent le plus, peu importe qu'ils soient éloignés ou peu connus. Notre mission est de nous y rendre, de prendre des photos ou une vidéo, de creuser leur histoire et de rapporter dans un dossier ce qui, en ces lieux précis, nous rend particulièrement fiers d'être de notre État. Si nous parvenons à trouver un fil conducteur entre ces lieux, d'une manière ou d'une autre, c'est encore mieux. Nous avons tout le semestre pour fignoler le projet et rendre un travail sérieux.

– Vous vous mettrez... par groupes de deux. Cela comptera... pour trente-cinq... pour cent... de votre note.

Je lève à nouveau la main.

– On peut choisir son partenaire ?

– Oui.

– Alors je choisis Violet Markey.

– Vous verrez ça… avec elle… à la fin… du cours.

Je me retourne instantanément, le coude sur le dossier de ma chaise.

– Violet Markey, j'aimerais bosser avec toi sur ce projet.

Elle rougit car tout le monde la regarde.

Elle s'adresse au professeur :

– Je ne pourrais pas faire autre chose… ? Des recherches… et vous rendre un petit dossier ?

Elle ne hausse pas le ton, mais elle a l'air un peu agacée.

– Je ne suis pas prête…

Il l'interrompt :

– Mlle Markey… je vous fais la plus grande faveur… de votre vie… en vous répondant… non.

– Non ?

– Non. Une nouvelle année… commence… Il est temps… de remonter à dos de chameau.

Ça fait rire quelques élèves. Violet me lance un regard noir. Oui, elle est carrément furieuse… Je me souviens alors de l'accident. Violet et sa sœur, au printemps dernier. Elle a survécu, sa sœur est morte. C'est pour ça qu'elle ne veut pas attirer l'attention.

M. Black passe le reste du cours à nous parler de sites qui pourraient nous plaire et qu'il faut absolument qu'on voie avant la fin de l'année – les trucs touristiques habituels comme le parc historique de Conner Prairie, la maison de Levi Coffin, le Lincoln Museum et la demeure natale de James Whitcomb Riley –, même si on sait pertinemment que la plupart d'entre nous resteront dans ce trou jusqu'à la mort.

J'essaie de croiser à nouveau le regard de Violet, mais elle garde la tête baissée. Elle se recroqueville sur sa chaise, les yeux dans le vague.

À la sortie du cours, Gabe Romero me bloque le passage. Comme d'habitude, il n'est pas seul. Amanda Monk est postée juste derrière lui, une main sur la hanche, encadrée par Joe Wyatt et Ryan Cross. Le sympathique et cordial Ryan, sportif, bon élève, délégué de classe. Le pire chez lui, c'est qu'il sait exactement qui il est depuis la maternelle.

Gromerdo dégaine :

– Que j'te reprenne pas à me regarder comme ça !

– Je ne te regardais pas. Crois-moi, il y a des centaines d'autres choses dans cette salle que je préférerais regarder avant de daigner poser les yeux sur toi, y compris le gros cul nu de M. Black.

– Pédé.

Gromerdo et moi, nous sommes ennemis jurés depuis le collège. Il m'arrache mes livres des mains et, même si c'est une intimidation du niveau CP, je sens une grenade familière de haine se matérialiser au creux de mon estomac, sa fumée toxique envahit mes poumons, me remonte dans la gorge. Exactement la même sensation que j'ai éprouvée l'an dernier juste avant de soulever un bureau et de le jeter – non pas sur Gromerdo comme il se plaît à le croire, mais sur le tableau noir de la salle de M. Geary.

– T'as plus qu'à les ramasser, maintenant, pétasse.

En passant, il me flanque un grand coup d'épaule. J'ai bien envie de lui enfoncer la tête dans son casier puis de plonger la main dans sa grande gueule pour lui arracher le cœur, parce que le truc, quand je viens de me réveiller, c'est que je ressens tout plus fort, comme pour rattraper le temps perdu.

Mais à la place, je compte jusqu'à soixante, en me forçant à sourire bêtement. *Je ne serai pas collé. Je ne serai pas viré. Je vais rester calme. Je vais me taire. Je suis très très très sage.*

M. Black observe la scène depuis le pas de la porte. J'essaie de lui adresser un signe de tête détaché pour lui montrer que tout va bien, que tout est sous contrôle, pas de problème. Je n'ai pas les mains moites, je n'ai pas le sang qui bat aux tempes, circulez y a rien à voir. Je me suis fait la promesse que cette année ne serait pas comme les précédentes. Si je parviens à garder un train d'avance sur tout, y compris sur moi-même, je devrais pouvoir rester bien présent, ici et maintenant, et pas seulement à moitié là.

Il ne pleut plus. Avec Charlie, on est sur le parking, assis sur le capot de sa voiture, à discuter de ce qu'il aime le plus en dehors de lui-même : le sexe. Notre amie Brenda nous écoute, serrant ses livres sur sa très généreuse poitrine. Ses cheveux aux mèches rouges et roses brillent sous le soleil délavé de janvier.

Pendant les vacances de Noël, Charlie a bossé au cinéma du centre commercial. Il a, paraît-il, fait entrer sans payer toutes les filles un peu mignonnes, ce qui lui a valu encore plus de succès que d'habitude – dans la rangée du fond, réservée aux handicapés, où les fauteuils n'ont pas d'accoudoirs.

– Et toi ? me demande-t-il.

– Quoi, moi ?

– T'as fait quoi ?

– Je me suis baladé. Comme j'avais pas envie de venir en cours, j'ai pris ma caisse et j'ai roulé.

Je ne peux pas expliquer mes brusques sommeils à mes amis, et même si je pouvais, ce ne serait pas la peine. L'un des trucs que je préfère, avec Charlie et Brenda, c'est que je n'ai pas à leur donner d'explication. Je vais, je viens et « Tiens, voilà Finch ! »

Charlie hoche la tête.

– Il faudrait vraiment que tu tires un coup.

Il fait sans doute référence à l'incident du clocher. D'après lui, si je couche, je n'aurai plus envie de me suicider. Pour Charlie, tirer un coup, c'est la solution à tout. Si tous les grands dirigeants du monde avaient une vie sexuelle satisfaisante et régulière, il n'y aurait plus de problèmes sur cette planète.

Brenda le dévisage, sourcils froncés.

– T'es qu'un porc, Charlie.

– Tu m'adores.

– Dans tes rêves... Prends exemple sur Finch, lui, c'est un *gentleman*.

Rares sont les personnes qui diraient ça de moi. Mais l'avantage, dans cette vie, c'est qu'on peut être quelqu'un de différent aux yeux de chacun.

– Je préfère rester en dehors de ça, dis-je.

Bren secoue la tête.

– Non, sérieux. Les *gentlemen* sont en voie de disparition. Comme les vierges ou les leprechauns[1]. Si un jour je me marie, j'en épouserai un.

Je ne peux pas m'empêcher de répliquer :

– Quoi ? Une vierge ou un leprechaun ?

Elle me donne une tape sur le bras.

– Il y a une différence entre un *gentleman* et un gars qui n'a aucune vie sexuelle.

Charlie me désigne du menton.

– Sans vouloir te vexer, mec.

– *No offense*, je réplique.

C'est vrai, après tout, comparé à lui en tout cas. En fait, il veut

1. Lutin irlandais, barbu et farceur, tout de vert vêtu (*NdT*).

dire que je n'ai pas de chance avec les femmes. Sûrement parce que je craque toujours pour des salopes, des folles ou des filles qui font semblant de ne pas me connaître quand il y a du monde autour.

Enfin bref, de toute façon, je ne les écoute plus car, par-dessus l'épaule de Bren, je viens de l'apercevoir – Violet. Je suis en train de tomber grave amoureux, je le sens et ce n'est pas la première fois (Suze Haines, Laila Collman, Annalise Lemke, les trois Briana – Briana Harley, Briana Bailey, Briana Boudreau...). Tout ça parce qu'elle m'a souri. Mais putain, quel sourire. Un vrai sourire, ce qui est rare de nos jours. Surtout quand on est moi, Theodore Freak, le taré de service.

Bren se retourne pour voir ce que je fixe comme ça. Elle secoue la tête, avec une grimace de dégoût qui fait que, d'instinct, je me protège le bras.

– Bon sang, vous êtes tous pareils, vous les mecs.

À la maison, ma mère discute au téléphone tout en décongelant l'un des petits plats que ma sœur Kate prépare en début de semaine. Elle me fait signe sans interrompre sa conversation. Kate dévale les escaliers, attrape ses clés sur le bar et lance :

– À plus, *loser*!

J'ai deux sœurs – Kate qui a un an de plus que moi et Decca, qui a huit ans. C'est un accident, évidemment, ce qu'elle a découvert aux alentours de six ans.

Enfin, tout le monde sait bien que, dans la famille, la véritable erreur de parcours, c'est moi.

Avec mes semelles mouillées qui couinent sur le sol, je monte m'enfermer dans ma chambre. Sans même regarder la pochette, je mets un vieux vinyle sur la platine que j'ai dénichée au sous-sol. Le disque saute et grésille, comme sur un vieux phono d'avant-guerre. Je suis dans ma phase Split Enz[1], d'où les baskets. Je m'essaie en Finch des années 80 pour voir ce que ça donne.

Je sors une clope et fouille dans mon bureau à la recherche d'un briquet, quand je me rappelle soudain que le Finch des années 80 ne fume pas. Putain, je le déteste ce morveux trop clean, avec ses cheveux courts et sa nuque bien rasée. Je laisse la cigarette entre mes lèvres sans l'allumer en m'efforçant d'aspirer la nicotine. Je prends ma guitare, je gratte trois accords et j'abandonne. Je m'assieds devant l'ordinateur, à califourchon sur ma chaise retournée, c'est la seule position dans laquelle je peux écrire.

Je tape :

5 janvier

Méthode : clocher du lycée.

Probabilité de réussite sur une échelle de 1 à 10 : 5.

Chiffres : le taux de suicide par saut dans le vide augmente à la pleine lune et les jours fériés.

Informations historiques : l'un des plus célèbres suicidés ayant utilisé cette méthode est Roy Raymond, le fondateur de la marque de lingerie Victoria's Secret.

Informations complémentaires : en 1912, un dénommé Franz Reichelt s'est jeté du haut de la tour Eiffel avec une combinaison-parachute qu'il avait lui-même conçue. Il a sauté pour tester son invention, pensant voler, hélas il est tombé comme une pierre et s'est écrasé au sol, creusant un cratère de quinze centimètres de profondeur. Avait-il l'intention de se tuer ? J'en doute. À mon avis, c'était juste un crétin crâneur.

---

1. Groupe de new wave néo-zélandais connu pour le tube *I Got You*.

Une rapide recherche sur Internet m'apprend que seuls cinq à dix pour cent des suicides sont commis en sautant dans le vide (selon Johns Hopkins). Apparemment, cette méthode est choisie pour des raisons pratiques – ce qui explique la popularité de San Francisco avec son Golden Gate Bridge (la destination la plus courue au monde en matière de suicide). Ici, nous n'avons que la Purina Tower et une colline de trois cent quatre-vingt-sept mètres de haut.

J'écris :

Raison ayant empêché le passage à l'acte : trop dégueu. Trop voyant. Trop de monde.

Je ferme Google pour passer sur Facebook. Je n'ai aucun mal à trouver la page d'Amanda Monk vu qu'elle est amie avec tout le monde, même avec des gens qu'elle méprise dans la vraie vie. Je déroule sa liste d'amis pour chercher Violet.

Et voilà qu'elle apparaît. Je clique sur sa photo et voilà qu'elle apparaît en plus gros, avec aux lèvres le même sourire qu'elle m'a adressé tout à l'heure. Je contemple l'écran, avec une furieuse envie d'en savoir plus. Qui est cette Violet Markey ? En la googlisant, je tombe sur le site *eleanorandviolet.com*, dont elle serait co-créatrice - éditrice - auteur. C'est le genre de blog classique, qui parle de garçons et de mode. La dernière publication remonte au 3 avril dernier. Je déniche aussi un article de presse.

Eleanor Markey, dix-huit ans, en terminale au lycée de Bartlett, membre du conseil des élèves, a perdu le contrôle de son véhicule sur le pont de A Street aux environs de 00 h 45, le 5 avril. L'accident serait dû au verglas et à la vitesse. Eleanor a été tuée sur le coup. Sa sœur de seize ans, Violet, qui occupait la place passager, n'a souffert que de blessures sans gravité.

Je lis et relis l'article, avec un nœud d'angoisse dans le ventre. Et là, je fais un truc que je m'étais promis de ne jamais faire. Je m'inscris sur Facebook, juste pour pouvoir la demander en amie. Le fait d'avoir un profil FB me donnera l'air plus sociable et normal, et atténuera peut-être le côté tragique de notre rencontre « au bord du suicide », de sorte que je paraisse plus rassurant. Je fais un selfie avec mon téléphone, mais j'ai l'air trop sérieux. Sur le deuxième, j'ai l'air d'un crétin. J'opte donc pour le troisième qui est un mélange des deux.

Je mets mon PC en veille pour éviter de vérifier toutes les cinq minutes si elle a accepté. En attendant, je joue de la guitare, je lis quelques pages de *Macbeth* pour le lycée, puis je dîne avec Decca et maman, une tradition qui remonte à l'an dernier, après le divorce. J'ai beau ne pas avoir un gros appétit, j'adore ce repas car c'est l'un des rares moments de la journée où j'éteins mon cerveau.

Maman commence par sa question préférée :

– Alors, Decca, qu'est-ce que tu as appris aujourd'hui ?

Elle nous interroge toujours sur les cours, ça lui donne l'impression de faire son devoir de mère.

Dec répond :

– J'ai appris que Jacob Barry était un connard.

Elle parle de plus en plus mal ces derniers temps. On dirait qu'elle essaie d'obtenir une réaction de maman, de voir si elle écoute vraiment.

– Decca..., fait-elle d'un ton las, mais elle n'est qu'à moitié là.

Alors ma sœur nous raconte que ce Jacob s'est collé les mains à son bureau simplement pour échapper à un contrôle de sciences. Sauf que, quand ils ont voulu le détacher, sa peau est venue avec. Les yeux de Decca étincellent comme ceux d'un petit animal enragé. Elle estime clairement qu'il l'a bien cherché et ne se gêne pas pour le dire.

Maman est à l'écoute, soudain.

– Decca!

Elle secoue vigoureusement la tête, au maximum de son rôle éducatif. Depuis le départ de notre père, elle s'efforce de jouer les parents cool. Ça me fait de la peine pour elle. D'abord parce qu'elle l'aime, cet égoïste pourri jusqu'au trognon, alors qu'il l'a quittée pour une certaine Rosemarie au nom de famille imprononçable. Et surtout à cause de ce qu'elle m'a dit quand il est parti :

– Je n'aurais jamais cru me retrouver célibataire à quarante ans.

Ce n'est pas tant la portée de la phrase, mais le ton sur lequel elle l'a prononcée. Comme si tout était fini.

Depuis, je m'efforce d'être gentil et sage, de me faire le plus petit et le plus discret possible; ce qui implique de faire croire que je vais en cours même quand je suis en sommeil – le Grand Sommeil – pour ne pas lui en rajouter. Mais je n'y arrive pas toujours.

– Et toi, ta journée, Theodore?

– Génial.

Je pousse la nourriture du bout de ma fourchette pour faire un dessin dans mon assiette. Ce qui m'ennuie, c'est qu'il y a mille choses plus intéressantes à faire que de manger. Ou dormir, d'ailleurs. Quelle perte de temps.

Info intéressante : un Chinois est décédé pour cause de manque de sommeil après être resté éveillé onze jours d'affilée pour regarder tous les matchs de la Coupe d'Europe (de foot, je précise pour ceux qui comme moi n'y connaissent rien). Au bout de la onzième nuit sans sommeil, il a vu l'Italie battre l'Irlande deux à zéro, il a pris une douche, il s'est endormi vers cinq heures du matin. Et il est mort. *Je ne voudrais pas dire du mal d'un mort, mais sincèrement, tout ça pour du foot. Faut vraiment être con.*

Maman s'est arrêtée de manger pour me dévisager. Quand elle s'en donne la peine, ce qui est rare, elle tente de se montrer compréhensive concernant ma «tristesse», tout comme elle essaie d'être patiente avec Kate qui passe la nuit dehors et avec Decca qui est convoquée dans le bureau du directeur. Notre mère met nos problèmes de comportement sur le compte du divorce et de mon père. Elle répète qu'il nous faut un peu de temps pour digérer.

D'un ton moins sarcastique, je développe :

– Pas mal. Sans surprise. Rasoir. Normal.

Nous passons à des sujets plus consensuels comme la maison que ma mère essaie de vendre pour ses clients et la météo.

Une fois le dîner terminé, maman pose la main sur mon bras, en m'effleurant à peine, et remarque :

– C'est sympa que ton frère soit de retour parmi nous, pas vrai, Decca ?

Elle dit ça comme si je menaçais de me volatiliser à nouveau, là, juste sous leurs yeux. La légère note de reproche dans sa voix me fait grincer des dents. J'ai une furieuse envie de remonter direct m'enfermer dans ma chambre. Même si elle essaie de me pardonner ma tristesse, elle aimerait pouvoir compter sur moi comme l'homme de la maison. On a réussi à lui faire croire que j'étais en cours pendant ces quatre, presque cinq, semaines d'absence, mais j'ai néanmoins manqué pas mal de dîners en famille. Elle me lâche le bras, et nous sommes soudain libres de nous éparpiller tous les trois dans des directions différentes.

Vers dix heures, une fois tout le monde couché, alors que Kate n'est toujours pas rentrée, je rallume mon ordinateur pour consulter mon compte Facebook.

Violet Markey a accepté votre invitation.

Et voilà, nous sommes amis.

J'ai envie de courir dans toute la maison en hurlant, de grimper sur le toit et d'écarter les bras, mais sans sauter toutefois, sans même y penser. À la place, je me penche vers l'écran pour faire défiler ses photos – Violet qui sourit entre deux adultes qui doivent être ses parents, Violet qui sourit avec ses amis, Violet qui sourit à un match, Violet qui sourit joue contre joue avec une autre fille, Violet qui sourit toute seule.

Je me rappelle la photo de l'article sur Internet. Il s'agit de sa sœur, Eleanor. Elle portait les lunettes à monture épaisse que Violet avait sur le nez aujourd'hui.

Soudain un message s'affiche.

Violet : Tu m'as piégée. Devant tout le monde.

Moi : Tu aurais accepté de faire équipe avec moi, sinon ?

Violet : Je me serais débrouillée pour être dispensée de faire ce devoir. Pourquoi tu tiens absolument à bosser avec moi ?

Moi : Parce que notre montagne nous attend.

Violet : Qu'est-ce que tu racontes ?

Moi : Tu n'as sans doute jamais rêvé de visiter l'Indiana, d'accord. Mais on a un devoir à rendre et je me suis proposé… hum, d'accord, je t'ai forcée à faire équipe avec moi. Ça tombe bien : j'ai une carte dans mon coffre, qui ne demande qu'à servir et il y a sans doute des endroits dans cet État qui n'attendent que nous. Peut-être que personne d'autre ne viendra jamais les visiter ni les apprécier à leur juste valeur, alors que même le lieu le plus insignifiant peut avoir un intérêt. Ou tout du moins, un intérêt pour nous. Enfin, en tout cas, quand on partira, on pourra dire qu'on le connaît, notre grand État. Alors, allons-y ! En route ! On va faire un truc qui compte ! On va faire le grand saut !

Comme elle ne répond pas, j'ajoute :

Je suis là si tu as envie de parler.

Silence.

J'imagine Violet chez elle en cet instant précis, derrière son ordinateur, avec ses lèvres parfaites qui sourient à l'écran, malgré tout, quoi qu'il arrive. Violet sourit. Gardant un œil sur mon PC, je prends ma guitare, j'ai déjà les paroles, la mélodie n'est pas loin.

Je suis toujours là et tant mieux parce que sinon j'aurais raté ça. Des fois, ça vaut le coup d'être éveillé.

Je chante :

– *Pas aujourd'hui, parce qu'elle m'a souri.*

RÈGLEMENT DES BALADES SELON FINCH

1) Il n'y a pas de règles, il y en a déjà assez comme ça dans la vie.

2) Cependant, il y a trois «lignes de conduite» (ça fait moins rigide que «règle») :

a) Ne pas utiliser de téléphone portable pour se rendre sur le site. Il faut le faire à l'ancienne, en apprenant à lire une vraie carte.

b) Choisir les sites chacun son tour, en se laissant cependant porter là où la route nous mène. Ce qui implique d'accepter le grandiose, l'insignifiant, le bizarre, le poétique, le beau, le laid, le surprenant. Exactement comme dans la vie. Mais absolument, inconditionnellement, résolument rien d'ordinaire.

c) Sur chaque site, laisser quelque chose, une sorte d'offrande. Un genre de géocaching perso («loisir qui consiste à utiliser la technologie du GPS pour rechercher ou dissimuler un objet»), sauf que ce ne serait pas un jeu, et que ce serait juste entre nous. Le principe du géocaching, c'est «prendre un truc, laisser un truc». Comme, d'après moi, nous allons tirer quelque chose de chacune de nos visites, pourquoi ne pas laisser quelque chose en retour? Et puis, c'est une manière de marquer notre passage, de laisser une trace.

VIOLET

153 JOURS AVANT L'EXAMEN

Samedi soir. Chez Amanda.

Je suis venue à pied, c'est à trois pâtés de maisons de chez moi. Amanda m'a promis qu'il n'y aurait que nous, ainsi qu'Ashley et Shelby, parce qu'elle ne parle plus à Suze. Encore. Amanda était l'une de mes meilleures amies, mais nous ne sommes plus aussi proches qu'avant. Depuis que j'ai arrêté les pom-pom girls, nous n'avons plus grand-chose en commun. Je me demande d'ailleurs si nous avons un jour eu quelque chose en commun.

J'ai fait l'erreur de mentionner cette soirée devant mes parents, du coup, je suis obligée d'y aller.

– Amanda a fait un effort, alors à toi d'en faire un de ton côté, Violet. Tu ne peux pas te servir éternellement de la mort de ta sœur comme excuse. Il faut que tu recommences à vivre.

Le « je ne suis pas prête » ne fonctionne plus sur mon père et ma mère, visiblement.

En traversant le jardin des Wyatt pour tourner au coin de la rue, j'entends déjà les échos de la fête. La maison d'Amanda est illuminée comme un sapin de Noël. Il y a des gens aux fenêtres, d'autres sur la pelouse. Le père d'Amanda est propriétaire d'une chaîne de magasins d'alcool, c'est l'une des causes de sa popularité. En dehors du fait qu'elle couche.

Je me fige au milieu de la rue, mon sac sur l'épaule et mon oreiller sous le bras. J'ai l'impression d'être revenue en sixième. La bonne élève bien sage. Eleanor se serait moquée de moi et m'aurait poussée en avant. Elle serait déjà à l'intérieur. Je lui en veux rien que de l'imaginer.

Je me force à entrer. Joe Wyatt me tend une boisson non identifiée dans un gobelet en plastique en précisant :

– Y a de la bière au sous-sol.

Gabe Romero a envahi la cuisine avec d'autres joueurs de baseball et de foot.

– Tu te l'es faite ? demande-t-il à Troy Satterfield au moment où j'entre.

– Non, *man*.

– Tu l'as embrassée au moins ?

– Non.

– T'as pu lui toucher le cul ?

– Ouais, mais je crois que c'était pas voulu.

Ils éclatent de rire. Tout le monde parle trop fort. Je descends au sous-sol. Amanda et Suze, visiblement réconciliées, sont affalées sur un canapé. Je ne vois ni Ashley ni Shelby dans les parages, mais une vingtaine de mecs sont avachis par terre en train de faire un jeu à boire. Des filles dansent autour d'eux, je repère les trois Briana et Brenda Shank-Kravitz – une amie de Theodore Finch. Des couples s'embrassent.

Amanda brandit sa bière dans ma direction.

– Oh, là, là ! Il faut faire quelque chose pour tes cheveux, Vi !

Elle parle de ma frange faite maison.

– Et pourquoi tu te trimballes avec ces lunettes ? Je sais que c'est en souvenir de ta sœur, mais elle n'aurait pas un mignon petit pull que tu pourrais porter à la place ?

Je pose mon gobelet. J'ai toujours mon oreiller sous le bras.

– J'ai mal au ventre. Je crois que je vais rentrer.

Suze (qui s'appelait Suzie jusqu'à la troisième où elle a décidé que dorénavant ce serait « Souze ») me fixe de ses gros yeux bleus.

– C'est vrai que t'as empêché Theodore Finch de sauter de la tour ?

– Oui.

Par pitié, je veux juste oublier toute cette journée.

Amanda arbore un sourire satisfait.

– Je te l'avais bien dit.

Elle se tourne vers moi en levant les yeux au ciel.

– Il ne sait plus quoi faire pour se rendre intéressant. Je le connais depuis la maternelle… et c'est de pire en pire.

Suze boit une gorgée de bière.

– Moi, je le connais encore mieux…, fait-elle d'une voix pleine de sous-entendus.

Amanda lui donne une tape, Suze la lui rend. Quand elles ont fini leur petit jeu, elle m'explique :

– On est sortis ensemble en seconde. D'accord, il est bizarre, mais je dois dire qu'il sait s'y prendre… si tu vois ce que je veux dire.

D'un ton encore plus appuyé, elle ajoute en regardant autour d'elle :

– Contrairement à la plupart de ces petits fistons à leur maman…

L'un des fistons à sa maman lève la tête en braillant :

– Tu veux venir tâter la marchandise, salope ?

Amanda fait mine de taper Suze et c'est reparti pour un tour.

Je remonte mon sac sur mon épaule.

– Heureusement que j'étais là.

Pour être plus précise, je suis contente qu'il ait été là pour m'empêcher de basculer dans le vide et de m'écraser par terre devant tout le monde. Je n'imagine même pas mes parents, si jamais ils perdaient la seule fille qui leur reste. Et pas dans un accident, non... un suicide. C'est pour ça que je suis venue sans trop protester ce soir. J'avais honte de ce que j'avais failli leur faire subir.

– Heureusement que tu étais où ? demande Gabe en débarquant avec un seau plein de bières.

Il le laisse tomber sans ménagement, et met de la glace partout.

Suze plante ses yeux dans les siens en susurrant :

– En haut du clocher.

Gabe fixe ses seins. Puis il se force à me regarder.

– Qu'est-ce que tu faisais là-haut ?

– J'allais en cours de philo quand je l'ai vu pousser la petite porte au fond du préau, celle qui mène au clocher.

– Philo ? C'est pas en deuxième heure plutôt ? s'étonne Amanda.

– Si, mais j'avais un truc à demander à M. Feldman.

– Cette porte est verrouillée et barricadée. Plus protégée que ton slip, à ce que j'ai entendu dire, déclare Gabe.

Et là, il se tord de rire.

– Il a dû forcer la serrure, je suppose.

Lui... ou bien moi. L'avantage de mon air innocent c'est que j'arrive toujours à m'en tirer. Personne ne me soupçonne jamais.

Gabe fait sauter la capsule de sa bière avant de la descendre d'un trait.

– Tu aurais dû le laisser sauter, cet enfoiré. Il a failli me tuer l'an dernier.

Il fait référence à l'incident du tableau.

Amanda fait la grimace.

– Tu crois que tu lui plais ?

– Non, bien sûr que non.

– J'espère. Fais gaffe avec lui.

Il y a encore moins d'un an, je me serais assise à côté d'elle, une bière à la main, pour discuter, en rédigeant des commentaires sarcastiques dans ma tête : *Elle emploie ces mots précis exprès pour tenter d'influencer le jury. « Objection, Mlle Monk ! » « Désolée, retirez ça. » Mais c'est trop tard, le jury l'a entendue et en tire les conclusions attendues – si elle lui plaît, c'est qu'il doit lui plaire, lui aussi...*

Mais je reste plantée là, avec mon sac et mon oreiller, à me demander comment j'ai pu un jour être amie avec cette fille.

Je manque d'air. La musique est trop forte. Ça sent la bière. Ça me soulève le cœur. C'est alors que j'aperçois Leticia Lopez, du journal du lycée, qui se dirige vers moi. Précipitamment, je bafouille :

– Il faut que j'y aille, Amanda. Je t'appelle demain.

Et avant que quiconque ait pu répliquer, je remonte et je file hors de cette maison.

La dernière soirée où je suis allée, c'était le 4 avril. Le jour où Eleanor est morte. La musique, les lumières, les rires et les cris font remonter mes souvenirs. J'ai juste le temps d'écarter mes cheveux de mon visage et de me pencher pour vomir dans le caniveau. Demain, on croira que c'était un gamin qui avait trop bu.

Je sors mon portable pour envoyer un texto à Amanda.

Désolée. Pas en forme. ☹ xx V

En tournant les talons pour rentrer chez moi, je tombe sur Ryan Cross. Il est trempé, tout ébouriffé. Ses yeux sont grands et beaux et injectés de sang. Comme tous les mecs un peu mignons, il a un sourire en coin. Mais quand il sourit vraiment et pas juste avec un seul côté de sa bouche, il a des fossettes. Je n'ai pas oublié à quel point il est parfait.

Moi, je ne suis pas parfaite. Je suis pleine de secrets. Dérangée. Je ne parle pas seulement de ma chambre, mais de moi. Personne n'aime le désordre. Ce qu'ils aiment, c'est la Violet qui sourit. Je me demande comment réagirait Ryan s'il apprenait que c'est Finch qui m'a dissuadée de sauter et non le contraire. Je me demande comment ils réagiraient, tous.

Ryan me prend dans ses bras et me fait tournoyer. Moi, mon sac, mon oreiller. Il essaie de m'embrasser mais je détourne la tête.

La première fois qu'il m'a embrassée, il neigeait. De la neige en avril. Bienvenue dans le Midwest. Eleanor était en blanc, moi en noir – on aimait bien échanger les rôles de la gentille et la méchante sœur, parfois. Le frère aîné de Ryan, Eli, nous avait invitées à une soirée. Pendant qu'Eleanor montait dans sa chambre, j'ai dansé avec Amanda, Suze, Shelby et Ashley. Ryan était à la fenêtre, c'est lui qui s'est écrié : « Il neige ! »

Je me suis approchée sans cesser de danser, il me regardait. Et il m'a dit : « Viens. » Comme ça.

Il m'a pris la main et m'a entraînée dehors. Les flocons tombaient dru. De gros flocons blancs scintillants. On a essayé d'en attraper en tirant la langue. Et puis il a glissé sa langue entre mes lèvres et j'ai fermé les yeux tandis que les flocons se posaient sur mes joues.

On entendait le vacarme en provenance de la maison. Des rires. Des cris. Les bruits de la fête. Ryan a passé la main sous mon T-shirt. Elle était chaude. Et tout en l'embrassant, je pensais : Je suis en train d'embrasser Ryan Cross. *Ce n'est pas le genre d'aventure qui m'arrivait avant qu'on s'installe dans l'Indiana. À mon tour, j'ai glissé les mains sous son sweat-shirt, sa peau était chaude et douce, exactement comme je l'avais imaginée.*

Le vacarme est monté d'un cran. Ryan s'est écarté, je l'ai regardé. Il avait du rouge à lèvres partout. Mon rouge à lèvres. Et je suis restée plantée là à me dire : c'est *mon* rouge à lèvres sur les lèvres de Ryan Cross. Oh. Mon. Dieu.

J'aurais aimé pouvoir me prendre en photo à cet instant précis pour me rappeler exactement comment j'étais. C'était le dernier bon moment avant que tout change et tourne au cauchemar.

Ryan me tient dans ses bras, mes pieds ne touchent plus le sol.

– Tu vas dans la mauvaise direction, Vi.

Il me porte vers la maison.

– J'en viens, dis-je. Je veux rentrer. Je suis malade. Repose-moi.

Comme je le martèle de coups de poing, il me repose, parce que Ryan est un gentil garçon qui fait ce qu'on lui dit.

– Qu'est-ce qui t'arrive ?

– Je suis malade. Je viens de vomir. Il faut que je rentre.

Je lui tapote le bras comme un bon toutou. Puis je tourne les talons et je file, à travers le jardin, la rue, vers chez moi. Je l'entends qui m'appelle, mais je ne me retourne pas.

– Tu rentres tôt.

Ma mère est sur le canapé, plongée dans un livre. Mon père est allongé face à elle, les yeux fermés, son casque sur les oreilles.

– Pas assez tôt.

Je m'arrête au pied des escaliers.

– Ce n'était pas une bonne idée. Je le savais, mais j'y suis allée pour vous prouver que je fais des efforts. Sauf que ce n'était pas une soirée pyjama, mais une vraie soirée. Style orgie et alcool qui coule à flots.

Je leur balance ça comme si c'était leur faute.

Ma mère donne un petit coup de pied à mon père, qui ôte ses écouteurs. Ils se redressent tous les deux.

– Tu as envie d'en parler? propose ma mère. Tu as dû être surprise... et mal à l'aise. Tu veux rester un peu avec nous?

Comme Ryan, mes parents sont parfaits. Ils sont forts, courageux et attentionnés, et même s'ils doivent parfois pleurer et enrager, ou même casser des trucs quand ils sont seuls, ils me le montrent rarement. Au lieu de ça, ils m'encouragent à sortir, à reprendre la voiture... à reprendre le cours de ma vie, en fait. Ils m'écoutent, ils me questionnent, ils s'inquiètent, ils sont toujours là pour moi. Finalement, tout ce que je peux leur reprocher, c'est d'être un peu trop là pour moi en ce moment. Ils veulent savoir où je vais, ce que je fais, avec qui, et quand je rentre. «Envoie-nous un texto quand tu arrives, envoie-nous un texto quand tu rentres.»

Je céderais presque, je pourrais m'asseoir avec eux cinq minutes pour les rassurer après tout ce qu'ils ont traversé – après ce que j'ai failli leur faire subir hier. Mais je m'en sens incapable.

– Je suis fatiguée, je vais me coucher.

22 h 30. Ma chambre. J'ai mes chaussons Freud aux pieds et un pyjama violet constellé de petits singes. C'est mon petit refuge à moi. Je marque ce jour d'une grosse croix sur le calendrier accroché à ma porte de placard, puis je me blottis dans mon lit, sur une pile de coussins, armée d'une pile de bouquins. Depuis que j'ai arrêté d'écrire, je lis encore plus qu'avant. *Les mots des autres, pas les tiens. Tes mots se sont envolés.* En ce moment, je suis dans ma période sœurs Brontë.

J'adore ma chambre, mon petit monde. Je me sens mieux là qu'au-dehors, parce qu'au moins, je peux être qui je veux. Une auteure talentueuse qui rédige cinquante pages par jour sans jamais être en panne d'inspiration. Une future étudiante du programme d'écriture créative de l'université de New York. La créatrice d'un nouveau site Internet – pas celui que j'avais fait avec Eleanor, un autre. Je suis sans peur. Je suis libre. Je suis en sécurité.

Je n'arrive pas à savoir laquelle des sœurs Brontë je préfère. Pas Charlotte, parce qu'elle ressemble à mon instit de CM2. Emily est courageuse et rebelle, mais Anne est restée dans l'ombre. J'opte pour Anne. Je lis un peu, puis je reste un long moment allongée à fixer le plafond. J'ai l'impression que, depuis avril dernier, j'attends quelque chose. Sauf que je ne sais pas quoi.

Je finis par me relever. Il y a un peu plus de deux heures, à 19 h 58 exactement, Theodore Finch a posté une vidéo sur sa page Facebook. On le voit jouer de la guitare dans ce qui doit être sa chambre. Il a une voix agréable, mais rauque, comme s'il avait trop fumé. Il est penché sur son instrument, ses cheveux lui tombent dans les yeux. C'est flou, sûrement filmé avec un téléphone. La chanson parle d'un type qui a sauté du toit de son lycée.

À la fin, il fixe l'objectif pour dire :

– Violet Markey, si tu regardes cette vidéo, c'est que tu es toujours en vie. Fais-moi signe, *please*.

Je ferme vite la fenêtre comme s'il pouvait me voir. J'aimerais effacer la journée d'hier et toute cette histoire. Pour moi, ce n'est rien de plus qu'un mauvais rêve. Un rêve atroce. Un cauchemar monstrueux.

Je lui envoie un message privé : S'il te plaît, enlève cette vidéo de ton mur ou coupe la fin, je n'ai pas envie que quelqu'un d'autre la voie.

Il répond immédiatement : Super ! Je déduis de ton message que tu es en vie ! Ce point de détail réglé, je pense qu'on devrait parler de ce qui s'est passé, surtout maintenant qu'on bosse ensemble sur le projet de géo. (T'inquiète, personne d'autre ne verra cette vidéo.)

Moi : Je vais très bien. Je préfère tourner la page et oublier ce qui s'est passé. (Comment peux-tu en être sûr?)

Finch : (Parce que j'ai créé cette page uniquement pour pouvoir te parler. De plus, maintenant que tu l'as vue, cette vidéo va s'autodétruire dans cinq secondes. Cinq, quatre, trois, deux...)

Finch : Recharge la page.

La vidéo a disparu.

Finch : Si tu n'as pas envie de discuter via Facebook, je peux passer chez toi.

Moi : Maintenant?

Finch : Euh, dans cinq ou dix minutes pour être exact. Il faut d'abord que je me rhabille, à moins que tu préfères me voir nu. Et ensuite, il faut compter le trajet en voiture.

Moi : Il est tard.

Finch : Ça dépend des points de vue. Pour moi, il n'est pas franchement tard. Au contraire, il est tôt. Tôt dans nos vies. Tôt dans la nuit. Tôt dans l'année. Si tu comptes bien, tu verras que le nombre de « tôt » dépasse le nombre de « tard ». C'est juste pour discuter. Rien de plus. Ce n'est pas comme si je te draguais.

Finch : À moins que ça te tente. Que je te drague, je veux dire.

Moi : Non.

Finch : « Non, tu ne veux pas que je vienne » ? Ou « non, tu ne veux pas que je te drague » ?

Moi : Les deux. Ni l'un ni l'autre.

Finch : OK. On en discutera au lycée alors. Je pourrai te passer des mots en géo. Ou déjeuner avec toi. Tu manges bien avec Amanda et Gabe, c'est ça?

Oh, misère. Il ne va pas arrêter! Comment je vais m'en débarrasser?

Moi : Si tu viens ce soir, tu promets qu'après le sujet sera clos une bonne fois pour toutes?

Finch : Parole de scout.

Moi : C'est seulement pour parler. Rien de plus. Et tu ne restes pas longtemps.

J'ai à peine fini d'écrire que je le regrette déjà. Avec la soirée d'Amanda au bout de la rue, n'importe qui pourrait passer par là et le voir chez moi.

Moi : T'es toujours là ?

Pas de réponse.

Moi : Finch ?

FINCH

7e JOUR D'ÉVEIL

Je grimpe dans le vieux 4x4 Saturn de ma mère, surnommé Little Bastard[1], et je me rends chez Violet Markey par une route de campagne, parallèle à la nationale, l'artère principale qui traverse notre ville. J'enfonce la pédale d'accélérateur, le compteur monte à cent, cent dix, cent trente, cent cinquante. Plus j'accélère, plus l'aiguille tremble. Le Saturn fait de son mieux pour jouer les voitures de sport, au lieu d'un antique *crossover* familial.

Le 23 mars 1950, le poète italien Cesare Pavese a écrit : « L'amour est vraiment la grande affirmation. On veut *être*, on veut *compter*, on veut – si l'on doit mourir – mourir valeureusement, avec éclat, *rester* en somme[2] ».

Cinq mois plus tard, il est entré dans la rédaction d'un journal et a choisi le portrait qui illustrerait sa rubrique nécrologique dans leurs archives photos. Puis il a pris une chambre d'hôtel et, quelques jours après, un employé l'a trouvé étendu sur le lit, mort.

---

1. *Little Bastard,* petit bâtard, petit salopard (*NdT*).
2. Les citations de Cesare Pavese sont issues de *Le Métier de vivre,* traduction de Michel Arnaud, Gallimard, 1958, 2008 (*NdT*).

Il était tout habillé, mais pieds nus. Sur la table de chevet gisaient seize plaquettes de somnifères vides et un message : « Je pardonne à tout le monde et demande le pardon de tout le monde. Ça va ? Pas trop de commérages. »

Cesare Pavese n'a sans doute jamais conduit à fond sur une petite route de campagne de l'Indiana, mais je le comprends. Je comprends son besoin d'être et de compter pour quelque chose. Même si je ne suis pas convaincu que de mourir pieds nus dans une chambre d'hôtel anonyme par overdose de médicaments est ce que j'appellerais mourir valeureusement, avec éclat, c'est l'intention qui compte.

Je pousse la Saturn à cent soixante-quinze. Je lèverai le pied quand j'aurai atteint les cent quatre-vingts. Pas cent soixante-dix-neuf. Pas cent soixante-dix-huit. C'est cent quatre-vingts ou rien.

Je me penche en avant, comme une fusée. Je fais corps avec la voiture. Je. Suis. La. Voiture. Et je me mets à hurler parce que j'ai l'impression d'être de plus en plus vivant à chaque seconde. Je sens la vitesse, je sens... Je sens tout autour de moi et en moi – la route, mon sang, mon cœur qui bat dans ma gorge – et je pourrais mourir maintenant dans un valeureux éclat de tôle froissée et de moteur en feu. J'appuie sur l'accélérateur, je ne peux plus m'arrêter, je suis plus rapide que quiconque sur cette terre. La seule chose qui compte, c'est cette poussée en avant et l'exaltation que je ressens en fonçant vers la Grande Affirmation.

Puis, soudain, à la seconde même où soit mon cœur, soit le moteur va exploser, je lève le pied et je me rabats sur le bas-côté, je m'envole à bord de Little Bastard et j'atterris quelques mètres plus loin, à moitié dans le fossé. Je mets un instant à reprendre mon souffle. Je tends les mains, elles ne tremblent pas du tout.

Elles sont aussi fermes et assurées que possible. Je regarde autour de moi – le ciel étoilé, les champs, les maisons sombres et endormies… Je suis vivant, put--n. Je suis vivant.

Violet habite à deux pas de chez Suze Haines, dans une grande maison avec une cheminée rouge, à l'autre bout de la ville. Lorsque j'arrive à bord de Little Bastard, elle est assise sur le perron, emmitouflée dans un grand manteau, toute petite, esseulée. Je la rejoins.

– Ce n'était pas la peine de venir jusqu'ici.

Elle chuchote comme si on risquait de réveiller les voisins.

Je réponds en chuchotant également :

– Ce n'est pas comme si on habitait Los Angeles ou même Cincinnati. Ça m'a pris cinq minutes. Jolie baraque, d'ailleurs.

– Écoute, c'est gentil d'être venu, mais je n'ai pas besoin de discuter de quoi que ce soit.

Elle a une queue-de-cheval, avec de petites mèches qui s'échappent de chaque côté. Elle en range une derrière son oreille.

– Je vais très bien.

– Essaie pas d'embrouiller un embrouilleur. Je sais reconnaître un appel au secours, et se percher en haut d'un clocher pour sauter, c'en est un. Tes parents sont là ?

– Oui.

– Dommage. On va faire un tour ?

Je me mets en marche.

– Pas par ici.

Elle m'attrape par le bras pour m'entraîner dans une autre direction.

– Y a un truc à éviter ?

– Non… C'est juste… euh, plus joli par là.

Je prends ma voix de psy, imitant Embryon :

– Alors… depuis combien de temps souffrez-vous de pulsions suicidaires ?

– Arrête ! Pas si fort ! Et je… je ne… je ne suis pas…

– Suicidaire ? Tu peux prononcer le mot.

– Peu importe. En tout cas, je n'ai pas ce problème.

– Contrairement à moi.

– Ce n'est pas ce que je voulais dire.

– Tu étais perchée là-haut parce que tu ne savais plus quoi faire ni vers qui te tourner. Tu avais perdu tout espoir. Et soudain, tel un preux chevalier, je t'ai sauvé la vie. Au fait, tu n'as pas du tout la même tête sans maquillage. Tu n'es pas moins bien, mais différente. Peut-être même mieux. Tiens, au fait, c'est quoi, ce site Internet ? Tu as toujours aimé écrire ? Parle-moi un peu de toi, Violet Markey.

Elle répond comme un robot :

– Il n'y a pas grand-chose à dire… J'imagine… Y a rien à raconter…

– Tu viens de Californie… ça doit te changer, non ? Tu te plais ici ?

– Ici où ?

– À Bartlett.

– Ça va.

– Et dans ce quartier ?

– Ça va aussi.

– Tu n'es pas très bavarde pour quelqu'un à qui l'on vient de sauver la vie ! Tu devrais être sur un petit nuage. Je suis là. Tu es là. Mieux encore : tu es là avec moi. Je peux te citer au moins une fille qui aimerait être à ta place.

Elle laisse échapper un *arrrgh* d'exaspération étrangement sexy.

– Qu'est-ce que tu veux, à la fin ?

Je m'arrête sous un lampadaire. Je stoppe la causette et le numéro de charme pour aller droit au but.

– Je veux savoir pourquoi tu étais là-haut. Et je veux être sûr que ça va, maintenant.

– Si je te le dis, tu rentreras chez toi ?

– Oui.

– Et le sujet sera clos ?

– Ça dépend de la réponse que tu vas me donner.

Elle soupire en se remettant en marche. Pendant quelques minutes, elle ne dit plus rien, je garde donc le silence, pour lui laisser la parole. Les seuls bruits de la rue sont une télé qui braille et les échos d'une soirée, au loin.

Au bout de quelques pâtés de maisons, je reprends :

– Tout ce que tu me confieras restera entre nous. Tu ne l'as peut-être pas remarqué, mais je ne croule pas sous les amis. Et même si c'était le cas, ça ne changerait rien. Ces cons ont largement assez de quoi baver.

Elle prend une profonde inspiration avant de déclarer :

– Je suis montée en haut du clocher sans vraiment réfléchir. Mes jambes ont grimpé l'escalier toutes seules, je ne me suis pas rendu compte d'où elles m'emmenaient. Je n'avais jamais fait un truc pareil. Je veux dire… ça ne me ressemble pas. Et puis, soudain, je me suis réveillée perchée sur ce rebord… Je ne savais pas quoi faire. J'ai commencé à paniquer.

– Tu as raconté à quelqu'un d'autre ce qui t'était arrivé ?

– Non.

Elle s'arrête. Je dois me retenir de repousser la mèche que le vent lui plaque sur le visage. Elle l'écarte machinalement.

– Même pas à tes parents ?

– Surtout pas à mes parents.

– Tu ne m'as toujours pas dit ce que tu faisais là-haut.

Contre toute attente, elle me répond dans un murmure :

– C'était l'anniversaire de ma sœur. Elle aurait eu dix-neuf ans.

– Merde. Je suis désolé.

– Mais ce n'est pas la vraie raison. La vraie raison, c'est que plus rien n'a d'importance à mes yeux. Ni les cours, ni les pom-pom girls, ni les garçons, ni mes amis, ni les soirées, ni la fac…

Elle fait un geste circulaire englobant le monde entier.

– Tout ça, ce n'est que du remplissage en attendant la mort.

– Peut-être… ou peut-être pas. Que ce soit du remplissage ou non, je suis content d'être là.

S'il y a bien une chose que la vie m'a apprise, c'est qu'il faut en profiter au maximum.

– Et ce remplissage est assez important à tes yeux pour t'empêcher de sauter.

– Je peux te demander quelque chose ? fait-elle en fixant le sol.

– Bien sûr.

– Pourquoi tout le monde t'appelle Theodore Fêlé ?

Maintenant, c'est moi qui fixe le sol comme si c'était la chose la plus fascinante que j'aie jamais vue. Je mets un moment à répondre, parce que je me demande ce que je peux lui confier. *Franchement, Violet, je ne sais pas pourquoi on ne m'aime pas*. Mensonge. Je veux dire… Je sais, et en même temps, je ne sais pas. J'ai toujours été différent, mais pour moi, la différence, c'est la normalité. Je décide de lui fournir une version de la vérité.

– En quatrième, j'étais beaucoup plus petit que maintenant. C'était avant que tu arrives.

Je relève les yeux assez longtemps pour la voir acquiescer.

– J'avais les oreilles en chou-fleur. Un misérable avorton. J'ai seulement mué juste avant la rentrée de seconde, durant l'été où j'ai pris trente-cinq centimètres.

– Et c'est juste pour ça ?

– Ça et le fait que, parfois, j'agis sans réfléchir. Ça ne plaît pas.

Elle se tait tandis que nous tournons à un carrefour. J'aperçois sa maison au bout de la rue. Je ralentis pour gagner du temps.

– Je connais le groupe qui joue au Quarry ce soir. On pourrait y faire un saut pour se réchauffer, écouter la musique, oublier tout le reste. Je connais aussi un endroit d'où on a une vue superbe sur la ville.

Je la gratifie de mon plus beau sourire, mais elle répond :

– Je vais rentrer dormir.

Je suis toujours surpris de voir à quel point les gens sont attachés à leur sommeil. Moi, si je pouvais, je me passerais bien de dormir.

– Ou alors on peut sortir ensemble, si tu préfères…

– C'est bon.

Une minute plus tard, on est à ma voiture. Je demande :

– Comment tu as réussi à monter là-haut ? La porte était ouverte quand je l'ai poussée alors que, d'habitude, elle est verrouillée.

Elle sourit pour la première fois.

– Il se pourrait bien que j'aie crocheté la serrure.

Je siffle, admiratif.

– Violet Markey, tu es étonnante.

En un éclair, elle remonte l'allée et rentre chez elle. Je ne bouge pas, je regarde, jusqu'à ce qu'une fenêtre s'éclaire au premier. Une ombre passe devant, je distingue sa silhouette tandis qu'elle m'observe de derrière le rideau. Je m'adosse à la voiture, pour voir qui va se lasser en premier. Je reste là jusqu'à ce que l'ombre s'écarte et la lumière s'éteigne.

Une fois rentré, je mets Little Bastard au garage, et je pars courir. Je cours l'hiver, je nage le reste de l'année. Mon parcours habituel descend la route nationale, longe l'hôpital et le camping, jusqu'au vieux pont en ferraille que tout le monde semble avoir oublié à part moi. Je cours sur ses murets, qui servent de garde-corps. Réussir à traverser sans tomber me prouve que je suis vivant.

Crétin. Bon à rien. Voilà les mots que j'ai entendus toute ma vie. Les mots que je fuis en courant, parce que si je les laisse me rattraper, ils vont enfler, me remplir tout entier, et tout ce qu'il restera de moi ce sera *crétin, bon à rien, crétin, bon à rien, crétin, bon à rien, fêlé.* Et je ne peux rien faire d'autre que courir, courir de plus en plus vite en me répétant d'autres mots : *Cette fois, ce sera différent. Cette fois, je vais rester éveillé.*

Je cours des kilomètres, mais je ne les compte pas, je passe devant des maisons endormies, encore et encore. Et j'ai pitié de cette ville où tout le monde dort.

Pour rentrer, je suis un chemin différent, en prenant par le pont de A Street. Il y a davantage de passage, parce qu'il relie le centre-ville avec le côté est de Bartlett, où se trouvent le lycée et l'université locale, et tous les quartiers résidentiels qui ont poussé entre les deux.

Je regarde ce qui reste de la balustrade. Il y a encore un trou rageur au milieu et quelqu'un y a déposé une croix. Elle gît sur le côté, sa peinture blanche délavée par les intempéries de l'Indiana. Je me demande qui l'a mise là. Violet ? Ses parents ? Un élève ou un prof du lycée ? Arrivé au bout du pont, je coupe par la pelouse, et je descends en dessous. Le lit de la rivière est asséché, jonché de mégots et de canettes de bière vides.

Je cours au milieu des détritus, des pierres, de la boue. Quelque chose brille d'un éclat métallique dans le noir. J'aperçois plein d'éclats scintillants – de verre et de métal. La coque en plastique rouge d'un feu arrière. La forme arrondie d'un rétroviseur. Une plaque d'immatriculation cabossée, pratiquement pliée en deux.

Soudain, tout ça est terriblement réel… J'ai l'impression que je pourrais m'enfoncer au plus profond de la terre, être englouti, emporté par le poids de ce qui est arrivé ici.

Je laisse tout en l'état, sauf la plaque d'immatriculation, que j'emporte. Ça m'ennuie de la laisser là, dehors, à la vue de tous, n'importe qui pourrait la ramasser en trouvant ça trop cool, un étranger qui ne connaît ni Violet ni sa sœur. Je cours jusque chez moi, avec la sensation d'être à la fois complètement vidé et tellement lourd. *Cette fois, ce sera différent. Cette fois, je vais rester éveillé.*

Je cours jusqu'à ce que le temps s'arrête. Jusqu'à ce que mon cerveau s'arrête. Jusqu'à ne plus sentir que le métal froid de la plaque d'immatriculation dans ma main et le sang qui cogne à mes tempes.

VIOLET

152 JOURS AVANT L'EXAMEN

Dimanche matin. Dans ma chambre.

Le nom de domaine *eleanorandviolet.com* arrive à expiration. L'hébergeur du site m'a envoyé un mail m'avertissant que je devais le renouveler ou il serait perdu à jamais. Sur mon ordinateur portable, j'ouvre les fichiers des différents projets que nous avions en cours avant avril dernier. Mais ce ne sont que des notes, et je n'arrive pas à déchiffrer les abréviations d'Eleanor.

Nous avions toutes les deux une vue assez différente de ce que nous voulions faire de ce site. Eleanor était la plus âgée (et la plus autoritaire), du coup, elle faisait à son idée et prenait la plupart des décisions. Je peux essayer de sauver le site, le remodeler, le transformer… en faire un lieu d'échanges pour les écrivains, tiens. Parler d'autre chose que de vernis à ongles, de garçons et de musique… Par exemple, comment changer un pneu, apprendre le français, ou s'en sortir dans la vie après les études.

Je note tout ça, puis je vais sur le site pour relire la dernière publication, écrite la veille de la soirée. Deux avis opposés sur le livre *Julie Plum, jeune exorciste*. On est loin de *La Cloche de détresse* ou de *L'Attrape-cœurs*. Rien de capital ni de fracassant. Rien qui dise : *C'est le dernier texte que tu écris avant que tout change.*

J'efface ses notes et les miennes. J'efface le mail de l'hébergeur Internet. Puis je vide la corbeille pour envoyer le message dans le néant, comme Eleanor.

FINCH

8e JOUR D'ÉVEIL

Le dimanche soir, Kate, Decca et moi, nous nous rendons chez mon père, dans le quartier le plus chic de la ville, pour l'inévitable dîner familial hebdomadaire. Chaque fois que je vais le voir, je porte la même tenue : polo bleu marine et pantalon en toile beige.

Sur le trajet, personne ne dit un mot, on regarde tous par la fenêtre. On n'allume même pas la musique. « Amusez-vous bien ! » nous lance maman sur un ton enjoué. Dès que la voiture aura tourné au coin de la rue, elle sera déjà en train de déboucher une bouteille de vin, pendue au téléphone avec une copine. Ce sera la première fois que je revois mon père depuis Thanksgiving, et la première fois que je mets les pieds dans la nouvelle maison où il s'est installé avec Rosemarie et son fils.

C'est une gigantesque baraque flambant neuve en tous points semblable à toutes celles qui bordent la rue. En se garant juste devant, Kate remarque :

– Et comment tu fais pour retrouver ta porte à toi quand tu rentres bourré ?

Tous les trois, nous remontons le trottoir bien blanc. Deux 4x4 identiques sont stationnés dans l'allée, étincelant de tous leurs chromes avec leur petit air supérieur de grosses bagnoles prétentieuses.

Rosemarie vient nous ouvrir. Elle a la trentaine, les cheveux blonds, un sourire inquiet. Elle est concierge ou ce qu'on appelle plus joliment gardienne, d'après ma mère – ce qui, selon elle également, est exactement ce qu'il faut à mon père. Elle a apporté dans le couple les deux cent mille dollars de pension de son ex-mari et un petit édenté de sept ans répondant au doux nom de Josh Raymond, qui pourrait bien (ou pas) être mon demi-frère.

Mon père nous hèle d'une voix tonitruante depuis le jardin de derrière où il est en train de faire griller quinze kilos de viande alors qu'on est mi-janvier. Il arbore un T-shirt au message éloquent : NIQUE LE SÉNAT. Il y a encore douze ans, il était joueur de hockey professionnel, on le surnommait le Démolisseur jusqu'à ce qu'il se fracasse le tibia sur le crâne d'un autre joueur. Il n'a pas changé depuis la dernière fois que je l'ai vu – trop mince et musclé pour un gars de son âge, comme s'il espérait reprendre du service à tout instant –, sauf quelques fils gris dans sa chevelure. Ça, c'est nouveau.

Il serre mes sœurs dans ses bras et me donne une grande claque dans le dos. Contrairement à la plupart des joueurs de hockey, il a réussi à conserver toutes ses dents, et il nous adresse un sourire éclatant, comme à ses fans. Il nous demande comment s'est passée la semaine, si par hasard, on a appris quelque chose qu'il ignore, en cours. C'est sa manière de nous jeter le gant pour nous provoquer en duel, nous mettre au défi de clouer le bec à ce bon vieux papa qui sait tout. Ce n'est pas drôle, nous répondons donc non tous en chœur.

Quand il enchaîne sur mon fameux stage sport-études de novembre, il me faut une minute pour comprendre de quoi il parle.

– Euh… ouais, c'était cool.

Bien joué, Kate. Il faudra que je la remercie. Notre père n'est pas au courant de mes périodes de Grand Sommeil, ni de tout ce qui m'est arrivé au lycée après la seconde, parce que l'an dernier, après l'épisode du «fracassage» de guitare, j'ai raconté au proviseur que mon papa avait été tué dans un accident de chasse. Il ne s'est pas donné la peine de vérifier, et maintenant, en cas de problème, il appelle ma mère, ce qui signifie qu'en réalité il appelle Kate parce que ma mère ne prend jamais le temps d'écouter le répondeur.

J'ôte une feuille morte du barbecue.

– Ils m'ont proposé de rester, mais j'ai refusé. J'ai beau adorer le patinage artistique et être plutôt doué – je dois tenir de toi –, je ne suis pas sûr de vouloir en faire mon métier.

L'un de mes plus grands plaisirs est de glisser ce genre de remarque perfide, sachant qu'avoir un fils gay est le pire cauchemar d'un père sectaire.

Sa seule réponse est de s'ouvrir une nouvelle bière et d'attaquer sa tonne de viande à coups de fourchette géante, comme si elle risquait de se redresser pour tous nous dévorer. Ce serait drôle.

Quand arrive l'heure de manger, nous nous installons dans le salon blanc et or, avec sa moquette en laine vierge – le truc le plus cher du marché. Il s'agit, selon leurs dires, d'une amélioration considérable par rapport au truc en synthétique minable qu'il y avait à l'origine.

Josh Raymond arrive à peine au niveau de la table parce que sa mère est petite et son ex-mari aussi, contrairement à mon père, qui est un géant. Mon «demi-frère» n'est pas comme moi à son âge – lui, c'est le genre petit et propret, tout bien proportionné, sans oreilles décollées ni tignasse ébouriffée. Ce qui me conduit à penser qu'il n'a sans doute aucun lien génétique avec mon père, finalement.

Il nous regarde par-dessus son assiette avec ses gros yeux ronds de hibou, tout en donnant des coups de pied rythmés dans la table. Je lui lance :

– Ça va, petit bonhomme ?

Il couine une réponse tandis que mon père, le Démolisseur, caresse son menton à la barbe naissante parfaitement entretenue en disant d'une voix douce et patiente de nonne :

– Josh Raymond, nous avons déjà abordé le problème des coups de pied dans la table.

C'est un ton qu'il n'a jamais employé ni avec moi ni avec mes sœurs.

Decca, qui a déjà rempli son assiette, commence à manger tandis que Rosemarie fait le tour de la table pour servir chacun. Quand elle arrive à mon niveau, je dis :

– Non merci, à moins que vous ayez un hamburger végétarien.

Elle me dévisage, stupéfaite, figeant son geste dans les airs. Puis sans tourner la tête, elle oriente son regard vers mon père.

– Un hamburger végétarien ?

Il n'y a aucune douceur, aucune patience dans sa voix.

– J'ai été élevé à la viande et aux patates, et j'ai survécu jusqu'à trente-cinq ans (il aura quarante-trois ans en octobre). À ton âge, je considérais que, comme c'étaient mes parents qui fournissaient la nourriture posée sur la table, je n'avais pas le droit de faire le difficile.

Il soulève son T-shirt pour se tapoter le ventre – toujours plat, mais sans tablettes de chocolat désormais –, secoue la tête et me sourit, le sourire d'un homme qui a une nouvelle femme, un nouveau fils, une nouvelle maison, deux nouvelles voitures et qui ne doit supporter les bizarreries de ses anciens enfants qu'une heure ou deux encore.

– Je ne mange pas de viande rouge, papa.

Enfin, pour être exact, c'est le Finch version années 80 qui est végétarien.

– Depuis quand ?

– Depuis la semaine dernière.

– Oh, nom de D...

Mon père se rassied et me dévisage tandis que Decca mord dans son hamburger à pleines dents, le jus dégoulinant sur le menton.

– Arrête, papa, intervient Kate. Pas la peine de le forcer à manger s'il a pas envie.

Mais avant que j'aie pu l'en empêcher, le Finch version années 80 enchaîne :

– Il y a différentes façons de mourir. Sauter d'un toit, par exemple, ou s'empoisonner à petit feu en consommant quotidiennement la chair d'un autre être vivant.

– Je suis désolée, Theo, je ne savais pas.

Rosemarie jette un regard en direction de mon père qui me fixe toujours.

– Et si je te faisais un sandwich à la salade de pommes de terre ? propose-t-elle, pleine d'espoir.

J'accepte, même s'il y a du bacon dans la salade.

– Il ne peut pas en manger non plus, y a du bacon dedans.

Ça, c'est Kate.

Mon père répond :

– Il n'a qu'à enlever les bouts de bacon, bon sang !

Quand il s'énerve, son accent canadien ressort. On se tait tous, parce que plus vite on aura fini de manger, plus vite on pourra partir.

En rentrant à la maison, j'embrasse maman sur la joue parce qu'elle en a besoin. Son haleine sent le vin rouge.

– Vous vous êtes bien amusés, les enfants ? demande-t-elle alors qu'en réalité, elle espère secrètement qu'on va la supplier de ne plus jamais y retourner.

– Ça risque pas, répond Decca en montant l'escalier à pas lourds.

Ma mère pousse un soupir de soulagement avant d'aller se resservir un verre. Je la suis dans la cuisine. C'est le dimanche soir qu'elle est la plus à fond dans son rôle de mère.

Kate ouvre un paquet de chips en marmonnant :

– Ça n'a aucun sens.

Je sais ce qu'elle veut dire. « Ça », c'est nos parents, nos dimanches, peut-être même nos vies entières.

– Je ne vois pas pourquoi on doit aller là-bas et faire semblant de s'apprécier alors qu'on est tous parfaitement conscients que c'est un mensonge.

Elle me propose des chips.

– Parce que ça leur plaît. Les gens préfèrent faire semblant, Kate.

Elle rejette ses cheveux derrière son épaule, et plisse le front, dans une expression d'intense réflexion.

– Tu sais, j'ai décidé d'aller à la fac à la rentrée, finalement.

Elle avait proposé de rester à la maison après le divorce. « Pour s'occuper de maman. »

Soudain, je meurs de faim. Le paquet de chips fait des allers-retours entre nous.

– Je croyais que tu étais contente de faire une pause dans tes études.

Je l'aime assez pour faire semblant de croire que c'est aussi pour ça qu'elle est restée à la maison, que ça n'a rien à voir avec son ex qui l'a trompée alors qu'elle avait bâti tous ses projets d'avenir autour de lui.

Elle hausse les épaules.

– J'en sais rien. Peut-être que cette pause m'a déçue. J'aimerais aller à Denver, voir comment c'est là-bas...

– Comme Logan ?

Aussi connu sous le nom de « l'ex qui l'a trompée ».

– Ça n'a rien à voir avec lui.

– J'espère bien.

J'ai envie de lui ressortir ce que je lui répète depuis des mois : « Tu mérites mieux que lui. Tu as déjà perdu assez de temps avec ce connard. » Mais sa mâchoire s'est figée, elle fixe le fond du paquet de chips.

– N'importe quoi plutôt que rester ici.

Je ne peux pas la contredire. À la place, je demande donc :

– Tu te souviens d'Eleanor Markey ?

– Oui, elle était dans ma classe. Pourquoi ?

– Elle a une sœur.

On s'est rencontrés en haut du clocher du lycée d'où on comptait se suicider. On aurait pu sauter en se tenant la main. On nous aurait pris pour des amoureux maudits. On serait entrés dans la légende. On aurait composé des chansons sur notre histoire.

Kate hausse les épaules.

– Elle était sympa. Un peu la grosse tête. Mais elle était marrante. Je ne la connaissais pas bien. Je ne me rappelle pas sa sœur.

Elle vide le verre de vin de maman avant de prendre les clés de la voiture.

– À plus !

Dans ma chambre, je laisse tomber Split Enz, Depeche Mode et les Talking Heads pour Johnny Cash. Je mets *At Folsom Prison* sur la platine, déniche une cigarette au fin fond de mon bureau en envoyant le Finch des années 80 se faire voir. Après tout, c'est moi qui l'ai créé, je peux aussi lui ôter la vie. Mais alors que j'allume ma clope, je vois mes poumons devenir noirs comme du goudron et je repense à ce que j'ai dit à mon père cet après-midi : « Il y a différentes façons de mourir. Sauter d'un toit, par exemple, ou s'empoisonner à petit feu en consommant quotidiennement la chair d'un autre être vivant. »

On n'a tué aucun animal pour produire cette cigarette mais, pour une fois, je n'apprécie pas la sensation que ça me procure, j'ai l'impression que ça me pollue, que ça m'intoxique. Je l'écrase et, avant de changer d'avis, je casse toutes les autres en deux. Puis je recoupe les moitiés avec des ciseaux, et je les jette à la poubelle. Je me mets devant l'ordinateur et je tape :

11 janvier. Selon le *New York Times*, près de vingt pour cent des suicides sont des empoisonnements, ce taux monte à cinquante-sept pour cent chez les médecins. Mes réflexions sur cette méthode : ça me semble un peu lâche d'en finir comme ça, si vous voulez mon avis. Je pense que je préférerais sentir quelque chose. Ceci dit, si on me collait un revolver sur la tempe (ha ! ha ! – désolé, humour suicidaire) pour m'obliger à prendre du poison, je choisirais le cyanure. Sous sa forme gazeuse, il provoque une mort quasi instantanée, ce qui finalement évite de sentir quoi que ce soit. Mais en y réfléchissant bien, après une vie trop pleine d'émotions, peut-être qu'un truc bref et soudain, ce n'est pas si mal.

Après ça, je vais dans la salle de bains fouiller dans l'armoire à pharmacie. Advil, aspirine, un genre de somnifère sans ordonnance que j'ai piqué à Kate et caché dans un vieux flacon de pilules de maman. J'étais sérieux quand j'ai dit à Embryon que la drogue et moi, ça ne faisait pas bon ménage. J'ai déjà assez de mal à garder le contrôle de mon cerveau sans qu'un autre truc interfère.

Mais un bon somnifère, ça peut toujours servir. J'ouvre le flacon, je vide les comprimés bleus dans ma paume pour les compter. Trente. Puis je retourne à mon bureau pour les aligner un par un comme une petite armée bleutée devant mon écran.

Sur la page Facebook de Violet, ce ne sont que des félicitations : c'est une héroïne de m'avoir sauvé. Il y a cent quarante-six commentaires et deux cent quatre-vingt-sept *likes*. J'aimerais en déduire que les gens sont contents que je sois en vie, mais je me doute que non. Je vais sur ma page, qui est vide, à part la photo de l'amie de Violet.

Je pose les doigts sur le clavier et je les contemple, avec leurs ongles larges et arrondis. Je fais courir mes doigts sur les touches comme si je jouais du piano. Puis je tape :

Les repas de famille obligatoires, ça craint, surtout quand la viande et le déni s'invitent à la table. « *Je sens que nous ne pouvons plus traverser à nouveau un de ces épisodes épouvantables* »[1]... Alors qu'il y a tant d'autres choses plus intéressantes à faire.

La citation est extraite de la dernière lettre de Virginia Woolf à son mari avant son suicide, mais je la trouve parfaitement adaptée au contexte.

J'envoie le message puis je traîne devant l'ordinateur, organisant les comprimés en groupes de trois, puis de dix, alors qu'en réalité, j'attends une réaction de Violet. J'essaie d'aplanir la plaque d'immatriculation, je note sur un bout de papier : *Un de ces épisodes épouvantables*, puis je l'accroche au mur de ma chambre déjà couvert de gribouillis de ce genre. Je lui ai donné différents surnoms :

1. Extrait de *Ce que je suis en réalité demeure inconnu, Lettres (1901-1941)*, traduit par Claude Demanuelli, Points Seuil, 2010 (*NdT*).

le Mur des Pensées, le Mur des Idées, le Mur de mon Esprit. Ou très modestement *The Wall*, tout court – à ne pas confondre avec celui des Pink Floyd. J'y note mes pensées, comme elles me viennent, pour m'en souvenir ensuite. J'y affiche tout ce qui me semble intéressant, bizarre, ou un peu inspiré.

Une heure plus tard, je vais sur ma page Facebook. Violet a écrit :

« *Fais avec ce qui te tombe sous la main.* »

La chaleur me monte aux joues. Elle me répond par une citation de Virginia Woolf. Mon pouls s'accélère. Merde. C'est tout ce que je connais de Virginia Woolf. Je fais une rapide recherche sur Internet pour trouver une réplique. Je regrette de ne pas m'être davantage intéressé à cet auteur. Je regrette de ne pas avoir passé les dix-sept années de ma vie à l'étudier.

Je réponds :

« *Mon propre cerveau m'apparaît comme la plus incompréhensible des machines – toujours à bourdonner, vrombir, planer, rugir, plonger, et finir embourbé dans la gadoue. Et pour quoi ? Pourquoi tant d'exaltation ?*

Cela fait référence à ce que disait Violet au sujet du remplissage, et de l'inanité de toute chose, mais c'est aussi tellement moi – vrombir, planer, rugir, plonger, et finir embourbé dans la gadoue, tellement profond que j'étouffe. L'éveil et le sommeil. Pas d'entre-deux.

C'est une super citation, j'en ai la chair de poule. J'observe les poils dressés sur mon bras et, quand je relève les yeux vers l'écran, Violet m'a répondu :

« *Quand on pense aux étoiles, par exemple, nos problèmes semblent plutôt dérisoires, ne trouvez-vous pas ?*[1] »

---

1. *Nuit et Jour*, Virginia Woolf, trad. de Catherine Naveau, 1985, Points Seuil, Paris (*NdT*).

Je suis en mode triche à fond, j'ouvre tous les sites que je peux trouver sur Virginia Woolf. Je me demande si elle triche aussi. J'écris :

« *Je suis enracinée, mais je m'écoule.*[1] »

J'hésite. J'ai presque envie d'effacer le message, mais elle me répond :

J'adore. C'est tiré de quoi ?

Les Vagues.

Je triche encore pour retrouver le passage.

En voilà encore : « *Je sens mille dispositions surgir en moi. Je suis espiègle, gaie, languissante, mélancolique tour à tour. Je suis enracinée, mais je m'écoule. Toute d'or, m'écoulant…*[1] »

Je décide de m'arrêter là, surtout parce que j'ai hâte qu'elle me réponde.

Ça lui prend trois minutes.

J'aime : « *C'est l'instant le plus exaltant que j'aie jamais connu. Je frémis. J'ondule. Je dérive telle une plante sur la rivière, ondoyant de-ci, ondoyant de-là, mais enracinée, pour qu'il puisse venir jusqu'à moi. "Viens, dis-je. Viens."*[1] »

Mon pouls n'est pas le seul à s'emballer, maintenant. Je rajuste mon boxer, en notant que c'est quand même un peu ridicule mais étrangement sexy.

J'écris :

Avec toi, je me sens fluide comme de l'or, je m'écoule…

J'envoie sans même réfléchir. Je pourrais continuer à citer Virginia Woolf – croyez-moi, il y a des passages encore plus chauds –, mais je préfère me citer moi-même.

J'attends sa réponse. Trois minutes. Cinq minutes. Dix. Quinze. J'ouvre son site, celui qu'elle a créé avec sa sœur, et je regarde la

---

1. *Les Vagues*, Virginia Woolf, traduction de Michel Cusin, 2012, Gallimard (*NdT*).

date de la dernière publication, qui n'a pas changé depuis l'autre fois.

Compris, je me dis. *Pas d'or, pas s'écouler. Du calme.*

Mais soudain un nouveau message s'affiche :

J'ai lu ton règlement, j'ai un principe à ajouter : on ne prend pas la voiture en cas de mauvais temps. On va à pied, à vélo, comme tu veux, mais pas de voiture. Et on ne s'éloigne pas trop de Bartlett.

Voilà qu'elle prend les choses en main, maintenant. Je réponds :

Si on va à pied ou à vélo, la question ne devrait pas se poser.

Puis, pensant à son site Internet abandonné, j'ajoute :

On devrait raconter nos balades par écrit pour avoir autre chose à montrer que les photos. Tu pourrais rédiger les textes, pendant que moi, je me contente de sourire et de faire le beau.

Je suis encore devant l'écran une heure plus tard, mais pas elle. Elle s'est volatilisée d'un coup, énervée ou effrayée. Je compose donc chanson sur chanson. En général, ce sont des «chansons qui vont changer le monde» tellement elles sont profondes et émouvantes. Mais ce soir, je me répète que je n'ai rien en commun avec cette Violet, et que j'en meurs d'envie n'y change rien. Je me demande si cet échange de citations était aussi torride que je l'ai cru, ou si c'était juste mon imagination. Je me suis emballé pour une fille que je connais à peine parce que c'est la première personne que je rencontre qui semble parler la même langue que moi. Ou quelques mots tout du moins.

Je prends tous les comprimés dans ma main. Je pourrais les avaler d'un coup, m'allonger sur mon lit, fermer les yeux, et me laisser doucement partir. Mais qui s'assurerait que Violet Markey ne remonte pas en haut de ce clocher ? Je jette les comprimés dans les toilettes et je tire la chasse. Puis je retourne sur *eleanorandviolet.com,* je remonte les archives jusqu'à la première publication et je les lis toutes, jusqu'à la dernière.

Je garde les yeux ouverts aussi longtemps que possible, mais je finis par m'endormir aux alentours de quatre heures du matin. Je rêve que je suis perché en haut du clocher du lycée, tout nu, à la merci du froid et de la pluie. Je baisse les yeux : tout le monde est là, professeurs et élèves, même mon père, qui mange un hamburger cru et le brandit dans les airs comme s'il portait un toast à ma santé. J'entends un bruit dans mon dos. Je tourne la tête et je me retrouve face à Violet, qui est à l'autre bout du parapet, nue également, à part ses boots noires. C'est stupéfiant – le plus beau spectacle que mes deux yeux aient jamais contemplé. Mais avant que j'aie pu me décoller du parapet pour aller vers elle, elle ouvre la bouche et saute dans le vide en hurlant.

C'est le réveil, évidemment. D'abord, je tente de le faire taire d'un coup de poing, avant de le balancer contre le mur. Il s'écrase par terre, bêlant comme un mouton égaré.

VIOLET

151 JOURS AVANT L'EXAMEN

Lundi matin. Première heure de cours.

Tout le monde parle de la dernière publication des *Dessous de Bartlett*, le torchon du lycée qui non seulement possède son propre site, mais semble essaimer sur tout le Web. « Une héroïque élève de terminale empêche son camarade dément de sauter du clocher du lycée. » Nous ne sommes pas nommés, mais il y a une photo de moi, les yeux écarquillés derrière les lunettes d'Eleanor et la frange de travers. Le genre de photo qui illustrerait la partie « avant » d'une séance de *relooking*. Et il y a aussi une photo de Theodore Finch.

Jordan Gripenwaldt, le rédac chef du journal officiel du lycée, lit à voix basse l'article à ses amies Brittany et Priscilla, ne cachant pas son dégoût. De temps à autre, ils jettent un regard dans ma direction et secouent la tête, écœurés par cette dérive *trash* de la presse.

Ces filles sont intelligentes, elles disent ce qu'elles pensent. Je devrais être amie avec elles, plutôt qu'avec Amanda. À la même époque l'an dernier, je serais allée leur dire que j'étais d'accord, puis j'aurais écrit un texte rageur pour dénoncer les ragots. À la place, je prends mon sac et je vais dire au prof que j'ai mal au ventre. Au lieu d'aller à l'infirmerie, je grimpe au dernier étage, je crochète la serrure de la porte qui mène au clocher. Là, je m'assieds sur les marches pour lire deux chapitres des *Hauts de Hurlevent* à la lueur de mon portable. J'ai laissé tomber Anne Brontë et décrété qu'il n'y avait qu'Emily de valable, Emily la rebelle, en colère contre le monde entier.

« *Si tout disparaissait et que ne demeurât que lui, je pourrais continuer à exister, mais si tout le reste demeurait et qu'il disparaissait, l'univers deviendrait à mes yeux un parfait inconnu.* »

– Un parfait inconnu, dis-je à personne en particulier. Bien vu.

FINCH

9e JOUR

Arrivé lundi matin, c'est clair : il faut que je me débarrasse du Finch version années 80. Pour commencer, la photo de lui publiée par les *Dessous de Bartlett* n'est pas flatteuse. Il paraît trop sain pour être honnête – pas de cigarette, pas de viande, c'est un modèle de vertu avec ses cols de polo remontés. Et puis, surtout, il ne me correspond pas du tout. Il doit être bien vu par les profs, réussir les interros surprises, conduire le vieux tacot de sa mère sans arrière-pensée, mais je ne lui ferais aucune confiance en ce qui concerne les relations avec les filles. Plus précisément, je ne lui fais aucune confiance pour faire avancer les choses avec Violet Markey.

Je retrouve Charlie à la boutique de fripes en troisième heure. Il y en a une près de la gare, dans un quartier qui était abandonné, rien que des usines désertes et des graffitis. Mais il a subi ce qu'on appelle une gentrification, c'est-à-dire qu'on lui a passé une couche de peinture et que quelqu'un a décidé de s'y intéresser.

Charlie a amené Brenda comme conseillère-mode, même si rien de ce qu'elle porte ne va ensemble – ce qui, selon elle, est l'effet recherché. Pendant qu'il discute avec l'une des vendeuses,

Bren me suit d'allée en allée, en bâillant. Elle fait défiler sans grande conviction des vestes en cuir sur leur portant.

– Qu'est-ce qu'on cherche, exactement ?

– J'ai besoin d'une gentrification, je déclare.

Elle bâille à nouveau sans mettre la main devant sa bouche, j'aperçois ses plombages.

– La nuit a été courte ?

Elle sourit, ses lèvres rose vif s'étirent largement.

– Amanda Monk a fait une soirée samedi. Je suis sortie avec Gabe Romero.

Non content d'être le petit ami d'Amanda, Gabe est aussi le plus sinistre connard de tout le lycée. Mais bizarrement, Bren a un faible pour lui depuis la troisième.

– Tu crois qu'il va s'en souvenir ?

Son sourire vacille légèrement.

– Il était pas mal bourré, mais j'ai laissé ça dans sa poche.

Elle lève la main et agite les doigts. Il lui manque un faux ongle en plastique bleu.

– Et aussi mon anneau de nez, au cas où.

– Je me disais bien que tu n'avais pas la même tête aujourd'hui.

– C'est juste le super rayonnement de l'amouuur.

Désormais tout à fait réveillée, elle se frotte les mains comme un savant fou.

– Alors qu'est-ce qu'on cherche ?

– Je ne sais pas. Quelque chose qui fasse moins petit gars propre sur lui, un truc un peu plus sexy. Ma phase années 80, c'est du passé.

Elle fronce les sourcils.

– C'est à cause de Machine-Chose ? Le sac d'os ?

– Violet Markey, et elle n'est pas maigre. Elle a des hanches.

– Et un très très joli cul, complète Charlie en nous rejoignant.

– Non non non.

Bren secoue la tête si vite et si fort, on dirait qu'elle a une attaque.

– On ne s'habille pas pour plaire à une fille ; surtout pas à ce genre de fille. On s'habille pour se plaire à soi-même. Ensuite, si tu ne lui plais pas, alors elle n'a rien à faire dans ta vie.

Je serais parfaitement d'accord avec tout ça si seulement je savais exactement quel moi me plaît à moi.

Elle enchaîne :

– C'est la fille qui tient le fameux blog dont a parlé l'actrice, là, Gemma Sterling ? Celle qui a empêché son « camarade dément » de sauter du clocher ? Eh bien, qu'ils aillent se faire foutre, elle et son cul tout plat !

Bren déteste toutes les filles qui ne font pas au moins un bon quarante-deux.

Je la laisse râler après Violet, après Gemma Sterling, après les *Dessous de Bartlett*, sans rien répondre. Brusquement, je n'ai pas envie que Bren ou Charlie parlent de Violet, j'ai envie de la garder rien que pour moi comme quand, pour le Noël de mes huit ans – à l'époque où la magie de Noël existait encore à mes yeux –, j'ai eu ma première guitare et que je l'ai baptisée SENS INTERDIT, pour signifier que personne n'avait le droit d'y toucher à part moi.

Mais au bout d'un moment, je suis bien obligé de couper Bren.

– Tu te souviens de la voiture qui est sortie du pont de A Street, en avril dernier ? Eh bien, elle était dedans avec sa sœur.

– Bon Dieu... c'était elle ?

– Sa sœur était en terminale.

– Merde.

Brenda pianote nerveusement sur son menton.

– Alors tu devrais choisir un style plus soft... plus classique...

Sa voix s'est radoucie.

– Genre Ryan Cross. Tu vois comment il s'habille. On ferait mieux d'aller chez Old Navy, American Eagle, ou encore mieux Abercrombie, y en a un à Dayton.

Charlie se tourne vers elle.

– Peu importe comment il se fringue, elle craquera jamais pour lui. Le prends pas mal, mon pote.

– Je ne le prends pas mal. Et *fuck,* Ryan Cross.

C'est la première fois de ma vie que j'emploie ce mot. Quelle libération. Tout à coup, j'ai envie de courir dans tout le magasin en criant «*fuck!*». Je décide que le nouveau Finch peut jurer tant qu'il veut. C'est le genre de Finch qui grimperait en haut d'un clocher et qui sauterait dans le vide, lui, parce qu'il n'a peur de rien. Il déchire sérieusement.

– Dans ce cas...

Charlie prend un blouson sur son cintre et le lève à ma hauteur. Y a pas à dire, ça fait gros dur. Du cuir usé, râpé, un truc que Keith Richards aurait pu porter à sa grande époque.

Trop cool. Je l'enfile, ignorant Bren qui s'éloigne en soupirant. Elle revient avec une immense paire de boots Beatles noires.

– C'est du 48, mais à la vitesse où tu grandis, d'ici à vendredi, elles t'iront.

Quand arrive l'heure du déjeuner, je commence à bien sentir Finch le Gros Dur. Déjà, il a l'air de plaire aux filles. Une mignonne petite de seconde ou de première m'arrête sous le préau et me demande si elle peut m'aider à trouver mon chemin. Elle doit être en seconde parce qu'elle ignore visiblement qui je suis. Quand elle me demande si je viens de Londres, je réplique «*Of course*» and «*God save the Queen*[1]» avec un accent *british* qui me semble des

1. «Bien sûr» et «Dieu veille sur la reine», titre de l'hymne national britannique (*NdT*).

plus convaincant. Elle alterne gloussements et mouvements de cheveux tout en me conduisant à la cafétéria.

Étant donné que nous sommes plus de deux mille dans ce lycée, il y a trois services différents. Brenda a séché son dernier cours pour déjeuner avec Charlie et moi. Je les salue d'un «*Good afternoon!*» chantant, puis je demande où est ma «*cup of tea*» avant de conclure par un «*bollocks!*» tonitruant.

Bren me dévisage, surprise, avant d'adresser un clin d'œil à Charlie.

– Oh, non, il se prend pour un Anglais maintenant!

Il hausse les épaules sans cesser de manger.

Je passe le restant du déjeuner à leur parler de mes coins préférés à Londres – Honest Jon's, Rough Trade East et Out on the Floor, les disquaires chez qui je traîne. Je leur parle de Fiona, ma petite amie irlandaise, odieuse mais trop sexy, et de mes deux meilleurs potes, Ed(ward) et Phil(ip). À la fin du déjeuner, j'ai créé un univers que j'imagine jusque dans les moindres détails : les posters des Sex Pistols et de Joy Division sur les murs de ma chambre, les clopes que je fume à la fenêtre de l'appart où je vis avec Fiona, les nuits passées à jouer au *Hope and Anchor* ou au *Half Moon*, les journées passées à enregistrer des disques dans les studios d'Abbey Road. Quand la sonnerie retentit, et que Charlie me dit : «Tu viens, Rosbif?», j'ai le mal du pays.

Yes, Sir! C'est vrai, Londres me manque!

Je parcours les couloirs en me demandant ce que Finch le Gros Dur *british* va faire, maintenant. Prendre le contrôle du lycée, de la ville, du monde? Un monde de compassion où les voisins aiment leurs voisins, où les élèves aiment les autres élèves, ou tout du moins les respectent. Sans se juger. Sans s'insulter. Plus jamais jamais jamais.

Lorsque j'entre en cours de géo, j'ai presque réussi à me convaincre que ce monde existe. Jusqu'à ce que j'aperçoive Ryan

Cross, tout doré, dérivant, qui s'appuie sur le dossier de la chaise de Violet comme un serveur du Macaroni Grill. Il lui sourit, il lui parle, elle lui sourit, la bouche fermée, ses yeux gris-vert ronds et sérieux derrière ses lunettes, et brusquement je ne suis plus que Theodore Finch de l'Indiana dans sa paire de bottes d'occase. Des gars comme Ryan Cross ont le don de vous rappeler qui vous êtes même quand vous préférez l'oublier.

J'essaie de croiser le regard de Violet, mais elle est trop occupée à acquiescer à tout ce que dit Ryan. Et puis, il y a Gabe, et Amanda Monk qui me lance un regard assassin en aboyant :

– Qu'est-ce que tu mates comme ça ?

Violet est engloutie au milieu de leur petit groupe, je ne peux que contempler l'endroit où elle se trouvait avant.

Dès que ça sonne, M. Black se met à siffler derrière son bureau. Il veut savoir si on a des questions sur le travail à rendre. Des mains se lèvent. Il répond aux demandes une à une :

– Sortez un peu... voir votre État. Visitez des musées... des parcs... des sites historiques. Cultivez-vous... que vous emportiez... au moins ça de l'Indiana... quand vous partirez.

Avec mon plus bel accent britannique, j'interviens :

– Mais je croyais que la culture, ce n'était pas à emporter.

Violet rit. C'est la seule. Aussitôt, elle se détourne et fixe le mur à sa droite.

À la fin de l'heure, je passe devant Ryan, Gabe et Amanda jusqu'à être si près de Violet que je sens l'odeur fleurie de son shampooing. L'avantage avec Finch le Gros Dur, c'est qu'il ne se laisse pas longtemps impressionner par des types comme Ryan Cross.

Amanda demande, de sa voix nasillarde :

– On peut t'aider ?

Je m'adresse à Violet normalement, sans accent *british* :

– Il est temps de partir en balade !

– Où ça ?

Son regard est froid, un peu méfiant, comme si je risquais de la démasquer là, maintenant, devant tout le monde.

– Tu es déjà allée à Hoosier Hill ?

– Non.

– C'est le point culminant de l'État.

– À ce qu'il paraît.

– J'ai pensé que ça pourrait te plaire. À moins que tu aies le vertige ? dis-je en penchant la tête sur le côté.

Elle pâlit subitement puis, juste le temps de se reprendre, et elle plaque un sourire parfaitement forcé sur ses lèvres parfaites.

– Non, ça va.

– Elle t'a sauvé quand t'étais perché en haut du clocher, je te signale.

Ce rappel vient d'Amanda. Elle agite son téléphone où je reconnais les gros titres des *Dessous de Bartlett*.

Gabe marmonne :

– Tu devrais peut-être remonter là-haut et réessayer.

– Et rater cette formidable opportunité de visiter l'Indiana ? Non merci.

Ils me foudroient du regard tandis que je me tourne vers Violet.

– Allez, en route !

– Maintenant ?

– Ne remets pas à demain ce que tu peux faire le jour même. Toi, plus que tout autre, tu devrais savoir qu'il faut profiter de l'instant présent.

– Hé, pourquoi tu demanderais pas à son copain, fils de pute ? éructe Gabe.

Et je lui réponds :

– Parce que ce n'est pas Ryan qui m'intéresse, mais Violet.

Je me tourne vers Ryan pour ajouter :

– Ce n'est pas une sortie en amoureux, mec. C'est du travail scolaire.

– Et de toute façon, ce n'est pas mon petit ami, intervient Violet.

Ryan a l'air tellement vexé que j'ai presque de la peine pour lui, sauf que c'est impossible d'avoir pitié d'un type pareil.

– Mais je ne peux pas sécher les cours, ajoute-t-elle.

– Pourquoi ?

– Parce que je ne suis pas une mauvaise élève.

Pas comme toi – c'est très clair –; mais je me persuade qu'elle dit ça pour les autres.

– Je t'attends sur le parking à la sortie des cours, alors.

Au moment de quitter la salle, je m'arrête.

– « Viens, dis-je. Viens. »

Ce n'est sans doute que le fruit de mon imagination, mais elle esquisse un sourire.

– Fêlé, murmure Amanda dans mon dos.

Je me cogne le coude gauche dans le montant de la porte et, pour faire bonne mesure, je me cogne le droit exprès.

VIOLET

151 JOURS AVANT L'EXAMEN

Trois heures et demie. Parking du lycée.

Le soleil m'éblouit, je mets ma main en visière. Je ne le vois pas. Il est peut-être parti sans moi, finalement. Ou alors je ne suis pas sortie par la bonne porte. Pour une si petite ville, on a un lycée immense. Il accueille plus de deux mille élèves parce que nous sommes le seul établissement à des kilomètres à la ronde. Il peut être n'importe où.

Je me cramponne au guidon de mon vélo, une vieille bécane orange, à dix vitesses, que j'ai héritée d'Eleanor. Elle l'avait surnommé Leroy, pour le plaisir de taquiner nos parents en disant : «Je suis sortie avec Leroy» ou «J'étais à califourchon sur Leroy quand...»

Brenda Shank-Kravitz passe devant moi, tornade rose vif, Charlie Donahue dans son sillage.

– Il est là-bas, m'informe Brenda en désignant l'autre bout du parking, puis elle pointe son ongle bleu au milieu de ma poitrine. Je te préviens, si tu lui brises le cœur, j'enverrai valser ton petit cul maigrichon jusque dans le Kentucky. Et je suis sérieuse. La dernière chose dont il ait besoin, c'est bien qu'on joue avec ses sentiments. Compris ?

– Compris.

– Et je suis désolée. Tu sais. Pour ta sœur.

Je regarde dans la direction qu'elle m'a indiquée. Theodore Finch est appuyé contre un 4x4, les mains dans les poches, comme s'il avait tout le temps du monde devant lui. Il m'attend. Je repense au passage des *Vagues* de Virginia Woolf :

« *Pâle, les cheveux noirs, celui qui vient est un mélancolique, un romantique. Et moi, je suis espiègle et fluide et capricieuse; car il est mélancolique, il est romantique. Il est ici, il se tient près de moi*[1] ».

Je le rejoins à vélo. Ses cheveux bruns sont ébouriffés, comme s'il revenait de la plage, alors qu'il n'y a pas de plage à Bartlett, ils ont des reflets bleu-noir au soleil. Sa peau est si blanche que je vois les veines de ses bras.

Il ouvre la portière passager de sa voiture.

– Après toi.

– Je t'avais dit pas en voiture.

– J'ai oublié mon vélo, il faut qu'on repasse chez moi le chercher.

– Alors, je te suis.

Il conduit excessivement lentement, nous mettons dix minutes pour arriver chez lui. C'est une maison en brique de style colonial, un étage, les fenêtres envahies par la végétation, des volets noirs, une porte rouge. La boîte aux lettres rouge assortie indique FINCH. J'attends dans l'allée tandis qu'il fouille dans le bric-à-brac du garage, à la recherche de son vélo. Quand il le sort du bazar en le soulevant à bout de bras, je vois ses muscles saillir.

1. *Les Vagues*, Virginia Woolf, traduction de Michel Cusin, 2012, Gallimard (*NdT*).

– Tu peux laisser ton sac dans ma chambre.

Il essuie la selle avec un pan de sa chemise.

– Mais j'ai besoin de mes affaires…

J'ai pris un livre sur l'histoire de l'Indiana à la bibliothèque et des sacs en plastique de tailles diverses – cadeau d'une des dames de la cantine – pour y mettre tout ce qu'on voudra garder en souvenir.

– J'ai déjà tout ce qu'il faut, réplique-t-il en m'invitant à entrer dans la maison.

L'intérieur est tout ce qu'il y a de plus normal et de plus banal, pas du tout le cadre de vie que j'imaginais pour Theodore Finch. Je le suis à l'étage. Des photos ornent les murs. Finch en maternelle. Finch au collège. Finch le clown. Finch intimidé. Finch qui pose. Finch qui fait le malin. Au fond du couloir, il pousse une porte.

Les murs sont rouge foncé et tout le reste est noir – bureau, chaise, étagère, couette, guitares. Un mur entier est couvert de photos, de Post-it, de bouts de papier ou de serviette déchirés. Sur l'autre, il y a des affiches de concert et une grande photo noir et blanc de lui sur scène avec sa guitare.

Je me plante devant le mur de notes en demandant :

– C'est quoi tout ça ?

– Des projets, des chansons, des idées, des visions.

Il jette mon sac sur son lit et sort un truc d'un tiroir.

Sur la plupart des notes, il n'y a qu'un seul mot ou une bribe de phrase qui n'a aucun sens tout seul : *Fleurs nocturnes. Agir pour avoir l'impression d'exister. Ma décision à moi. Obélisque. Est-ce un bon jour pour… ?*

« Un bon jour pour quoi ? » ai-je envie de demander. Mais à la place, je m'étonne :

– Obélisque ?

– Mon mot préféré.

– Sérieux ?

– Parmi d'autres, tout du moins. Regarde-le bien.

Je regarde.

– Un mot dressé, puissant, bien droit. Unique, original et un peu trompeur, parce qu'à l'entendre on ne devinerait jamais ce qu'il désigne. C'est un mot surprenant qui te fait penser : « Ah... d'accord... » Il inspire le respect tout en restant modeste. Contrairement à « monument » ou « clocher ».

Il secoue la tête.

– Rien que des gros prétentieux.

Je ne réponds rien, parce qu'avant, j'aimais les mots. Je les aimais et j'étais douée pour les assembler. Et du coup, les meilleurs, j'avais envie de les couver jalousement. Maintenant, bons ou mauvais, ils m'agacent tous.

Il reprend :

– Tu connaissais l'expression « remonter à dos de chameau » ?

– Pas avant de l'entendre dans la bouche de M. Black.

Il se penche sur son bureau et déchire un bout de papier pour la noter. Il l'affiche au mur avant qu'on parte.

Une fois dehors, j'enjambe Leroy, en gardant un pied à terre. Lorsque Theodore charge son sac sur son dos, son T-shirt se soulève, révélant une affreuse cicatrice rouge zébrant son ventre.

Je remonte les lunettes d'Eleanor sur ma tête.

– Comment tu t'es fait ça ?

– Je l'ai dessinée. Il paraît que les cicatrices plaisent encore plus aux filles que les tatouages.

Il est en équilibre sur son vélo, les deux pieds à terre de chaque côté.

– Tu es déjà remontée dans une voiture depuis l'accident ?

– Non.

– Waouh ! C'est un record ! Ça fait quoi, huit, neuf mois ? Comment tu fais pour aller en cours ?

– J'y vais à pied ou à vélo. Je n'habite pas si loin du lycée.

– Et quand il neige ou qu'il pleut ?

– J'y vais à pied ou à vélo.

– Alors tu as peur de monter dans une voiture… mais pas d'aller te percher en haut d'un clocher sur un rebord minuscule ?

– Je rentre à la maison.

Il éclate de rire et agrippe mon vélo avant que je puisse m'éloigner.

– OK, je n'en parlerai plus.

– Je ne te crois pas.

– Écoute, maintenant tu es là et on doit faire ce boulot, alors plus vite on va sur cette colline, plus vite tu en seras débarrassée.

Nous longeons d'interminables champs de maïs. Hoosier Hill n'est qu'à une vingtaine de kilomètres de la ville, ce n'est pas très loin. Il fait froid, mais beau. C'est agréable d'être dehors. Je ferme un instant les yeux, renversant ma tête en arrière. C'est un reste de la Violet d'avant. La Violet normale. Violet pas Re-mark-able.

Finch pédale à mes côtés.

– Tu sais ce que j'aime en voiture ? L'impression d'être propulsé, poussé en avant, de pouvoir aller n'importe où…

Je fronce les sourcils.

– Mais on n'est pas en voiture.

– Justement.

Il décrit des huit au milieu la route, puis me tourne autour, avant de revenir à côté de moi.

– Ça m'étonne que tu n'aies pas mis un casque ou même une armure de protection, au cas où. On ne sait jamais… Si c'était l'apocalypse, que tu sois la seule à ne pas te changer en zombie, et que tu doives t'enfuir ? Il n'y a plus ni avions, ni trains, ni bus.

Plus aucun transport en commun. À vélo, tu es à découvert, c'est trop dangereux. Alors, qu'est-ce que tu ferais ?

– Mais comment être sûre que je serais plus en sécurité en partant d'ici ?

– Bartlett est la seule ville au monde à avoir été touchée.

– J'en suis certaine ?

– C'est de notoriété publique. Info confirmée par le gouvernement.

Comme je ne réponds pas immédiatement, il reprend ses huit autour de moi.

– Tu irais où si tu pouvais aller n'importe où ?

– Toujours en cas d'apocalypse ?

– Non.

À New York. C'est la première réponse qui me vient à l'esprit, pourtant je dis :

– Je retournerais en Californie.

Je veux dire la Californie d'il y a quatre ans, avant qu'on vienne s'installer ici, quand Eleanor allait entrer en seconde et moi en troisième.

– Mais tu connais déjà, tu n'as pas envie de découvrir autre chose ?

Il pédale sans tenir le guidon, les bras croisés.

– Il fait toujours chaud là-bas, il ne neige jamais.

Je hais la neige pour toujours et à jamais. J'entends Mme Kresney et mes parents me répéter de faire un effort. Alors je reprends :

– J'aimerais bien aller étudier en Argentine ou à Singapour. Il faut que la fac soit au moins à trois mille kilomètres d'ici.

Et qu'il ne neige pas plus de trois centimètres par an, ce qui élimine New York.

– Mais je vais peut-être rester ici, finalement. Je n'ai pas encore décidé.

– Tu veux savoir où j'irais moi, si je pouvais ?

Pas vraiment. Pourtant je demande docilement :
– Où tu irais si tu pouvais aller n'importe où, alors ?
Mon ton est plus coupant que je ne le voulais.
Il se penche sur son guidon, plongeant son regard dans le mien.
– J'irais à Hoosier Hill avec une jolie fille.

J'aperçois un petit bois d'un côté. Des champs tout plats, saupoudrés de neige, de l'autre.

– Je crois que c'est par là, dit Finch.

Nous laissons nos vélos à l'orée des bois, traversons la route et suivons le sentier de terre. J'ai mal aux jambes à force de pédaler. Je suis un peu essoufflée.

Il y a des gamins dans le champ, qui se balancent sur la clôture. En nous voyant arriver, l'un d'eux donne un coup de coude à l'autre et se redresse.

– Allez-y, c'est par là. Il y a des gens qui viennent des quatre coins du monde pour la voir ! Vous zêtes pas les premiers.

– Il y avait une pancarte, ajoute un autre d'une voix morne.

Imitant l'accent australien, Finch réplique :

– On vient de Perth. On a parcouru la moitié de la planète pour voir le point culminant de l'Indiana. On peut grimper au sommet ?

Ils ne demandent pas où se trouve Perth. Ils se contentent de hausser les épaules.

Nous nous faufilons entre les arbres nus, écartant les branches qui nous fouettent le visage. Le sentier est encore plus étroit, maintenant, nous devons avancer en file indienne. Finch est en tête et je suis plus absorbée par la contemplation de ses cheveux soyeux et par sa démarche, fluide et libre, que par le paysage.

Et soudain, nous y voilà. Au milieu d'une clairière roussie. Un banc de bois sous un arbre, une table de pique-nique à côté. Et un panneau sur notre droite :

POINT CULMINANT DE L'INDIANA
HOOSIER HILL, 383 MÈTRES

Le repère est juste devant nous, un piquet de bois planté dans le sol au milieu d'un tas de cailloux, pas plus haut ni large que le monticule du lanceur, au base-ball.

– Et c'est tout ? fais-je.

Ça m'a échappé.

Quel sommet. Incroyablement peu impressionnant. Mais après tout, je m'attendais à quoi ?

Il me prend la main et me tire sur le tas de pierres avec lui.

Quand sa peau touche la mienne, je ressens comme une petite décharge électrique.

Je me convaincs que c'est normal, qu'un contact physique impromptu avec quelqu'un qu'on ne connaît pas fait toujours cet effet-là. Mais le courant me remonte dans le bras et, comme il me masse la paume de la main avec son pouce, l'électricité se propage dans tout mon corps. Oh oh.

Avec son accent australien, il lance :

– Alorrrs, qu'est-ce que t'en penses ?

Sa main est ferme et chaude, et malgré sa grande taille, la mienne s'y imbrique parfaitement.

– On est venus de Perth pour ça ?

Je m'efforce à tout prix de lui cacher que je suis distraite par ces courants intempestifs. Parce que, sinon, je n'ai pas fini d'en entendre parler.

– À moins qu'on arrive de Môôsgou.

Il imite également très bien l'accent russe.

– Alors on est trop dégoûtés.

De sa voix normale, il reprend :

– Pas aussi dégoûtés que les gens de Sand Hill, le second point culminant de l'Indiana. Il ne fait que trois cent vingt-huit mètres, et ils n'ont même pas d'aire de pique-nique.

– S'ils sont seconds, ils n'en ont pas franchement besoin.

– Tout à fait. À mon avis, ça ne vaut pas le déplacement, maintenant qu'on a vu Hoosier Hill.

Il me sourit et, pour la première fois, je remarque à quel point ses yeux sont bleus – un vrai bleu d'azur, comme le ciel.

– C'est le summum d'être là, avec toi.

Il ferme ses yeux bleus et inspire profondément. Quand il les rouvre, il déclare :

– En fait, là, à tes côtés, j'ai l'impression d'être au sommet de l'Everest.

J'ôte ma main de la sienne. Malgré tout, je sens encore cette idiotie d'électricité.

– On n'est pas censés ramasser des trucs ? Noter des choses ? Faire un film ? Comment on s'organise ?

– On n'organise rien du tout. Quand nous sommes en balade, nous devons rester concentrés sur l'instant présent et non regarder ce qui se passe au travers d'un viseur.

Ensemble, nous contemplons la clairière roussie, le banc, les arbres, et le paysage plat et blanc au-delà. Dix mois plus tôt, j'aurais déjà commencé à écrire dans ma tête.

Il y a un panneau, heureusement, parce que sinon nul ne pourrait se douter qu'on se trouve au point culminant de l'Indiana...

J'aurais inventé toute une histoire à ces ados, un truc épique et délirant. Mais là, ce ne sont que des gamins de l'Indiana perchés sur une clôture.

Je soupire :

– Je crois bien que c'est l'endroit le plus laid que j'aie jamais vu… Pas seulement cette colline, mais l'État tout entier…

J'entends dans ma tête mes parents me reprocher d'être trop négative. C'est drôle parce que, des deux sœurs, j'ai toujours été la plus gaie. C'était Eleanor, la boudeuse.

– C'est ce que je pensais avant. Mais je me suis rendu compte, figure-toi, que certaines personnes le trouvaient beau, cet État. Et il doit l'être par certains aspects, parce qu'il y a tant de gens qui y vivent et qui ne le trouvent pas laid.

Il sourit en contemplant les affreux arbres, les affreux champs, les affreux gamins comme s'il découvrait le merveilleux pays d'Oz. Comme s'il parvenait vraiment à voir la beauté qui s'y cache. J'aimerais voir à travers ses yeux. J'aimerais qu'il puisse me prêter ses lunettes.

– Et puis je me dis que tant que je suis là, autant visiter, voir ce qu'il y a à voir.

– Se balader à travers l'Indiana ?

– Ouais.

– Tu as changé depuis l'autre jour.

Il me jette un regard en biais, les yeux mi-clos.

– C'est l'altitude.

Je pouffe, mais je me reprends bien vite.

– Tu as le droit de rire, tu sais, me dit-il. La terre ne va pas s'ouvrir sous tes pieds. Tu ne vas pas aller en enfer. Crois-moi. S'il y a un enfer, j'y arriverai avant toi et ils auront bien trop à faire avec moi pour te recevoir.

J'aimerais lui demander ce qui lui est arrivé. Si c'est vrai qu'il a fait une dépression ? Et une overdose ? Et où il était passé avant les vacances ?

– J'ai entendu beaucoup de rumeurs.

– Sur mon compte ?

– Elles sont fondées ?

– Sans doute.

Il écarte ses cheveux de ses yeux pour me dévisager. Son regard s'attarde sur mes lèvres. L'espace d'un instant, je crois qu'il va m'embrasser. L'espace d'un instant, j'en ai envie. Alors je reprends :

– Bon, on raye ce site de la liste. Il en reste donc un. Où allons-nous maintenant ?

On dirait la secrétaire de mon père.

– J'ai une carte dans mon sac.

Il ne fait pas un geste pour la sortir. Il reste planté là, à inspirer à fond en contemplant le paysage. J'ai envie de déplier cette carte, parce que je suis comme ça, ou, tout du moins, j'étais comme ça, toujours à penser à l'étape suivante. Mais lui, il ne bouge pas, il me prend la main. Au lieu de me dégager, je me force à rester là, à côté de lui, et en fait, c'est agréable. Le courant électrique circule à plein régime. Mon corps bourdonne. Une légère brise fait bruisser les rares feuilles. Comme une petite musique. Nous demeurons là, côte à côte, à contempler le paysage.

Puis soudain, il propose :

– Allez, on saute !

– Tu es sûr ? On est tout de même sur le plus haut sommet de l'Indiana.

– Sûr et certain. C'est maintenant ou jamais. Mais avec toi.

– D'accord.

– Prêt ?

– Prêt.

– On y va à trois.

Nous sautons juste au moment où les gamins arrivent. Nous roulons dans la terre, hilares. Avec son accent australien, Finch leur lance :

– Nous sommes des professionnels. N'essayez surtout pas de reproduire ça tout seuls.

Nous laissons sur place quelques pièces anglaises, un médiator de guitare rouge et un porte-clés à l'effigie du lycée. Nous les glissons à l'intérieur d'une fausse pierre pour cacher des clés – étrange objet que Finch a déniché dans son garage. Il la dépose au milieu des vrais cailloux entourant le piquet. Puis s'époussette les mains en déclarant :

– Maintenant, que tu le veuilles ou non, notre présence est gravée en cet endroit. À moins que les gamins reviennent nous piquer nos trucs.

J'ai la main toute froide et esseulée depuis qu'il l'a lâchée. Je sors mon téléphone en disant :

– Il faut qu'on garde une trace de tout ça.

Je commence à prendre des photos avant même qu'il ait acquiescé. Chacun à notre tour, nous prenons la pose au sommet.

Puis il sort de son sac à dos la carte et un bloc-notes. Il me le tend, avec un stylo. Comme je proteste, il me dit qu'il écrit en pattes de mouche, que c'est donc ma mission de prendre des notes. Le problème, c'est que je préférerais faire le trajet en voiture jusqu'à Indianapolis plutôt que d'écrire un mot là-dedans.

Mais vu qu'il a les yeux rivés sur moi, je griffonne quelques infos : le lieu, la date, l'heure, une brève description du site et des gamins sur la clôture. Puis nous étalons la carte sur la table de pique-nique.

Finch suit du doigt le parcours de l'autoroute, en rouge.

– Je sais que Black nous a demandé de choisir deux endroits, mais ce n'est pas assez, je trouve. Il faudrait qu'on les visite tous.

– Comment ça, tous ?

– Tous les sites qui présentent un intérêt dans cet État. Ou au moins qu'on en fasse un maximum dans le semestre.

– Non, on avait dit deux, point final.

Il étudie la carte en secouant la tête. Il se penche, s'agite. Quand il recule d'un pas, je m'aperçois qu'il a fait des marques partout, entouré les moindres curiosités de l'Indiana : le parc Dune; le plus grand œuf du monde; le lieu de naissance de Dan Patch, le cheval de course; les catacombes de Market Street et les Sept Piliers, des colonnes de pierre massives, sculptées par la nature, en surplomb de la rivière Mississinewa. Certaines sont proches de Bartlett, d'autres très loin.

– Ça fait trop, dis-je.

– Peut-être. Ou peut-être pas.

Début de soirée. Devant chez lui. Juchée sur Leroy, je regarde Finch ranger son vélo dans le garage. Puis il ouvre la porte de la maison et, comme je ne bouge pas, il me lance :

– Faut que tu récupères ton sac.

– Je t'attends là.

Il s'éloigne en riant. Pendant qu'il est parti, j'envoie un texto à ma mère pour lui dire que je rentre bientôt. Je l'imagine, en train de me guetter à la fenêtre – pourtant, elle mourrait de honte si je la surprenais.

Quelques minutes plus tard, Finch est de retour. Il se plante trop près de moi et me fixe de ses yeux trop bleus. Il repousse sa mèche d'une main. Ça fait bien longtemps que je n'ai pas été aussi près d'un garçon – à part Ryan – et brusquement me revient en mémoire la remarque de Suze, sous-entendant que Finch sait s'y prendre avec les filles. Theodore Fêlé ou pas fêlé, il est mince, mignon et dangereux.

Je sens que je me recroqueville à l'intérieur. Je me retranche derrière les lunettes d'Eleanor. Finch m'apparaît tout tordu, monstrueux, comme dans un miroir déformant.

– Parce que tu m'as souri.

– Quoi ?

– Tu m'as demandé pourquoi je voulais faire équipe avec toi. Ce n'est pas parce que tu es allée te percher en haut de ce clocher, même si, d'accord, un peu quand même. Ce n'est pas parce que je me sens l'obligation de veiller sur toi, même si un peu quand même aussi. C'est parce que tu m'as souri, ce jour-là, en classe. Un vrai sourire, pas la grimace forcée que tu plaques en permanence sur tes lèvres. Quand ta bouche sourit, et que tes yeux disent le contraire.

– Ce n'était qu'un sourire.

– Pour toi peut-être.

– Tu sais bien que je sors avec Ryan Cross.

– Tu as dit que vous n'étiez plus ensemble.

Avant que j'aie pu réagir, il éclate de rire.

– C'est bon. Tu ne me plais pas dans ce sens-là.

Chez moi. À l'heure du dîner. Mon père fait son poulet *piccata* et la cuisine est sens dessus dessous. Je mets la table pendant que ma mère s'attache les cheveux avant de prendre une à une les assiettes que lui tend papa. Chez nous, le repas est un événement qu'on accompagne avec de la bonne musique et du bon vin.

Quand maman goûte le poulet, elle fait signe à papa qu'il est délicieux, puis elle se tourne vers moi.

– Alors, parle-nous un peu de ce projet.

– On est censés découvrir l'Indiana, se balader dans l'État... comme s'il y avait quoi que ce soit d'intéressant à voir. On est obligés de se mettre par deux, alors je suis avec un garçon de ma classe.

Papa hausse un sourcil.

– Tu sais, j'étais super doué en géographie à l'époque. Alors, si tu as besoin d'aide...

Maman et moi, on le coupe exactement au même moment pour le féliciter sur sa cuisine et lui demander de nous resservir. Ça marche, il est tellement content que ça fait diversion. Ma mère me glisse discrètement :

– On a eu chaud.

Mon père adore donner un coup de main pour les exposés ou les dossiers. Le problème, c'est qu'il finit par les faire complètement.

Il revient en disant : « Et ce projet... » juste au moment où ma mère commence : « Et ce garçon... »

Mis à part qu'ils veulent être au courant de mes moindres faits et gestes, mes parents sont restés comme avant. Et ça me rend dingue, parce que moi, je ne suis plus du tout comme avant.

– Papa, je me demandais, dis-je, la bouche pleine, d'où il vient ce plat ? Qui a inventé cette recette ?

S'il y a quelque chose que mon père aime encore plus que les exposés, c'est expliquer l'histoire des choses. Il passe donc le reste du repas à nous parler de l'Italie et de l'amour des Italiens pour une cuisine saine et simple. Si bien que, et le projet de géo et le garçon sont oubliés.

Une fois remontée dans ma chambre, je parcours la page Facebook de Finch. Soudain, un nouveau message s'affiche.

J'ai l'impression d'avoir traversé l'armoire magique et de me retrouver à Narnia.

Je fais vite une recherche de citation sur *Le Monde de Narnia*. Je repère celle-ci :

« Je suis enfin arrivé chez moi ! Voici mon vrai pays ! Je suis d'ici. Voici le pays que j'ai cherché toute ma vie, sans le savoir jusqu'à maintenant. (...) Venez plus avant, venez plus haut ![1] »

---

1. *La Dernière Bataille*, C.S. Lewis, traduction de Philippe Morgaut, Gallimard Jeunesse (*NdT*).

Mais au lieu de la copier pour la lui envoyer, je me lève pour aller barrer la case du jour de mon calendrier. Je fixe le mot « EXAMEN » tout là-bas, en juin, tout en repensant à Hoosier Hill, aux yeux bleu de bleu de Finch, et à ce que je ressens pour lui. Rien ne dure et, comme tout le reste, aujourd'hui n'est plus, mais c'était un bon jour. Le meilleur depuis des mois.

FINCH

LE SOIR DU JOUR OÙ MA VIE A CHANGÉ

Ma mère me regarde par-dessus son assiette. Decca, comme d'habitude, mange comme un poney affamé et, pour une fois, moi aussi, je dévore mon dîner.

Maman demande :

– Decca, alors qu'as-tu appris aujourd'hui ?

Sans lui laisser le temps de répondre, j'interviens :

– En fait, j'aimerais commencer.

Dec s'interrompt assez longtemps pour me dévisager, les yeux ronds, la bouche ouverte et pleine d'aliments partiellement mâchés. Maman m'adresse un sourire nerveux, cramponnée à son verre et à son assiette, comme si je risquais de me lever de table et de lui lancer un vase à la tête.

– Bien sûr, Theodore. Dis-moi ce que tu as appris.

– J'ai appris qu'il y avait du bon dans ce monde, si on prend la peine de bien chercher. J'ai appris que tous les êtres humains ne sont pas forcément décevants, moi y compris, et j'ai appris qu'un tas de terre de trois cent quatre-vingt-sept mètres peut sembler plus haut qu'un clocher quand on s'y perche avec la bonne personne.

Maman attend poliment et, comme je n'ajoute rien, elle acquiesce.

– Super. Vraiment très bien, Theodore. C'est intéressant, n'est-ce pas, Decca ?

Pendant que nous débarrassons, ma mère a l'air aussi perdue et perplexe que d'habitude, et encore plus déconcertée parce qu'elle n'a pas la moindre idée de ce qu'elle doit faire de moi et de mes sœurs.

Vu que j'ai passé une bonne journée et que j'ai pitié d'elle parce que, non content de lui avoir brisé le cœur, mon père a piétiné toute son estime d'elle-même, je propose :

– Si tu me laissais faire la vaisselle ce soir, maman ? Tu pourrais te reposer un peu.

Quand mon père nous a abandonnés pour de bon, ma mère a passé sa licence d'agent immobilier, mais comme en ce moment le marché est tout sauf florissant, elle est obligée de travailler à temps partiel dans une librairie. Elle est toujours fatiguée.

Son menton se met à trembler et, durant une terrible et interminable seconde, j'ai peur qu'elle se mette à pleurer, mais elle m'embrasse sur la joue en me remerciant d'une manière si lasse et dépitée que je manque fondre en larmes, sauf que je suis de bien trop bonne humeur pour ça.

Puis elle reprend :

– Tu m'as appelée maman ?

Je suis en train de mettre mes chaussures lorsque le ciel se déchire, libérant des trombes d'eau. Un grésil glacial et aveuglant. Alors, au lieu de sortir courir, je prends un bain. Je me déshabille, et quand j'entre dans la baignoire, j'éclabousse un peu le sol, créant de petites flaques qui tremblotent tels des poissons échoués sur la plage. L'opération ne se déroule pas exactement comme je voudrais parce que je suis deux fois plus grand que la baignoire, mais elle est pleine, je suis déjà dedans, je veux aller jusqu'au bout. J'appuie mes pieds contre le carrelage du mur pour plonger sous l'eau, les yeux grands ouverts, fixant la douche, le rideau en plastique, le plafond, puis je ferme les paupières et je m'imagine que je suis dans un lac.

L'eau me calme. C'est reposant. Dans l'eau, je me sens en sécurité, contenu, je ne peux pas m'échapper. Tout ralentit, tout s'apaise, le bruit et le flot de mes pensées. Je me demande si je pourrais dormir dans le fond de la baignoire, sauf que je n'en ai aucune envie. Je laisse mon esprit dériver. J'entends les mots se former comme si j'étais déjà devant mon ordinateur.

En mars 1941, après trois dépressions sévères, Virginia Woolf a laissé une lettre à son mari et s'est rendue au bord d'une rivière voisine. Elle a rempli ses poches de cailloux et a plongé dans l'eau.

«*À toi, le plus cher,* commence-t-elle,

Je suis certaine que je retombe dans la folie : je sens que nous ne pouvons plus traverser à nouveau un de ces épisodes épouvantables… J'accomplis donc ce qui me paraît la meilleure chose à faire.»

Ça fait combien de temps? Quatre? Cinq minutes? Davantage? J'ai les poumons en feu. *Reste calme. Détends-toi. Il ne faut surtout pas paniquer,* me dis-je.

Six? Sept minutes? Jusque-là, le plus que j'aie tenu sans respirer, c'est six minutes et demie. Le record du monde est de vingt-deux minutes et vingt-deux secondes, il est détenu par un Allemand, un champion d'apnée. Il dit que tout est une question de contrôle et d'endurance, mais je soupçonne que c'est plutôt sa capacité pulmonaire qui est vingt pour cent supérieure à la moyenne. Je me demande si ces compétitions d'apnée, on peut en faire une véritable carrière sportive.

« *Tu as été en toute chose tout ce qu'un être humain pouvait représenter… Si quelqu'un avait pu me sauver, cela aurait été toi*[1]. »

Je rouvre les yeux et je m'assieds, inspirant goulûment pour remplir mes poumons. Je suis content qu'il n'y ait personne pour me voir, parce que je tousse, je crache, je m'étrangle. Je ne ressens aucune exaltation d'avoir survécu, que le vide, mes poumons en manque d'air et mes cheveux trempés qui me collent au visage.

---

1. Citations extraites de la dernière lettre de Virginia Woolf à son mari, Leonard dans *Ce que je suis en réalité demeure inconnu, Lettres (1901-1941)*, traduit par Claude Demanuelli, Points Seuil, 2010.

VIOLET

148 JOURS AVANT L'EXAMEN

Jeudi. Cours de géo.

Les *Dessous de Bartlett* ont publié la liste des dix élèves les plus suicidaires et mon téléphone n'arrête pas de vibrer parce que Theodore Finch est en tête. Jordan Gripenwaldt, lui, a consacré la une du journal du lycée au suicide des adolescents, avec des chiffres, des infos, ce qu'il faut faire si on a des idées noires, mais personne n'y prête la moindre attention.

J'éteins mon portable et je le range. Pour me changer les idées, je demande à Ryan ce qu'il fait pour le projet « Balades en Indiana ». Il s'est mis avec Joe Wyatt, ils ont pris pour thème le base-ball et projettent de visiter le musée local du base-ball ainsi que le Grande Galerie des stars du base-ball de l'Indiana à Jasper.

– Génial, je commente.

Il joue avec mes cheveux, et pour qu'il arrête, je me penche en faisant mine de chercher quelque chose au fond de mon sac.

Pour leurs balades, Amanda et Gabe ont choisi de se concentrer sur le musée James Withcomb Riley et le musée municipal d'Histoire et d'Agriculture, qui est ici, à Bartlett, et où est exposée une véritable momie. J'ai du mal à imaginer un destin plus déprimant que celui du grand prêtre égyptien exposé entre d'authentiques roues de charrette d'autrefois et un poulet à deux têtes.

Amanda examine la pointe de ses cheveux. À part moi, c'est la seule à ignorer son téléphone.

– Alors, comment ça se passe ? Pas trop horrible ?

Elle interrompt la traque des fourches assez longtemps pour me regarder.

– Quoi ?

– Finch, tiens.

Je hausse les épaules.

– Ça va.

– Oh, c'est pas vrai ! Il te plaît !

– Mais non, pas du tout.

Mais je sens que je rougis parce que tout le monde me regarde. Quelle grande g..., cette Amanda.

Par chance, la sonnerie retentit et M. Black réclame notre attention, s'il vous plaît. À un moment, Ryan me passe un mot parce que mon téléphone est éteint. Je le vois qui l'agite sous la table. Je le prends.

Drive-in samedi soir ? En tête à tête ?

Je réponds : *Je peux te dire plus tard ?*

Je lui tapote le bras pour lui tendre le message. M. Black écrit CONTRÔLE SURPRISE au tableau avec toute une liste de questions. Grognement général suivi de bruits de papier qu'on déchire.

Cinq minutes plus tard, Finch débarque dans la classe, avec toujours le même T-shirt noir, le même jean noir, son sac sur une épaule, ses livres, ses cahiers et son blouson en cuir sous le bras. Il sème ses affaires partout, sort ses clés, ses stylos et son paquet de cigarettes de sa poche avant d'adresser un petit signe à M. Black. Je le contemple en pensant : *Et voilà le type qui connaît ton pire secret.*

Finch se fige pour lire ce qui est écrit au tableau.

– Une interro surprise ? Désolé, m'sieur. Donnez-moi une p'tite seconde.

Il a pris son accent australien. Avant de s'asseoir, il se dirige vers moi et pose quelque chose sur mon cahier.

Il donne une tape dans le dos de Ryan, pose une pomme sur le bureau du prof et, en s'excusant à nouveau auprès de M. Black, se laisse tomber sur sa chaise à l'autre bout de la classe. Il m'a déposé un affreux caillou gris.

Ryan lui jette un regard avant de relever les yeux vers moi, puis se tourne vers Gabe qui fixe Finch en commentant tout haut :

– Fêlé.

Il fait mine de se pendre.

Amanda me donne un coup un peu trop fort dans le bras.

– Fais voir.

M. Black pianote sur son bureau.

– Dans cinq secondes… je mets… un F… à toute la classe.

Il saisit la pomme comme pour la lancer à travers la salle de cours.

Nous nous taisons immédiatement. Il la repose sur le bureau. Quand Ryan se tourne vers le tableau, je vois sa nuque constellée de taches de rousseur. Il n'y a que cinq questions, et faciles en plus. Pendant que M. Black ramasse les interros et commence son cours, j'examine le caillou. Sur l'autre face, Finch a écrit : *À ton tour.*

À la fin du cours, il se rue hors de la classe avant que j'aie pu lui parler. Je glisse le caillou dans mon sac. Ryan m'accompagne jusqu'à ma salle d'espagnol, mais sans me donner la main.

– Qu'est-ce qui se passe ? Pourquoi il te donne des trucs ? Pour te remercier de lui avoir sauvé la vie, c'est ça ?

– C'est un caillou. Si c'était pour me remercier, j'attendrais un peu mieux.

– Je me fiche de ce que c'est.

– Ne sois pas comme ça, Ryan.

– Comment ?

Dans le couloir, il fait signe à la moitié des gens qu'on croise. Tout le monde lui sourit en lançant « salut, Ryan ! » ou « ça va, Cross ? ». C'est une vraie parade, il ne manque plus que la révérence et les confettis. Certains sont même assez sympas pour me saluer aussi, maintenant que je suis officiellement une héroïne.

– Comme un gars qui est jaloux du gars avec qui son ex fait un dossier.

– Je ne suis pas jaloux.

Nous nous arrêtons devant la salle.

– Je suis dingue de toi, c'est tout. Et je pense qu'on devrait se remettre ensemble.

– Je ne sais pas si je suis prête.

– Je continuerai à te supplier.

– Je ne peux pas t'en empêcher, j'imagine.

– S'il dépasse les bornes, préviens-moi.

Un coin de sa bouche se relève. Quand il sourit comme ça, une seule et unique fossette apparaît. C'est ce qui m'a fait craquer la première fois que je l'ai vu. Sans réfléchir, je me hisse sur la pointe des pieds pour embrasser la fossette, alors que je voulais l'embrasser sur la joue. Je ne sais pas lequel de nous deux en est le plus surpris.

– T'inquiète, c'est juste un dossier.

Au dîner, ce soir, ce que je redoutais le plus se produit. Maman se tourne vers moi pour me demander :

– Tu es montée en haut du clocher la semaine dernière ?

Chacun à un bout de la table, mes parents me fixent. J'avale de travers et je manque m'étrangler. Ma mère est obligée de se lever pour me taper dans le dos.

– Trop épicé ? s'inquiète mon père.

– Non, papa, c'est très bon.

J'arrive à peine à parler tellement je tousse. Je couvre ma bouche avec ma serviette en continuant à cracher mes poumons comme un vieux papy tuberculeux.

Maman me tapote jusqu'à ce que je me calme puis va se rasseoir.

– J'ai reçu un appel du journal local, ils veulent faire un papier sur notre héroïne de fille. Pourquoi tu ne nous en as pas parlé ?

– Je ne sais pas. Ils en font toute une histoire. Je ne suis pas une héroïne. Je me trouvais là, c'est tout. Je ne pense pas qu'il aurait vraiment sauté.

J'ai la bouche sèche soudainement. Je vide mon verre d'un trait.

– C'est qui, le garçon que tu as sauvé ? veut savoir mon père.

– Un gars du lycée. Mais ça va, maintenant.

Mes parents échangent un regard, que je n'ai aucun mal à interpréter : notre fille n'est pas un cas si désespéré que nous le pensions. Désormais, ils vont attendre des choses de moi. De la nouvelle, courageuse Violet qui n'a plus peur de son ombre.

Maman reprend sa fourchette.

– La journaliste m'a laissé son nom et son numéro pour que tu la rappelles quand tu auras le temps.

– Super. Merci. Je vais le faire.

– Et d'ailleurs…

Ma mère a un ton léger, mais il y a quelque chose dans sa voix qui me donne envie de finir mon assiette au plus vite pour pouvoir filer.

– Qu'est-ce que tu dirais d'une escapade à New York pour les vacances de printemps ? On n'est pas partis en famille depuis longtemps.

Depuis l'accident. Ce serait notre premier voyage sans Eleanor, mais il y a déjà eu plein d'autres premières – le premier Thanksgiving, le premier Noël, le premier Nouvel An. C'est la première année de ma vie sans elle.

– On pourrait aller au spectacle, faire un peu de shopping et passer à l'université voir s'il y a une conférence intéressante.

Elle sourit trop. Et pire, mon père sourit aussi.

– Ce serait cool, dis-je, mais nous savons tous que je ne le pense pas.

Durant la nuit, je fais le même cauchemar que depuis des mois – celui où quelqu'un surgit dans mon dos pour m'étrangler. Je sens ses mains sur ma gorge qui serrent de plus en plus, mais je ne vois pas qui c'est. Parfois la personne ne me touche même pas, mais je sens sa présence. D'autres fois, j'étouffe, je n'ai plus d'air. Ma tête se vide, mon corps flotte, mes jambes se dérobent, je tombe...

Je me réveille et, durant quelques secondes, je ne sais plus où je suis. Je me redresse, j'allume la lumière pour regarder autour de moi, comme si mon agresseur pouvait être caché derrière mon bureau ou dans mon placard. Je prends mon ordinateur portable. Avant, j'aurais rédigé quelque chose – une nouvelle, un commentaire sur mon blog, ou juste des notes éparses. J'aurais écrit pour faire sortir ça de ma tête, le coucher sur le papier. Désormais, après avoir ouvert un nouveau document, je fixe l'écran. Je tape quelques mots, je les efface. J'écris, j'efface. C'était moi, l'écrivain, pas Eleanor. Pourtant, quand j'écris, j'ai l'impression de la trahir. Peut-être parce que je suis toujours là, et pas elle, et que tout – le moindre petit ou grand moment que j'ai vécu depuis avril dernier – me donne l'impression de la trahir d'une certaine façon.

Finalement, j'ouvre Facebook. J'ai un nouveau message de Finch, posté à une 1h04 du matin.

Savais-tu que la plus grande femme et l'un des plus grands hommes au monde étaient originaires de l'Indiana ? Ça en dit long sur notre État, n'est-ce pas ?

Je regarde l'heure. 1 h 40. Je réponds :

Avons-nous des ressources nutritionnelles plus riches que les autres États ?

Je contemple la page, dans la maison silencieuse. Je me dis qu'il doit dormir à cette heure, qu'il n'y a plus que moi debout. Je devrais lire ou éteindre la lumière et essayer de dormir un peu avant de devoir me lever pour aller en cours.

Finch écrit :

Et aussi l'homme le plus gros. Je crains que nos ressources nutritionnelles ne soient effectivement en cause. C'est peut-être pour ça que je suis aussi grand. Et si je n'arrêtais jamais de grandir ? Est-ce que tu aurais autant envie de moi si je faisais quatre mètres quatre-vingt-cinq ?

Moi : Je ne vois pas pourquoi j'aurais envie de toi à ce moment-là alors que je n'ai déjà pas envie de toi maintenant.

Finch : Ça viendra. Ce qui m'inquiète le plus, c'est comment je ferais pour le vélo. Ils n'en font pas pour des gens de cette taille, à mon avis.

Moi : Vois le bon côté des choses, tu aurais les jambes si longues que tes pas vaudraient trente ou quarante pas normaux.

Finch : Du coup, je pourrais te porter pour nos balades.

Moi : Oui.

Finch : Car tu es célèbre, après tout.

Moi : C'est toi, le héros, pas moi.

Finch : Je ne suis pas un héros, crois-moi. Qu'est-ce que tu fais debout à cette heure-ci ?

Moi : J'ai fait un cauchemar.

Finch : C'est fréquent ?

Moi : Plus que je ne le voudrais.

Finch : Depuis l'accident ou même avant ?

Moi : Depuis… Et toi ?

Finch : Trop de choses à faire, à écrire, à penser. Et puis sinon, qui te tiendrait compagnie ?

J'ai envie de lui dire que je suis désolée pour les articles des *Dessous de Bartlett*; que personne ne croit vraiment aux âneries qu'ils publient; que ça finira par se calmer tout seul; mais soudain il m'écrit :

Rejoins-moi au Quarry.

Moi : Je ne peux pas.

Finch : Ne me fais pas attendre. Non, finalement, je passe te prendre.

Moi : Je ne peux pas.

Pas de réponse.

Moi : Finch ?

FINCH

13e JOUR

J'ai beau lancer des cailloux contre sa vitre, elle ne descend pas. J'hésite à sonner à la porte, sauf que ça réveillerait ses parents. Je l'attends, mais le rideau ne bouge pas, la porte ne s'ouvre pas et il fait un froid de canard, si bien que je finis par remonter dans ma voiture pour rentrer chez moi.

Je reste debout toute la nuit à rédiger une liste intitulée « Comment rester éveillé ». Bien sûr, il y a les techniques de base – le Red Bull, la caféine, le Guronsan et les autres médocs –, seulement la question n'est pas de faire une petite nuit blanche, mais de rester éveillé, de rester là, bien présent, à long terme.

1. Courir.

2. Écrire (y compris toutes les pensées que je n'ai pas envie d'avoir, les noter tout de suite pour les sortir de mon esprit et les coucher sur le papier).

3. Dans le même registre, accepter toutes les pensées, sans distinction (sans en avoir peur, quelles qu'elles soient).

4. M'entourer d'eau.

5. Faire des projets.

6. Filer en voiture n'importe où, partout, même quand je n'ai nulle part où aller. (Note : on a toujours quelque part où aller.)

7. Jouer de la guitare.

8. Mettre de l'ordre dans ma chambre, mes notes, mes pensées (ce qui est différent de faire des projets).

9. Faire ce qu'il faut pour me rappeler que je suis toujours là et que j'ai mon mot à dire.

10. Violet.

VIOLET

147e-146e JOURS AVANT L'EXAMEN

Le lendemain matin. Chez moi. En sortant, je trouve Finch allongé sur la pelouse, les yeux fermés, les jambes croisées. Son vélo est couché sur le côté, à moitié sur le trottoir.

Je donne un coup dans la semelle de ses bottes noires.

– Tu as passé toute la nuit ici ?

Il ouvre les paupières.

– Alors, tu savais que j'étais là ! Pourtant, tu m'as ignoré, laissé planté là par ce froid polaire !

Il se relève, hisse son sac sur son épaule, ramasse son vélo.

– Encore des cauchemars ?

– Non.

Pendant que je sors Leroy du garage, Finch arpente l'allée à vélo.

– Où on va ?

– Au lycée.

– Je veux dire demain, pour notre balade. À moins que tu n'aies d'autres projets.

Il dit ça comme s'il savait parfaitement que je n'en ai pas. Je pense à la proposition de Ryan pour le drive-in. Je ne lui ai pas encore répondu.

– Je ne suis pas sûre d'être libre, demain.

Nous nous dirigeons vers le lycée, Finch fonce en tête, puis revient vers moi et ainsi de suite tout le long de la route.

Le trajet est assez paisible, jusqu'à ce qu'il lance :

– Je me disais que, en tant que coéquipier et gars qui t'a sauvé la vie, je devrais savoir ce qui s'est passé la nuit de l'accident.

Leroy vacille. Finch tend la main pour stabiliser et le vélo et moi. Une décharge électrique me parcourt, comme l'autre jour, et je perds à nouveau les pédales. Nous avançons une minute avec sa main à l'arrière de ma selle. Je scrute les environs, priant pour ne pas croiser Suze ou Amanda, parce que je sais très bien ce qu'elles s'imagineraient.

– Alors, qu'est-ce qui s'est passé ?

Ça me rend dingue qu'il aborde le sujet comme ça, de but en blanc, on dirait qu'il ne voit pas pourquoi ça me gênerait d'en parler.

– Je te raconte l'histoire de ma cicatrice si tu me dis ce qui est arrivé cette nuit-là.

– Pourquoi veux-tu absolument le savoir ?

– Parce que tu me plais. Pas en tant que petite copine, sortons ensemble, hop là, mais en tant que camarade de classe et coéquipière du projet de géo. Et parce que ça peut aussi t'aider d'en parler.

– Toi d'abord.

– J'ai fait un concert à Chicago avec des gars que j'avais rencontrés dans un bar où je jouais. Ils m'ont fait : « Hé, notre guitariste vient de nous lâcher et tu as l'air de pas mal te débrouiller. » Alors je les ai suivis, sans trop savoir ce que je faisais ni ce qu'ils me voulaient, mais on a mis le feu. Vraiment. J'étais encore meilleur qu'Hendrix – ils l'ont bien vu, et leur guitariste aussi. Alors ce FDP a sauté sur scène et m'a tailladé avec un médiator.

– Non, c'est vrai ? Ça s'est vraiment passé comme ça ?

Nous arrivons en vue du lycée. Les élèves sortent de leurs voitures, discutent sur la pelouse.

– Il y avait aussi une fille dans l'histoire, précise-t-il.

Je n'arrive pas à savoir s'il me fait marcher ou non, mais je suis presque sûre que oui.

– À toi.

– Seulement quand tu m'auras dit la vérité.

Je fonce à travers le parking jusqu'au rack à vélos. Quand je m'arrête, Finch est juste derrière moi, plié en deux de rire. Dans ma poche, mon portable n'arrête pas de vibrer. Je le sors : j'ai reçu cinq textos de Suze, tous avec le même message : Theodore Fêlé ?!! WTF ? Je scanne les environs sans la voir.

– À demain ! me lance-t-il.

– Non, je t'ai dit, j'ai quelque chose de prévu.

Il jette un coup d'œil à mon portable, puis à mon visage, un regard difficile à interpréter.

– OK. Cool. À plus alors, Ultraviolet !

– Comment tu m'as appelée ?

– Tu as parfaitement entendu.

– Le lycée, c'est par là, dis-je en tendant le bras.

– Je sais.

Et il file dans la direction opposée.

Samedi. Chez moi. Je suis au téléphone avec Jerri Sparks, reporter du journal local, qui veut envoyer quelqu'un pour me prendre en photo.

– Que ressent-on quand on sauve la vie de quelqu'un ? me

demande-t-elle. Je suis au courant de la terrible tragédie que vous avez vécue l'an dernier. Est-ce que cela vous apporte une quelconque consolation ?

– En quoi cela pourrait-il me consoler ?

– Vous n'avez rien pu faire pour votre sœur, mais vous avez réussi à sauver la vie de ce garçon, Theodore Fin...

Je lui raccroche au nez. *Comme si leurs vies étaient interchangeables. Et en plus, ce n'est pas moi qui ai sauvé une vie.* C'est Finch, le héros, pas moi. Tout ça n'est qu'une imposture.

Je suis encore en ébullition quand Ryan arrive avec cinq minutes d'avance. Nous allons à pied au drive-in qui n'est qu'à deux pas de chez moi. Je garde les mains dans les poches de mon manteau, mais nos coudes n'arrêtent pas de se cogner. Comme un remake de notre premier rendez-vous.

Au drive-in, nous rejoignons Gabe qui est avec Amanda dans sa voiture. Il a une énorme Chevrolet Impala, grosse comme une maison. Il l'appelle la limousine, parce qu'il arrive à y faire rentrer plus de cinquante personnes.

Ryan ouvre la portière arrière et je monte dans la voiture. Tant qu'on ne roule pas, ça va, même si ça sent la cigarette, la frite froide et même un peu l'herbe. Je subis sans doute les dommages de plusieurs années de tabagisme passif rien qu'en passant quelques heures ici.

Au programme, il y a deux films de monstres japonais. Avant que ça commence, Ryan, Gabe et Amanda discutent de la fac qui va être trop cool – ils vont tous à l'université de l'Indiana. Moi, je suis là, à penser à cette idiote de journaliste, à New York, aux vacances de printemps, et je culpabilise d'avoir menti à Finch et de l'avoir planté alors qu'il m'a sauvé la vie. Une balade avec lui aurait été beaucoup plus sympa que me retrouver coincée ici. N'importe quoi aurait été beaucoup plus sympa.

Dans la voiture, l'atmosphère est étouffante et enfumée, même avec les fenêtres ouvertes. Quand le second film commence, on n'entend presque plus Gabe et Amanda, couchés en travers de l'immense banquette avant. Presque. De temps à autre, je distingue un bruit de succion, un bruit humide, comme deux chiens affamés lapant leur gamelle.

J'essaie de me concentrer sur le film, mais je n'y arrive pas. Je décris la scène à l'écrit, dans ma tête. *Amanda surgit soudain au-dessus du dossier, son chemisier est ouvert, laissant voir son soutien-gorge bleu pastel à fleurs jaunes. Cette image me brûle la rétine, se grave à jamais dans ma mémoire...*

Puis je tente de glisser un mot à Ryan, mais ce qui l'intéresse, lui, c'est de glisser sa main sous mon T-shirt. J'ai réussi à tenir dix-sept ans, huit mois, deux semaines et un jour sans faire l'amour à l'arrière d'une Chevrolet (ni ailleurs, d'ailleurs), je prétexte donc une soudaine envie d'admirer le paysage. J'ouvre la portière et je me plante debout à côté du coffre. Autour de nous, il n'y a que des voitures et, au-delà, des champs de maïs. Rien à voir, à part dans le ciel. Je lève la tête, brusquement fascinée par les étoiles. Comme Ryan me rejoint, je fais mine de connaître les constellations, je les lui montre du doigt en inventant des histoires pour chacune.

Je me demande ce que Finch est en train de faire. Peut-être qu'il joue de la guitare quelque part. Peut-être qu'il est avec une fille. Je lui dois une balade, et même bien plus que ça, en fait. Je ne veux pas qu'il pense que je l'ai laissé tomber aujourd'hui pour voir mes soi-disant amis. Je me promets d'essayer de trouver notre prochaine étape en rentrant à la maison (en tapant dans le moteur de recherche : attractions originales en Indiana, l'Indiana inconnu, secrets de l'Indiana, l'Indiana hors des sentiers battus). Il faudrait que j'aie un exemplaire de la carte pour ne pas faire de doublon.

Ryan me prend dans ses bras et m'embrasse. Durant une minute, je lui rends ses baisers. Je me retrouve transportée dans le temps. À la place de la Chevrolet, c'est la Jeep du frère de Ryan et à la place de Gabe et Amanda, c'est son frère Eli et ma sœur. Nous sommes ici, au drive-in, pour une soirée *Die Hard*.

Mais quand Ryan glisse à nouveau la main sous mon T-shirt, je m'écarte. La Chevrolet se rematérialise sous mes yeux. Amanda et Gabe sont de retour. Le film de monstres également.

– Je suis désolée, dis-je, mais je n'ai pas la permission de minuit.

– Depuis quand ? s'étonne Ryan.

Puis soudain, il semble se rappeler un détail.

– Oh… désolé, Vi.

Il doit penser que c'est depuis l'accident.

Il propose de me raccompagner chez moi. Je réponds que non, ça va, pas de problème, mais il me suit quand même.

– J'ai passé une super soirée, me glisse-t-il sur le perron.

– Moi aussi.

– Je t'appelle.

– OK.

Lorsqu'il se penche pour m'embrasser, je détourne légèrement la tête si bien que son baiser atterrit sur ma joue. Il reste planté là tandis que je rentre à l'intérieur.

FINCH

15e JOUR (ET JE SUIS TOUJOURS ÉVEILLÉ)

Quand je débarque chez Violet aux aurores, ses parents sont en train de prendre leur petit déjeuner. Il est barbu, l'air sérieux, avec de grandes rides inquiètes au coin des yeux et des lèvres. Elle ressemble à Violet dans environ vingt-cinq ans : cheveux blond foncé ondulés, visage en cœur, les traits un peu plus accusés. Son regard est chaleureux mais son sourire triste.

Ils me proposent de partager leur repas, je leur demande de me parler de la Violet d'avant l'accident, puisque je ne l'ai connue qu'après. Lorsqu'elle arrive dans la cuisine, ils sont en train de me raconter la fois où, avec sa sœur, elles devaient aller à New York pour les vacances de printemps, mais à la place, elles ont décidé de suivre le groupe Boy Parade de Cincinnati à Indianapolis, puis Chicago, dans l'espoir de décrocher une interview. C'était il y a deux ans.

En me voyant, Violet s'exclame : « Finch ? » comme si je sortais de ses rêves.

Je réponds :

– Boy Parade ?

– Oh, non ! Pourquoi vous lui avez raconté ça ?

J'explose de rire malgré moi, ce qui fait rire sa mère, puis son père, et nous voilà tous les trois, là, à glousser comme les meilleurs amis du monde tandis que Violet nous fixe en nous prenant visiblement pour des dingues.

Ensuite, nous sortons et, comme c'est à son tour de choisir, elle m'indique vaguement la direction qu'on doit prendre et me dit que je n'aurai qu'à la suivre. Puis elle file vers le garage.

– Je ne suis pas venu à vélo, dis-je.

Avant qu'elle puisse répondre, je lève la main comme pour prêter serment.

– Moi, Theodore Finch, pas du tout sain d'esprit, je jure de ne pas conduire à plus de cinquante kilomètres à l'heure en ville et quatre-vingts sur la route. Dès que tu veux t'arrêter, on s'arrête. Je te demande juste de tenter le coup.

– Il neige.

Elle exagère. Deux, trois flocons virevoltent de-ci, de-là.

– Ça ne tiendra pas. On a vu tout ce qu'il y avait à voir dans un rayon accessible à vélo. On pourrait découvrir beaucoup plus de choses en voiture. Je t'assure, les possibilités sont pratiquement infinies. Viens au moins t'asseoir à l'intérieur. Fais-moi plaisir. Monte à bord, je reste là, loin très loin de la voiture, comme ça tu es sûre que je ne risque pas de démarrer.

Elle est pétrifiée, clouée au sol.

– Tu ne peux pas obliger les gens à faire des choses contre leur volonté. Tu déboules, tu fais comme chez toi, tu décides de tout sans jamais rien écouter… Tu ne penses qu'à toi.

– Non, je pense plutôt à toi, recluse dans ta chambre ou coincée sur ce stupide vélo orange. Faut que j'aille ici. Faut que j'aille là. Ici. Là. Aller-retour, mais jamais au-delà de ces quatre ou cinq kilomètres.

– Peut-être que je les aime ces quatre ou cinq kilomètres !

– Je ne pense pas. Ce matin, tes parents m'ont dépeint celle que tu étais avant. Cette autre Violet a l'air drôle et un peu rebelle, même si elle a des goûts de chiotte en musique. Et devant moi, j'ai quelqu'un qui a trop peur pour reprendre le cours de sa vie. Tout le monde autour de toi essaie de te pousser un peu, gentiment, mais jamais trop fort pour ne pas brusquer cette pauvre Violet. Tu n'as pas besoin qu'on te pousse, tu as besoin qu'on te secoue, oui ! Il faut que tu remontes à dos de chameau. Sinon tu vas rester coincée sur ce petit parapet que tu t'es construit.

Soudain, elle passe devant moi. Monte dans la voiture et s'assied, en regardant autour d'elle. J'ai eu beau nettoyer un peu avant, tableau de bord et vide-poches disparaissent sous les bouts de crayon, de papier, les mégots, les briquets, les médiators. Il y a une couverture et un oreiller à l'arrière, elle l'a remarqué, je le vois bien au regard qu'elle me jette.

– Hé, relax. Le but n'est pas de te draguer. Si c'était le cas, tu le saurais déjà. Ceinture de sécurité.

Elle la boucle.

– Maintenant, ferme la portière.

Je reste au milieu de la pelouse, les bras croisés, tandis qu'elle claque la porte.

Puis je vais du côté conducteur, j'ouvre la portière et je me penche. Elle est en train de lire le nom d'un bar, le Harlem Avenue Lounge, sur une serviette en papier.

– Alors, Ultraviolet ?

Elle inspire, puis expire.

– Ça va.

Au début, pour traverser son quartier, je vais lentement, à

peine trente kilomètres à l'heure. À chaque stop, à chaque feu, je demande :

– Comment ça va ?

– Bien. Très bien.

Je prends la nationale, et je monte à cinquante.

– Et là ?

– Super.

– Et maintenant ?

– Arrête de me poser la question.

On va tellement lentement que les voitures et les camions nous doublent en klaxonnant. Un gars baisse sa vitre pour nous insulter et nous fait un doigt d'honneur. Je dois me faire violence pour ne pas enfoncer la pédale d'accélérateur, mais en même temps, j'ai l'habitude de devoir ralentir pour que les autres puissent me suivre.

Pour nous changer les idées, je lui parle, comme quand on était en haut du clocher :

– J'ai passé ma vie à courir, soit trois fois plus vite que les autres, soit trois fois moins vite. Quand j'étais petit, je tournais en rond dans le salon, de plus en plus rapidement, et à force, ça a fini par marquer la moquette. Du coup, j'ai continué à suivre le circuit que j'avais tracé et ainsi de suite, jusqu'à ce que mon père arrache la moquette ; il l'a mise en pièces, à mains nues. Et, au lieu de la remplacer, il a laissé le béton brut, avec des plaques de colle partout et des morceaux de moquette encore accrochés.

– Allez, vas-y, accélère.

– Oh, non, soixante-dix maxi, ma poule !

À vrai dire, je monte à quatre-vingts. Je suis d'excellente humeur parce que j'ai réussi à la faire grimper dans la voiture et que mon père est en voyage d'affaires – donc pas de repas de famille ce soir.

– Tes parents sont géniaux, au fait. Tu as eu de la chance à la loterie parentale, Ultraviolet.

– Merci.

– Et donc... Boy Parade. Vous l'avez décrochée, cette interview, finalement ?

Elle me lance un regard noir.

– OK, alors raconte-moi l'accident.

Je m'attendais à un refus, mais elle fixe un point par la fenêtre et se met à parler :

– Je ne me souviens pas de grand-chose. Je me rappelle être montée dans la voiture en quittant la fête. Elle s'était disputée avec Eli...

– Eli Cross ?

– Ils sortaient ensemble depuis un an. Elle était en colère, mais elle n'a pas voulu me laisser le volant. C'est moi qui lui ai dit de prendre le pont de A Street.

Elle parle d'une voix à peine audible.

– Je me rappelle le panneau « Risque de verglas sur le pont ». Je me rappelle qu'on s'est mises à glisser, et qu'Eleanor a crié : « Je ne contrôle plus ! » Je me rappelle qu'on s'est envolées dans les airs. Qu'elle hurlait. Et après ça, c'est le trou noir. Je me suis réveillée trois heures plus tard à l'hôpital.

– Parle-moi d'elle.

Elle continue à regarder par la fenêtre.

– Elle était intelligente, têtue, boudeuse, drôle, méchante quand elle s'énervait, gentille, très protectrice avec les gens qu'elle aimait. Sa couleur préférée était le jaune. Elle était toujours là pour moi, même si on se disputait souvent. Je pouvais tout lui dire, parce qu'elle n'était pas du genre à porter un jugement. C'était ma meilleure amie.

– Je n'en ai jamais eu. C'est comment ?

– Je ne sais pas… C'est quelqu'un avec qui tu peux être toi-même, à qui tu peux te montrer sous ton meilleur jour, ou le pire. Même si on se dispute, même si on est furax l'un après l'autre, ça ne veut pas dire pour autant qu'on n'est plus amis.

– Tiens, ça me serait bien utile d'en avoir un.

– Écoute… je voulais te dire que j'étais désolée pour Gabe et les autres.

La vitesse est limitée à cent vingt, mais je m'oblige à rester en dessous de cent.

– Ce n'est pas ta faute. Et pas la peine d'être désolée, c'est une perte de temps. Il faut vivre ta vie en faisant en sorte de ne jamais être désolée. Mieux vaut faire ce qu'il faut dès le départ, pour n'avoir à s'excuser de rien.

Et c'est moi qui dis ça !

Le Bibliomobile Park est juste à la sortie de Bartlett, le long d'une route de campagne bordée de champs de maïs. Comme le coin est plat et qu'il n'y a pratiquement pas d'arbres, les caravanes se dressent au milieu du terrain comme des gratte-ciel. Je me penche sur le volant.

– Qu'est-ce que c'est que ce truc ?

Violet se penche également, en appui sur le tableau de bord. Lorsque je quitte la route pour m'engager sur le gravier, elle dit :

– Quand on habitait en Californie, des fois, mes parents, ma sœur et moi, on prenait la voiture et on partait à la chasse aux livres. Chacun avait un bouquin à dénicher et on ne pouvait pas rentrer à la maison tant qu'on ne les avait pas tous trouvés. On pouvait faire huit, dix librairies dans la journée.

Elle sort de la voiture avant moi et se dirige vers la première bibliomobile – une Airstream des années 50 –, garée dans le champ, après la bande de gravier. Il y en a sept, toutes d'époque, marque et modèle différents. Elles sont alignées au milieu des plants de maïs. Chacune est consacrée à une catégorie d'ouvrages.

– Putain. C'est trop cool !

Je ne sais pas si Violet m'a entendu, parce qu'elle est déjà entrée dans la première caravane.

– Votre langage, jeune homme !

Une main se tend, je la serre. Elle appartient à une petite bonne femme rondelette, avec les cheveux blonds décolorés, un regard chaleureux et un visage ridé.

– Faye Carnes.

– Theodore Finch. C'est votre œuvre, tout ça ?

Je désigne la rangée de caravanes.

– Tout à fait.

Elle avance, je la suis.

– Lorsque le comté a interrompu le service de bibliomobile dans les années 80, j'ai dit à mon mari : « Quel dommage ! Vraiment ! Qu'est-ce qu'ils vont faire de ces caravanes ? Il faudrait que quelqu'un les rachète et continue l'aventure. » Alors, c'est ce qu'on a fait. Au début, on se baladait de ville en ville avec, mais mon mari, Franklin, a des problèmes de dos, donc, on a décidé de les planter là, comme le maïs, pour que les gens viennent à nous.

Mme Carnes me conduit de l'une à l'autre, et chaque fois, j'entre à l'intérieur et j'explore les rayonnages. Je regarde les poches et les bouquins reliés, tous usés et ayant bien servi. Je cherche quelque chose de bien précis, que je n'ai pas encore vu jusque-là.

Mme Carnes me suit, remettant un livre en place par-ci, époussetant une étagère par-là, tout en me parlant de son mari Franklin, de sa fille Sara et de son fils, Franklin Junior, qui a commis l'erreur d'épouser une fille du Kentucky, ce qui fait qu'ils ne le voient plus, à part à Noël. Elle est bavarde, mais j'aime bien.

Violet nous rejoint dans la caravane 6 (celle des livres pour enfants), les bras chargés de classiques. Elle dit bonjour à Mme Carnes avant de demander :

– Comment ça fonctionne ? Il faut une carte de bibliothèque ?

– Vous avez le choix : soit vous achetez, soit vous empruntez, mais il n'y a pas besoin de carte. En cas de prêt, vous vous engagez à rapporter les ouvrages, c'est une question de confiance. Si vous voulez acheter, on ne prend que les espèces.

– J'aimerais les acheter.

Violet me fait signe.

– Tu peux prendre de l'argent dans mon sac ?

À la place, je sors mon portefeuille et je tends un billet de vingt à Mme Carnes – c'est le plus petit que j'aie. Elle compte les livres.

– C'est un dollar le livre, fois dix. Ça nous fait donc dix dollars. Je vais chercher de la monnaie à la maison.

Et elle file avant que j'aie pu lui dire de tout garder.

Violet pose ses achats et nous explorons les caravanes ensemble. Nous ajoutons quelques bouquins à la pile. À un moment, je croise son regard et je vois qu'elle me sourit. On dirait qu'elle me jauge, qu'elle essaie de savoir ce qu'elle pense de moi. Mais quand je lui rends son sourire, elle détourne la tête.

Lorsque Mme Carnes revient, nous nous disputons au sujet de la monnaie – je veux qu'elle la garde, elle tient à ce que je la prenne, et finalement, je cède parce qu'il n'y a pas moyen de la faire changer d'avis. Je dépose les livres dans la voiture pendant qu'elle discute avec Violet. Dans mon portefeuille, je retrouve un autre billet de vingt, alors, en revenant aux caravanes, j'entre dans la première et glisse la monnaie et le billet dans la vieille caisse enregistreuse posée sur le meuble qui sert de comptoir.

Comme voilà un groupe de gamins qui arrive, nous disons au revoir à Mme Carnes. En repartant, Violet commente :

– C'était génial.

– Oui, mais ça ne compte pas comme une balade.

– Si, c'est un autre site, c'est ce qu'il nous fallait.

– Désolé, ça a beau être cool, c'est pratiquement au fond de ton jardin, en plein milieu de ta zone de cinq ou six kilomètres. Et puis, de toute façon, on n'est pas là pour cocher une liste.

Elle marche à quelques mètres devant moi, comme si je n'existais pas; ça ne me dérange pas, j'ai l'habitude. Elle ne sait pas que je m'en fiche complètement. Il se peut que les gens me voient… ou pas. Je me demande ce que ça fait de marcher tranquille dans la rue, bien dans sa peau, de se fondre dans le décor. Sans personne qui se détourne, personne qui te fixe, personne qui t'attend, en se demandant ce que tu vas encore inventer comme truc bizarre…

Puis soudain, je ne peux plus me retenir, je me mets à courir, ça fait du bien de se libérer du rythme lent et régulier de tous les autres. De fuir mon esprit où, allez savoir pourquoi, je me vois, mort et enterré, aussi mort que les auteurs des livres que Violet a choisis, endormi pour de bon cette fois, enterré profondément sous des mètres et des mètres de terre et de plants de maïs. Je sens presque la terre se refermer sur moi, l'air moisi et humide qui se raréfie, la pression de toute cette terre au-dessus de moi… J'étouffe.

Dans un brouillard, Violet me double, les cheveux au vent, flottant derrière elle comme un cerf-volant. Plongé dans mes pensées, occupé à laisser filer ces images sans m'y raccrocher, à tel point que j'ai du mal à la reconnaître au début. Puis je pique un sprint pour la rattraper et nous courons côte à côte. Je règle mon pas sur le sien. Elle accélère à nouveau, nous nous poussons au-delà de nos limites, je m'attends presque à décoller. À part moi – et maintenant Violet –, tous les autres se déplacent au ralenti, comme s'ils étaient embourbés dans la gadoue. Nous sommes plus rapides.

En arrivant à la voiture, Violet me lance un regard genre : « Alors, qu'est-ce que tu dis de ça, hein ? » J'ai beau me répéter que je l'ai laissée gagner, elle m'a battu à plates coutures.

Une fois à l'intérieur, avant de démarrer, je lui passe notre carnet de balades en lui recommandant :

– Note bien tout avant d'oublier.

– Je croyais que ça ne comptait pas, réplique-t-elle en faisant défiler les pages.

– Fais-moi plaisir. Ah… au fait, on va visiter un autre site sur le trajet du retour.

Nous avons quitté le gravier et nous nous apprêtons à reprendre la route, quand elle lève le nez du carnet où elle est en train d'écrire.

– J'étais tellement occupée à choisir mes livres que j'ai oublié de laisser quelque chose.

– C'est bon, je m'en suis chargé.

VIOLET

145 JOURS AVANT LA LIBÉRATION

Il ne fait pas le tour du rond-point, coupe tout droit à travers le terre-plein herbeux et file de l'autre côté pour reprendre l'autoroute dans la direction opposée. Puis au bout de quelques kilomètres, il bifurque sur une petite route de campagne tranquille.

Il a allumé la musique et fredonne tout en pianotant sur le volant. Nous voilà dans un minuscule hameau de quelques maisons seulement. Finch se penche vers le tableau de bord, ralentissant pour avancer au pas.

– Tu as vu le nom de la rue ?

– Il n'y avait qu'un seul panneau, qui indiquait « église ».

– Parfait.

Il tourne, puis se gare sur le bas-côté.

– On y est.

Il sort de la voiture, vient m'ouvrir la portière et me tend la main. Il me conduit vers une vieille usine qui semble désaffectée. Je distingue un truc sur le mur, tout du long, je ne sais pas ce que c'est. Finch avance, avance et s'arrête tout au bout.

Comme sur un gigantesque tableau noir, je lis en grosses lettres blanches : Avant de mourir... En dessous, il y a des lignes et des lignes, des colonnes et des colonnes de Avant de mourir, je veux… et le reste de la phrase est complété à la craie de toutes les couleurs, à moitié effacé par la pluie, la neige, dans des centaines d'écritures différentes.

Nous longeons le mur en lisant : Avant de mourir, je veux avoir des enfants. Vivre à Londres. Avoir une girafe apprivoisée. Sauter en parachute. Savoir diviser par zéro. Jouer du piano. Parler français. Écrire un livre. Partir sur une autre planète. Être un meilleur père que le mien. Apprendre à me supporter. Aller à New York. Connaître l'égalité. Vivre.

Finch me tend une craie bleue.

Je proteste :

– Il n'y a plus de place.

– On va en faire.

Il écrit : Avant de mourir, je veux… et trace une ligne. Puis il recopie la même phrase une bonne dizaine de fois en dessous.

– Et quand ce sera rempli, on pourra continuer tout autour du bâtiment. C'est une bonne manière de comprendre ce qu'on fait ici.

Et par « ici », je sais très bien qu'il ne veut pas dire sur ce trottoir.

Il commence à écrire : Jouer de la guitare comme Jimmy Page. Composer une chanson qui changera le monde. Trouver la « grande affirmation ». Compter pour quelque chose. Être celui que je suis censé être et que ça me suffise. Savoir ce que c'est d'avoir un meilleur ami. Servir à quelque chose.

Je reste longtemps plantée là, à lire, avant de prendre la craie à mon tour pour écrire : Arrêter d'avoir peur. Arrêter de réfléchir en permanence. Remplir les trous du passé. Recommencer à conduire. Écrire. Respirer.

Finch est juste derrière moi. Si près que je sens son souffle. Il se penche et ajoute : Avant de mourir, je veux vivre un jour parfait. Il fait un pas en arrière, pour se relire, puis se penche à nouveau. Et rencontrer Boy Parade. Avant que j'aie pu réagir, il éclate de rire, efface ce qu'il vient d'écrire pour le remplacer par : Et embrasser Violet Markey.

J'attends qu'il efface ça aussi, mais il lâche la craie, s'époussette les mains, puis les essuie sur son jean. Il m'adresse un sourire en coin, en fixant mes lèvres. J'attends qu'il fasse le premier pas en me répétant : *Laisse-le au moins essayer.* Puis je me dis : *J'espère qu'il va essayer.* Et cette simple pensée déclenche une vague d'électricité dans tout mon corps. Je me demande s'il embrasse différemment de Ryan. Je n'ai pas embrassé beaucoup de garçons dans ma vie, et c'était toujours plus ou moins pareil.

Il secoue la tête.

– Pas ici, pas maintenant.

Puis il regagne la voiture en courant. Je le suis. Une fois à l'intérieur, avec le moteur qui tourne et la musique à fond, il dit :

– Faudrait pas que tu te fasses des idées, ça ne veut pas dire que tu me plais.

– Pourquoi tu répètes tout le temps ça ?

– Parce que je vois bien comment tu me regardes.

– Bon sang, t'es incroyable !

Il rit.

Sur la route, je repense à tout ça. Ce n'est pas parce que j'ai eu envie qu'il m'embrasse, là, sur le moment, que Theodore Finch me plaît. C'est juste que… ça fait longtemps que je n'ai pas embrassé un autre garçon que Ryan.

Dans notre carnet, j'écris *Avant de mourir, je veux…* mais je ne vais pas plus loin parce que je vois la phrase de Finch flotter sur le papier. *Et embrasser Violet Markey.*

Avant de me ramener chez moi, Finch s'arrête au Quarry, à Bartlett. Ils ne nous demandent même pas nos cartes d'identité.

On entre direct dans ce pub bondé et enfumé, avec la musique trop forte. Tout le monde a l'air de le connaître, mais au lieu de rejoindre le groupe qui joue sur scène, il me prend la main et me fait danser. Il n'a aucun mal à passer du pogo au tango sans transition.

Je crie, pour couvrir le bruit :

– Tu ne me plais pas non plus !

FINCH

15e JOUR (TOUJOURS)

En ramenant Violet chez elle, j'imagine des épitaphes pour des gens qu'on connaît : Amanda Monk (*J'ai été aussi creuse que la cloche du lycée*), Gabe (*Mon objectif était d'être le plus gros enculé possible, et j'ai réussi*), M. Black (*Dans une prochaine vie, je voudrais pouvoir me reposer, éviter les enfants et être bien payé*).

Pour l'instant, elle ne dit rien, mais je sais qu'elle écoute. De toute façon, il n'y a personne d'autre à écouter à part moi.

– Et la tienne, ce serait quoi, Ultraviolet ?

– Je ne sais pas...

Elle penche la tête, fixant un point lointain au-dessus du tableau de bord, comme si elle espérait y trouver la réponse.

– Et toi ?

Sa voix est distante, traînante, un peu ailleurs.

Je n'ai même pas besoin de réfléchir.

– *Theodore Finch, à la recherche de la « grande affirmation ».*

Elle me lance un regard en biais, de nouveau bien présente.

– Je ne sais pas ce que ça veut dire.

– Ça signifie l'urgence d'être, de compter pour quelque chose et, si l'on doit mourir, de mourir valeureusement, avec éclat.

Elle se tait, plongée dans ses pensées.

– Tu étais où, vendredi ? Pourquoi tu n'es pas venu en cours ?

– J'ai la migraine, parfois. C'est pas grave.

Il ne s'agit pas d'un pur mensonge, parce que j'ai vraiment mal à la tête. C'est comme si mon cerveau s'enflammait si vite qu'il ne pouvait pas tenir. Mots. Couleurs. Sons. Parfois, tout le reste se fond dans le décor et je suis submergé par le bruit. J'entends tout... Non, je ne me contente pas d'entendre, je le sens. Mais tout peut revenir d'un coup et, soudain, le son se change en lumière. La lumière est trop vive, c'est comme si elle me coupait en deux, et c'est la migraine assurée. Attention, pas un simple mal de tête : je le *sens*, je le *vois*, comme si c'était un arc-en-ciel d'un million de couleurs, toutes aveuglantes. J'ai essayé de décrire ça à Kate une fois et sa réponse a été :

– Tu peux remercier papa de s'être servi de ta tête comme d'un punching-ball.

Non, je ne crois pas que ça vienne de là. Je préfère penser que ces couleurs, ces sons, ces mots n'ont rien à voir avec lui, ne sont qu'à moi, sortis de cet unique, magnifique, complexe, fourmillant, bourdonnant, planant, rugissant, plongeant divin cerveau.

Violet s'inquiète :

– Et ça va mieux maintenant ?

Le vent l'a décoiffée, elle a les joues rouges. Que ça lui plaise ou non, elle a l'air heureuse.

Je la dévisage longuement. Je connais assez bien la vie pour savoir qu'on ne peut pas compter sur les choses pour demeurer telles qu'elles sont, ou rester à portée de main, même si on ne souhaite que ça. On ne peut pas empêcher les gens de mourir. On ne peut pas les empêcher de partir. On ne peut pas s'empêcher soi-même de partir non plus. Je me connais assez pour savoir que personne ne peut me tenir éveillé, m'empêcher de sombrer dans le Grand Sommeil. Ça ne tient qu'à moi. Mais bon sang, que cette fille me plaît.

– Ouais, je crois que ça va aller, dis-je.

À la maison, j'écoute le répondeur, celui que Kate et moi consultons quand nous y pensons. Il y a un message d'Embryon. *Merde.* Merde. Merde. Merde. Il a appelé vendredi parce que j'ai raté notre séance. Il veut savoir où je suis, surtout qu'il a dû lire les *Dessous de Bartlett* et qu'il sait – ou il pense savoir – ce que je faisais perché en haut de ce clocher. Le point positif, c'est que mon test de toxico était négatif. J'efface le message en me promettant d'être en avance au rendez-vous lundi pour me faire pardonner.

Je monte dans ma chambre et je m'installe sur mon fauteuil, renversé en arrière, pour étudier la faisabilité d'une pendaison. Le problème, c'est que je suis trop grand et le plafond trop bas. Sinon, il y a le sous-sol où personne ne descend jamais. Il pourrait s'écouler des semaines, peut-être même des mois, avant que ma mère et mes sœurs ne me découvrent.

Intéressant : la pendaison est la méthode de suicide la plus répandue au Royaume-Uni car, selon les chercheurs, elle est considérée comme la plus rapide et la plus simple. Cependant, il faut bien calculer la longueur de la corde en fonction du poids du pendu, sinon la mort n'aura rien de rapide ni d'aisé. Autre point intéressant : la méthode moderne d'exécution par pendaison est surnommée le Grand Saut.

C'est exactement l'impression que j'ai lorsque je sombre dans le sommeil. Je fais le grand saut. Et ça peut arriver n'importe quand. Tout… s'arrête, brusquement.

Parfois, il y a des signes annonciateurs. Le bruit, évidemment, les migraines, mais aussi ma perception de l'espace. J'ai toujours du mal avec les couloirs du lycée – trop de gens qui vont et viennent, dans tous les sens, comme à un carrefour embouteillé.

Le gymnase, c'est encore pire, on est entassés là-dedans, tout le monde crie, j'ai l'impression d'être pris au piège.

J'ai fait l'erreur d'en parler, un jour. Il y a quelques années, j'ai demandé à mon bon ami de l'époque, Gabe Romero, s'il sentait le bruit, s'il voyait les migraines, si l'espace qui l'entourait pouvait grandir ou rétrécir selon les jours, s'il se demandait parfois ce qui se passerait s'il se jetait sous les roues d'une voiture, d'un train ou d'un bus, si ce serait assez pour l'arrêter. Je lui ai proposé d'essayer avec moi pour voir, parce que j'avais la conviction tout au fond de moi que je n'étais pas réel et, du coup, invincible. En rentrant chez lui, il en a parlé à ses parents qui en ont parlé à mon prof principal qui en a parlé au directeur, qui en a parlé à mes parents qui m'ont demandé :

– C'est vrai, Theodore, que tu as raconté tout ça à ton copain ?

Le lendemain, tout le collège ne parlait plus que de ça et j'étais officiellement devenu Theodore Fêlé. Un an plus tard, j'ai pris trente centimètres pendant l'été, et j'ai dû changer toute ma garde-robe, en revanche, je n'ai jamais réussi à changer l'étiquette qu'on m'avait collée.

C'est pourquoi il vaut mieux faire semblant d'être comme tout le monde, même si on sait depuis toujours qu'on est différent. À l'époque, je me suis dit : *C'est ta faute.* Ma faute, si je ne suis pas normal ; ma faute, si je ne suis pas comme Gabe, Ryan, Charlie et les autres. Même maintenant, je me répète toujours : *C'est ta faute.*

Perché sur ma chaise de bureau, j'essaie d'imaginer que le Grand Sommeil me guette. Quand on est aussi invincible et redoutable, c'est difficile à imaginer, mais je m'oblige à me concentrer parce que c'est important – c'est une question de vie ou de mort.

Je préfère les petits espaces, or ma chambre est grande. Mais je pourrais la couper en deux en mettant mon étagère et ma commode au milieu. J'ôte le tapis et j'entreprends de déplacer les meubles. Personne ne vient me demander ce que je fabrique, alors que je sais que ma mère, Decca et Kate – si elle est là – doivent entendre le vacarme.

Je me demande ce qu'il faudrait pour les faire monter jusqu'ici… Une bombe ? Une explosion nucléaire ? J'essaie de me rappeler la dernière fois que l'une d'elles a mis les pieds dans ma chambre, et le seul souvenir que j'en ai, c'est il y a quatre ans, quand j'ai vraiment eu la grippe. Même à l'époque, c'est Kate qui s'est occupée de moi.

FINCH

16e ET 17e JOURS

Pour me faire pardonner mon absence de vendredi, j'ai décidé de parler de Violet à Embryon. Je ne précise pas son nom, mais j'ai envie d'en discuter avec quelqu'un d'autre que Charlie ou Brenda qui se contentent, pour le premier, de me demander si je me la suis faite et, pour la deuxième, de me rappeler que Ryan Cross va me flanquer une dérouillée si je touche à un seul de ses cheveux.

Mais d'abord, Embryon doit me demander si j'ai tenté de me faire du mal. C'est un rituel auquel nous sacrifions chaque semaine, et ça donne quelque chose comme :

Embryon : Avez-vous voulu vous faire du mal depuis la dernière fois qu'on s'est vus ?

Moi : Non, monsieur.

Embryon : Avez-vous pensé à vous faire du mal ?

Moi : Non, monsieur.

J'ai appris à mes dépens qu'il vaut mieux ne rien dire, et surtout pas ce qu'on pense vraiment. Quand on ne dit rien, ils s'imaginent qu'on ne pense à rien, seulement à ce qu'on leur laisse entrevoir.

Embryon : Vous vous moquez de moi ?

Moi : Comment oserais-je? Vous êtes une figure d'autorité.

Comme il n'a aucun sens de l'humour, il plisse les yeux en répliquant :

– J'espère bien.

Puis il décide de changer nos petites habitudes.

– J'ai eu vent de l'article des *Dessous de Bartlett.*

Je reste bouche bée un quart de seconde. Puis je réponds :

– Il ne faut pas croire tout ce qu'on lit, monsieur.

Ça sonne un peu ironique. Je décide de lever la pédale sur le sarcasme et de recommencer. Peut-être parce qu'il m'a eu par surprise. Ou parce qu'il s'inquiète pour moi, qu'il a de bonnes intentions et que c'est l'un de rares adultes de mon entourage à se soucier vraiment de moi.

– Je vous assure.

Ma voix déraille, indiquant que ce stupide article m'a plus atteint que je ne veux bien le montrer.

Une fois cet échange terminé, je passe le restant de la séance à lui décrire tout ce qui me raccroche à la vie. Et pour la première fois, je fais référence à Violet.

– Il y a une fille. Appelons-la Lizzy.

Elizabeth Meade de l'atelier macramé. Elle est adorable, elle ne m'en voudra pas de lui emprunter son prénom pour la bonne cause.

– On s'est beaucoup rapprochés, elle et moi. Et ça me rend très très heureux. Ça me rend bêtement heureux. Genre tellement heureux que mes amis ont du mal à me supporter.

Il me dévisage attentivement, comme s'il essayait de voir les choses de mon point de vue. Je continue sur le parfait bonheur que je file avec Lizzy et qui me rend heureux de passer mes journées à être heureux d'être heureux, ce qui n'est pas faux, en fait, mais il me coupe :

– OK, j'ai compris. C'est la fameuse Lizzy de l'article?

Il entoure son prénom de guillemets aériens.

– Celle qui vous a empêché de sauter du clocher, précise-t-il.

– C'est possible.

Me croirait-il si je lui disais que, en réalité, c'est le contraire?

– Faites attention.

Non, non, Embryon, ai-je envie de répondre. *Non, pas vous! Vous devriez savoir qu'on ne sort pas ce genre de choses quand les gens sont heureux!*

«Faites attention», ça veut dire que ça va finir un jour, dans une heure ou dans trois ans, mais que c'est voué à finir tout de même. Ça le tuerait de dire un truc comme : «Je suis vraiment content pour toi, Theodore. Je te félicite d'avoir trouvé quelqu'un qui te rend si heureux»?

– Vous savez, vous pourriez juste me féliciter et vous arrêter là.

– Félicitations.

Mais c'est trop tard. Il a insinué le doute dans mon esprit qui s'est jeté dessus. J'essaie de lui faire croire qu'Embryon a juste dit «faites attention si vous avez un rapport, n'oubliez pas le préservatif», mais comme mon cerveau a... hum, un cerveau, il commence à lister toutes les manières dont Violet Markey pourrait me briser le cœur.

Je tire la mousse de l'accoudoir que quelqu'un a tranché en trois endroits. Je me demande qui et comment, tout en arrachant mécaniquement de petits flocons de mousse. J'essaie de faire taire mon esprit galopant en inventant une épitaphe pour Embryon. Comme ça ne marche pas, j'en invente une pour ma mère (*J'ai été une épouse, je suis toujours une mère, mais ne me demandez pas où sont mes enfants*) et mon père (*Le seul changement auquel je crois, c'est se débarrasser de femme et enfants pour recommencer à zéro avec une autre*).

Embryon reprend :

– Parlons de vos résultats. Vous avez obtenu un score de 2280 au SAT.

Il a l'air tellement surpris et impressionné que j'ai envie de répliquer : « Ah ouais ? Ça t'en bouche un coin, hein, Embryon ? »

Mais c'est vrai, je réussis bien les exams. Depuis toujours. Alors je dis :

– Il me semble que des félicitations seraient également appropriées.

Il enchaîne comme s'il ne m'avait pas entendu :

– À quelle université avez-vous l'intention de postuler ?

– Je ne sais pas encore.

– Il serait peut-être temps de penser à votre avenir, non ?

J'y pense. Par exemple, je ne pense qu'au fait que je vais voir Violet tout à l'heure.

– J'y pense. J'y pense d'ailleurs en ce moment même, je réplique.

Il referme mon dossier en soupirant.

– On se voit vendredi. N'hésitez pas à m'appeler si besoin.

Vu que notre lycée est immense et qu'il y a un nombre incalculable d'élèves, je ne croise pas Violet aussi souvent que je le voudrais. Nous n'avons qu'un cours en commun, géographie américaine. Je suis au sous-sol quand elle est au troisième étage, au gymnase quand elle est dans l'auditorium, au labo de sciences quand elle est au labo de langues.

Le mardi, j'envoie paître mon emploi du temps pour l'attendre à la sortie de chaque cours et l'accompagner au suivant. Ce qui implique de courir d'un bout à l'autre du lycée, mais ça en vaut la peine. J'ai de grandes jambes, je fais des pas de géant, je slalome entre les gens, je saute par-dessus leur tête. Facile, ils se déplacent au ralenti comme une horde de zombies ou un troupeau de limaces. Au passage, je leur lance :

– Salut, les gars ! Belle journée, hein ? Un jour parfait ! Où tout est possible !

Ils sont tellement abrutis qu'ils lèvent à peine la tête.

Quand je rejoins Violet la première fois, elle est avec sa copine Shelby Padgett.

La deuxième fois, elle s'étonne :

– Finch ! Encore toi ?

Difficile de savoir si elle est contente de me voir ou gênée ou un peu des deux.

La troisième fois, elle s'exclame :

– Tu vas être en retard !

– Et qu'est-ce qu'ils me feront, hein ?

Je lui prends la main pour l'entraîner derrière moi en criant :

– Laissez passer ! Place ! Place !

Après l'avoir accompagnée en littérature russe, je dévale un escalier, puis un autre, je traverse le préau... et je tombe sur le proviseur, M. Wertz, qui veut savoir pourquoi je ne suis pas en cours à cette heure-ci, jeune homme, et pourquoi je cours comme si j'avais le diable aux trousses.

– Un tour de ronde, monsieur. La sécurité, c'est capital de nos jours. Je suis sûr que vous avez entendu parler des problèmes à Rushville et Newcastle. Du matériel informatique a été volé, des livres de bibliothèque vandalisés, de l'argent subtilisé dans les caisses et tout ça au grand jour, au nez et à la barbe du personnel.

J'invente mais ça, il ne le sait pas.

– Retournez en cours ! aboie-t-il. Et que je ne vous y reprenne pas. Dois-je vous rappeler que vous êtes en période probatoire ?

– Non, monsieur.

Je m'applique à repartir posément dans l'autre direction, mais à la sonnerie suivante, je fonce dans les couloirs et les escaliers comme si j'avais le feu au derrière.

Pour mon malheur, je croise le chemin d'Amanda, Gabe et Ryan. Je commets l'erreur de bousculer Gabe qui fait trébucher Amanda. Le contenu de son sac se répand par terre et elle se met à hurler. Je m'éclipse avant que Gabe et Ryan ne me transforment en chair à pâté. Je sais que je le paierai plus tard, mais pour le moment, je m'en fiche.

Cette fois, Violet m'attend. Comme je reprends mon souffle, plié en deux, elle me demande :

– Pourquoi tu fais ça ?

Cette fois, je vois bien qu'elle n'est ni contente ni gênée, elle est furax.

– Faut qu'on coure sinon tu vas être en retard.

– Je ne courrai nulle part.

– Je ne peux rien pour toi, alors.

– Bon Dieu. Tu me rends dingue, Finch.

Je me penche vers elle, elle recule vers les casiers. Elle jette des regards en tous sens, redoutant visiblement qu'on nous voie ensemble. Que Ryan Cross passe par là et se fasse des idées. Je me demande ce qu'elle lui dirait… « Ce n'est pas ce que tu crois. Theodore Fêlé me harcèle. Il ne veut pas me lâcher, je n'en peux plus. »

– Bah, tant mieux, parce que toi aussi.

Maintenant, c'est moi qui suis furax. Je prends appui sur le casier situé derrière elle.

– C'est bizarre, tu es beaucoup plus sympa quand on est seuls tous les deux sans personne pour nous voir.

– Tu devrais peut-être essayer d'arrêter de courir dans les couloirs en criant sur tout le monde. Je ne sais pas si tu te comportes ainsi parce que c'est ce qu'on attend de toi ou parce que tu es vraiment comme ça.

– À ton avis ?

Mes lèvres sont à quelques centimètres des siennes... J'attends qu'elle me gifle, qu'elle me repousse, mais elle ferme les yeux, et là, je sais — c'est bon.

OK. Les événements prennent une tournure intéressante.

Mais avant que j'aie pu faire un geste, quelqu'un m'attrape par le col et me soulève de terre.

M. Kapel, l'entraîneur de base-ball, braille :

– En cours, Finch.

Il fait signe à Violet.

– Et toi aussi. Une heure de retenue chacun.

Après les cours, elle entre dans la salle de permanence sans même me jeter un regard.

– Il y a une première fois à tout ! s'exclame M. Stogler. Nous sommes ravis de vous accueillir parmi nous, Mlle Markey. Qu'est-ce qui nous vaut ce plaisir ?

– À lui, répond-elle en tendant le menton vers moi.

Elle s'assied au premier rang, aussi loin de moi que possible.

VIOLET

ENCORE 142 JOURS

Deux heures du matin. Mercredi. Ma chambre.

Je suis réveillée par le bruit de cailloux cognant contre ma vitre. Je crois rêver mais ça recommence. Je me lève pour glisser un œil par la fente des volets. Theodore Finch est planté dans le jardin, un sweat à capuche passé sur son pyjama.

J'ouvre la fenêtre et je me penche à l'extérieur.

– Va-t'en.

Je lui en veux encore pour l'heure de colle, la première de ma vie. Et j'en veux à Ryan de croire qu'on sort à nouveau ensemble ; la faute à qui ? Je l'ai allumé en embrassant sa fossette au lycée. J'en veux à la terre entière et surtout à moi-même.

– Va-t'en, je répète.

– Ne m'oblige pas à grimper à cet arbre. Je risque de tomber et de me briser le cou. Je ne voudrais pas finir à l'hôpital alors qu'on a tant de choses à faire.

– On n'a plus rien à faire. C'est terminé.

Mais je passe une main dans mes cheveux, et je mets un peu de gloss sur mes lèvres avant d'enfiler mon peignoir. Si je ne descends pas maintenant, Dieu sait ce qu'il risque d'inventer.

Quand je sors, Finch est assis sur le perron, adossé à la balustrade.

– Tu en as mis un temps.

Je m'assieds à côté de lui, sentant le froid de la marche à travers mes vêtements.

– Qu'est-ce que tu fais là ?

– Tu dormais ?

– Oui.

– Désolé. Mais maintenant que tu es là, allons-y.

– Je ne vais nulle part.

Il se lève pour rejoindre sa voiture et se retourne en criant trop fort :

– Viens.

– Je ne peux pas partir comme ça, quand ça me chante.

– Tu m'en veux encore ?

– Oui. Mais surtout regarde-moi. Je ne suis même pas habillée.

– Très bien. Enlève-moi ce peignoir hideux. Mets un blouson et des chaussures, mais ne change rien d'autre. Laisse un mot à tes parents, au cas où tu ne serais pas rentrée quand ils se réveilleront. Je te donne trois minutes et je viens te chercher.

Nous nous dirigeons vers le centre de Bartlett. La plupart des bâtiments sont murés. Depuis l'ouverture du nouveau centre commercial, plus personne ne vient par ici, à part pour la boulangerie qui fait les meilleurs cupcakes à des kilomètres à la ronde. Les boutiques sont antiques, elles datent d'au moins vingt ans – un vendeur de chaussures qui sent l'antimite, une confiserie, un « grand » magasin déprimant, un glacier, un marchand de jouets…

Finch gare la Saturn en décrétant :

– On est arrivés.

Toutes les vitrines sont éteintes, évidemment, et l'endroit est désert. Facile d'imaginer que, Finch et moi, nous sommes seuls au monde.

– C'est la nuit, quand tout le monde dort, que les meilleures idées me viennent. Aucune interruption. Aucun bruit. J'adore cette impression d'être le seul réveillé.

J'aperçois notre reflet dans la vitrine de la boulangerie, on dirait deux gamins des rues.

– Où on va ?

– Tu vas voir.

Nous marchons dans un silence glacé et pur. Au loin, la Purina Tower, le plus haut bâtiment de la ville, est illuminée. Derrière se dresse le clocher du lycée.

Arrivé devant la librairie Bookmarks, Finch sort un trousseau de clés et déverrouille la porte.

– Quand elle n'est pas occupée à vendre des maisons, ma mère travaille ici.

La boutique est exiguë, plongée dans l'obscurité ; je distingue un présentoir de magazines d'un côté, des étagères de livres, une table, des chaises, un comptoir vide où l'on peut acheter du café et des friandises durant les heures d'ouverture.

Il se penche derrière pour ouvrir un petit frigo. Il farfouille et en ressort deux canettes de soda ainsi que deux muffins. Avec nos provisions, nous nous dirigeons vers le rayon jeunesse, où il y a de gros coussins et un tapis bleu élimé pour s'allonger. Finch allume une bougie qu'il a trouvée près de la caisse. La flamme vacillante jette une lueur dansante sur son visage tandis qu'il parcourt les étagères, effleurant le dos des livres du bout du doigt.

– Tu cherches quelque chose de précis ?

– Oui.

Enfin, il se laisse tomber à côté de moi et passe la main dans ses cheveux, les ébouriffant.

– Ils ne l'avaient pas au Bibliomobile et ils ne l'ont pas ici non plus.

Il prend une pile de livres pour enfants et m'en tend quelques-uns.

– Heureusement qu'ils ont quand même ceux-là.

Il s'assied en tailleur et se plonge dans un album, à l'abri derrière ses cheveux en bataille. Et tout de suite je sens qu'il est parti ailleurs.

– Je t'en veux encore pour l'heure de colle, dis-je.

La repartie ironique et cinglante ne vient pas, à la place, il se contente de me prendre la main sans lever le nez de son bouquin. Je sens une excuse dans ses doigts et ça me vrille le cœur, alors je me laisse légèrement aller contre lui – juste un peu – pour lire par-dessus son épaule. Sa main est chaude, je n'ai pas envie de la lâcher.

Tout en grignotant d'une main, nous lisons toute la pile. Puis nous déclamons à haute voix des extraits de *Oh, the Places You'll Go!*[1] du Dr Seuss. Nous alternons les couplets, un coup Finch, un coup moi.

Aujourd'hui, c'est ton jour à toi,
Tu vas voir de merveilleux endroits!
Allez, vas-y, envole-toi!

À un moment, Finch se lève et se met à jouer la scène. Il n'a même pas besoin du livre, il connaît le texte par cœur. J'oublie de lire parce que c'est plus drôle de le regarder, même quand il prend un ton sérieux pour parler des endroits plus sombres, des

1. « Oh, tous les endroits où tu iras ! », pas encore traduit en français (*NdT*).

endroits qui ne servent à rien, des endroits où l'on ne fait rien que d'attendre.

Puis sa voix redevient plus légère, il chante presque :

Tu trouveras des endroits pleins de lumière,
Où un orchestre joue en concert.

Il m'aide à me relever.

Ta bannière flottant au vent,
Tu redécolleras gaiement,
Prêt à découvrir tout ce que le monde a à t'offrir !

Nous imitons un décollage, bannière flottant au vent, en sautant par-dessus les coussins, le tapis, les livres. Nous déclamons les derniers vers en chœur – *Ta montagne t'attend, allez... en route !* – et terminons en vrac par terre, dans la lumière dansante des bougies, tordus de rire.

Le seul moyen de monter en haut de la Purina Tower est une échelle d'acier, sur le côté, qui compte vingt-cinq mille barreaux. Arrivés en haut, nous nous redressons – la respiration aussi sifflante que M. Black –, découvrant le sapin de Noël qui reste visiblement planté là toute l'année. Vu de près, il paraît plus grand que d'en bas. Derrière, il y a un espace vide où Finch étale une couverture. Nous nous y asseyons avant de la replier sur nous.

– Regarde ! s'exclame-t-il.

De tous côtés, en contrebas, on voit la masse sombre des arbres, et les rues piquetées de petites lumières blanches. Étoiles dans le ciel et sur la terre. Difficile de savoir où finit l'un et où commence l'autre. Même si j'ai du mal à le reconnaître, c'est beau. J'aimerais dire quelque chose de profond et de poétique... seulement je ne trouve pas mieux que :

– C'est joli.

– Joli. Oui, c'est un mot qu'on devrait employer plus souvent.

Il se penche pour couvrir mes pieds qui se sont échappés de la couverture.

– Comme si c'était rien qu'à nous, murmure-t-il.

D'abord, je crois qu'il parle de l'adjectif « joli », mais je comprends qu'il veut dire la ville. Et je pense : *Oui, c'est exactement ça. Theodore Finch a toujours le mot juste. Plus que moi. C'est lui, l'écrivain, pas moi.* Et sur le coup, je suis jalouse de son cerveau. En cet instant, le mien me paraît si bêtement ordinaire.

Et va savoir pourquoi, je dis :

– J'aime écrire, mais j'aime des tas d'autres choses. J'avais l'impression que c'était ce que je faisais le mieux, écrire. C'était ce que je préférais. C'était là où j'étais le plus à l'aise. Mais peut-être que, pour moi, c'est fini. Peut-être que je suis censée passer à autre chose. Je ne sais plus.

– Tout a une date limite dans ce monde, pas vrai ? Par exemple, une ampoule de cent watts est conçue pour éclairer sept cent cinquante heures. Le soleil mourra dans environ cinq billions d'années. Nous avons tous une espérance de vie limitée. Un chat vit environ quinze ans, parfois plus. Un chien douze. L'Américain moyen est censé survivre vingt-huit mille jours après sa naissance. Il y a donc un jour, une date, une heure précise où notre vie prendra fin. Pour ta sœur, c'était à dix-huit ans. Mais si un humain réussissait à éviter tous les dangers qui le menacent – accidents, maladies, etc. – il ou elle pourrait vivre cent quinze ans.

– Tu penses donc que j'ai atteint ma date limite en tant qu'écrivain.

– Non, je dis que tu as tout le temps de décider.

Il me tend notre carnet officiel et un stylo.

– Et si, pour commencer, tu écrivais à un endroit où personne ne peut voir ? Tu écris sur un bout de papier et tu l'affiches sur le mur de ta chambre. Bon, évidemment, si ça se trouve, tu écris comme un pied.

Il éclate de rire en s'écartant pour esquiver toute tentative de vengeance, puis me tend notre offrande – des serviettes en papier de la librairie, la bougie à demi consumée, une pochette d'allumettes et un marque-page biscornu en macramé. Le tout est enfermé dans une boîte en plastique chipée dans sa cuisine et déposée bien en vue pour la prochaine personne qui montera ici. Il se lève et se tient au bord. Seule une barrière de métal à hauteur du genou l'empêche de tomber dans le vide.

Il lève les bras, poings serrés, en hurlant :

– Regardez-moi ! Je suis là !

Il liste toutes les choses qu'il déteste et qu'il aimerait changer jusqu'à en avoir la voix cassée. Puis il me fait signe.

– À toi !

Je le rejoins sans m'approcher autant du bord que lui. J'attrape discrètement l'ourlet de sa chemise comme si ça pouvait l'empêcher de tomber. Puis je jette un regard circulaire en pensant à tout ce que j'aurais envie de crier : *Je déteste cette ville ! Je déteste l'hiver ! Pourquoi t'es morte ?*

Cette dernière pensée est bien entendu destinée à Eleanor.

Pourquoi tu m'as abandonnée ? Pourquoi tu m'as fait ça ?

Mais à la place, je reste cramponnée à la chemise de Finch. Il me dévisage en secouant la tête, puis recommence à chanter le poème du Dr Seuss. Cette fois, je l'accompagne, nos voix résonnent dans les airs au-dessus de la ville endormie.

Quand il me raccompagne, j'aimerais qu'il m'embrasse pour me dire au revoir, mais non. Il se contente de s'éloigner à reculons, les mains dans les poches, sans me quitter des yeux.

– En fait, je suis sûr que tu n'écris pas comme un pied, Ultraviolet.

Il le déclare assez fort pour que tout le quartier l'entende.

FINCH

22e JOUR ET TOUJOURS LÀ

À la minute où nous passons la porte de chez mon père, je sens qu'il y a quelque chose qui cloche. Rosemarie nous ouvre et nous fait entrer dans le salon où Josh Raymond est en train de jouer avec un hélicoptère télécommandé qui vole dans un boucan d'enfer. Kate, Decca et moi, nous le regardons, les yeux écarquillés, et je sais ce qu'elles pensent : *Pas de jouets à pile, ça fait trop de bruit.* Quand on était petits, on n'avait pas droit aux jouets qui parlaient, volaient ou faisaient le moindre bruit.

– Où est papa ? demande Kate.

En jetant un coup d'œil dans le jardin, j'aperçois le barbecue sous sa housse.

– Il est rentré de son voyage d'affaires, non ?

– Oui, il est rentré vendredi. Il est au sous-sol.

Rosemarie nous tend des canettes de soda, sans verre – un autre signe qu'il y a quelque chose qui ne va pas.

– J'y vais, dis-je à Kate.

S'il est au sous-sol, ça ne peut signifier qu'une chose. Il a ses humeurs, comme dit maman. *Ne fais pas attention à ton père, Theodore, il a ses humeurs. Laisse-lui le temps de se calmer, ça va passer.*

En fait, le sous-sol est bien aménagé, les murs sont peints, il y a de la moquette au sol, des lampes partout, avec les vieux maillots de hockey de mon père sous verre, ses trophées soigneusement alignés et des étagères chargées de livres, alors qu'il ne lit jamais. Un mur entier est occupé par un écran plat géant. Mon père est assis devant, ses gigantesques pieds sur la table basse, en train de regarder un match de je-ne-sais-quoi tout en invectivant la télévision. Il a le teint violacé, les veines du cou saillantes, une bière dans une main et la télécommande dans l'autre.

Je m'approche pour entrer dans son champ de vision. Je reste là, les mains dans les poches, à le contempler, jusqu'à ce qu'il lève les yeux.

– Bon Dieu ! s'écrie-t-il. Ça va pas, de faire peur aux gens comme ça !

– Arrête ! T'as bien dû m'entendre descendre l'escalier, à moins que tu ne deviennes sourd en vieillissant. Le dîner est prêt.

– Je vais monter bientôt.

Je m'avance, je me plante devant l'écran.

– Tu devrais venir tout de suite. Ta famille est là. Tu te souviens de nous ? Les vrais ? On est là et on a faim. Et on n'a pas fait tout le trajet pour rester avec ta nouvelle femme et ton nouveau gosse.

Je peux compter sur les doigts d'une main les fois où je lui ai parlé comme ça, mais ce doit être la magie de Finch le Gros Dur parce que je n'ai pas peur de lui du tout.

Il pose sa canette de bière sur la table si violemment qu'elle se brise.

– T'as pas à venir chez moi me dire ce que je dois faire.

Il se lève d'un bond, se jette sur moi, m'attrape par le bras et *vlan !* m'envoie valser dans le mur. J'entends un craquement sinistre quand ma tête entre en contact avec le plâtre, puis durant quelques secondes, la pièce tourne autour de moi.

Et tout reprend sa place, alors je réplique :

– Je te dois au moins ça, j'ai le crâne dur maintenant, grâce à toi.

Avant qu'il puisse recommencer, je file dans l'escalier.

Je suis déjà assis à table quand il nous rejoint. À la vue de sa nouvelle famille, il se rappelle celui qu'il est censé être maintenant. Il dit : « Ça sent bon », embrasse Rosemarie sur la joue et s'assied en face de moi, dépliant sa serviette. Il ne me jette pas un regard et ne m'adresse pas la parole de tout le repas.

Dans la voiture, en rentrant, Kate remarque :

– C'était idiot, et tu le sais très bien. Il aurait pu t'envoyer à l'hôpital.

– Qu'il essaie.

À la maison, maman lève les yeux de son bureau où elle s'efforce de classer ses relevés de compte.

– Comment ça s'est passé ?

Avant que quiconque puisse répondre, je la serre dans mes bras en lui faisant un bisou sur la joue, ce qui – comme nous n'avons pas l'habitude des démonstrations d'affection dans la famille – la panique complètement.

– Je sors, dis-je.

– Sois prudent, Theodore.

– Je t'aime aussi, maman.

Ça la perturbe encore davantage. Je m'éclipse avant qu'elle se mette à pleurer. Je file dans le garage et à bord de Little Bastard. Je me sens mieux une fois que le moteur tourne. Je tends les mains, elles tremblent, parce que mes mains, comme le reste de mon corps, aimeraient tuer mon père. Depuis que, quand j'avais dix ans, il a envoyé maman à l'hôpital avec le menton explosé.

Un an plus tard, c'était mon tour.

La porte du garage toujours fermée, je reste assis là, les mains sur le volant, à me dire que ce serait si facile de ne plus jamais se relever.

Je ferme les yeux.

Je me détends dans mon siège.

Je pose les mains sur mes genoux.

Je ne sens rien de particulier, j'ai juste un peu envie de dormir. Mais c'est peut-être simplement dû au sombre trou noir qui est toujours là, en moi, autour de moi, tournant sans fin.

Le nombre de suicides par asphyxie au gaz d'échappement a diminué aux États-Unis depuis l'introduction des contrôles d'émission de gaz au milieu des années 60. En Angleterre, où ce n'est pas généralisé, le taux a doublé.

Je suis très calme, comme si j'étais au labo de sciences, en train de mener une expérience. Le ronronnement du moteur me berce. Je m'oblige à faire le vide dans mon esprit, comme lors des rares occasions où j'essaie de dormir. J'arrête de réfléchir, et je m'imagine un plan d'eau où je flotte, sur le dos, paisible, tranquille, parfaitement immobile, à part les battements de mon cœur dans ma poitrine. Quand on me découvrira, j'aurai juste l'air de dormir.

En 2013, en Pennsylvanie, un homme a tenté de se suicider au monoxyde de carbone, mais quand sa famille a essayé de le sauver, ils ont été asphyxiés par les émanations et ils sont tous morts avant l'intervention des secours.

Je pense brusquement à maman, Decca et Kate et j'appuie sur la commande d'ouverture. La porte se lève lentement, et je fais irruption dans l'infini grand bleu. Durant le premier kilomètre, je suis surexcité comme si je venais d'entrer dans un immeuble en feu pour sauver des gens, je me sens héroïque.

Mais soudain une voix dans ma tête proteste : *Tu n'es pas un héros. Tu es un lâche. Tu ne les as sauvées que de toi-même.*

Quand ça a commencé à déconner, il y a quelques mois, je suis allé à French Lick – qui n'a de sexy que le nom, désolé. À l'origine, la ville s'appelait Salt Spring et elle était célèbre pour son casino, sa thalasso, le joueur de basket Larry Bird, et sa source thermale.

Donc, en novembre, je suis allé à French Lick, j'ai bu de cette eau et j'ai attendu, espérant qu'elle allait combler le trou noir qui me vrillait lentement la tête. Pendant quelques heures, je me suis effectivement senti mieux, peut-être simplement parce que j'étais bien hydraté. J'ai passé la nuit dans Little Bastard et, quand je me suis réveillé le lendemain matin, abattu et comme anesthésié, je suis allée trouver un des gars qui travaille là-bas et je lui ai dit :

– Je n'ai peut-être pas bu la bonne eau.

Il a regardé à droite, puis à gauche, comme dans les films, puis il s'est penché vers moi pour me confier :

– Tu ferais mieux d'aller à Mudlavia.

Au début, j'ai cru qu'il délirait. Non mais franchement, quel nom : *Mudlavia* ?

– Là-bas, ils ont de la bonne came. Al Capone et la bande à Dillinger, ils allaient toujours là-bas après un gros coup. Il ne reste que des ruines, maintenant – ça a brûlé en 1920 –, mais l'eau y coule toujours à flot. Dès que j'ai un peu le dos raide, je vais là-bas.

Je n'y suis jamais allé parce que, quand je suis rentré de French Lick, j'étais au bout du rouleau et je n'ai pas réussi à ressortir de ma chambre pendant longtemps. Mais aujourd'hui, j'ai décidé d'aller à Mudlavia. Puisque c'est une affaire personnelle et non une balade touristique, je n'ai pas emmené Violet.

Il faut environ deux heures et demie pour rejoindre Kramer, Indiana, trente habitants. Le paysage est plus agréable qu'autour de Bartlett – des collines, des vallées, des arbres à perte de vue, le tout couvert de neige comme dans un tableau de Norman Rockwell.

Quant à l'établissement thermal, je m'attendais à trouver un décor digne de la Terre du Milieu, mais je découvre des hectares d'arbrisseaux marron et de décombres. Des bâtiments en ruines, couverts de graffitis, envahis par le lierre et les mauvaises herbes. Même en hiver, on voit tout de suite quand la nature veut reprendre ses droits.

Je me fraie un chemin à travers ce qui devait être l'hôtel – les cuisines, les couloirs, les chambres. C'est sinistre, et atrocement triste. Les rares murs encore debout sont tagués :

Pénis = espèce protégée.

Folie requise.

Merde à celui qui le lira.

On ne dirait pas un lieu de soins. Ressorti de l'autre côté, je patauge dans les feuilles, la boue et la neige pour trouver la source. Je ne sais pas où elle est exactement, je dois me figer et tendre l'oreille pour m'orienter au bruit.

Je me prépare à être déçu. Mais en franchissant un rideau d'arbres, je me retrouve sur les bords d'un ruisseau qui coule à flots. L'eau est vive, pas gelée, les arbres plus fournis qu'ailleurs, comme si elle les nourrissait. Je suis le cours du ruisseau jusqu'à ce qu'il s'insinue entre deux gros rochers, alors je mets les pieds dedans. J'ai de l'eau jusqu'aux chevilles. Je me penche, les mains en coupe, pour boire. Elle est fraîche, froide même, avec un petit goût de terre. Comme ça ne me tue pas, je bois encore. Je remplis la bouteille que j'ai apportée, puis je la plante dans le fond, dans la vase, pour éviter que le courant ne l'emporte. Je m'allonge sur le dos, au milieu du ruisseau, laissant l'eau me recouvrir.

En rentrant à la maison, je croise Kate qui sort, une cigarette au bec. Elle a beau être franche, elle n'a pas envie que nos parents soient au courant qu'elle fume. En général, elle attend d'être tranquille dans la voiture, au bout de la rue.

Elle demande :

– Tu étais avec cette fille ?

– Comment tu sais qu'il y a une fille ?

– Il y a des signes qui ne trompent pas. Elle s'appelle ?

– Violet Markey.

– La sœur.

– Ouais.

– Tu vas nous la présenter ?

– Je ne pense pas.

– Ça vaut mieux.

Elle tire longuement sur sa cigarette.

– Decca ne va pas bien. Voir papa avec Josh Raymond, ce doit être encore plus dur pour elle que pour nous, vu qu'ils ont pratiquement le même âge.

Elle souffle trois parfaits ronds de fumée.

– Tu t'es déjà posé la question ?

– Quelle question ?

– Si c'était son fils ?

– Ouais, sauf qu'il est trop petit.

– Tu étais petit jusqu'en troisième et regarde-toi maintenant, asperge !

Kate s'éloigne dans l'allée tandis que je m'engouffre à l'intérieur. Alors que je referme derrière moi, elle me lance :

– Hé, Theo !

Je me retourne, elle est devant sa voiture, simple silhouette sur fond de nuit.

– Fais attention à ton petit cœur.

Encore : *fais attention.*

En haut, j'affronte le musée des horreurs de Decca pour m'assurer que ça va. Sa chambre est immense, noyée sous des montagnes de vêtements, bouquins et trucs bizarres qu'elle collectionne – lézards, insectes, fleurs, capsules de bouteille, des monceaux et des monceaux de papiers de bonbon, et une flopée de poupées American Girl, dont elle était fan à six ans. Elles ont toutes des points de suture dessinés sur le menton, identiques à ceux dont Decca avait hérité suite à un accident de cour de récré. Ses œuvres couvrent le moindre centimètre carré de ses murs, entourant un seul et unique poster de Boy Parade.

Je la trouve allongée par terre en train de découper des mots dans des livres qu'elle a récoltés dans toute la maison, y compris des romans à l'eau de rose de maman. Lorsque je lui demande si elle a une autre paire de ciseaux, sans lever le nez, elle désigne son bureau. J'en découvre au moins dix-huit, toutes celles qui ont disparu du tiroir de la cuisine au fil des années. J'en choisis une violette avant de m'asseoir face à elle, genoux contre genoux.

– Alors, quelles sont les règles ?

Elle me tend un livre – *Sombres Secrets d'amour* – en expliquant :

– Tu coupes toutes les méchancetés et les vilains mots.

Nous exécutons cette mission avec application pendant une heure environ, sans un mot, juste le cliquetis des ciseaux, puis je décide de lui sortir mon discours de grand frère sur le fait que tout va s'arranger, qu'il y a parfois des moments difficiles, des gens méchants, mais aussi des moments éblouissants.

– Tu parles trop, commente-t-elle.

Nous continuons donc notre travail en silence jusqu'à ce que je demande :

– Et les passages qui ne sont pas vraiment méchants, mais juste désagréables ?

Elle s'arrête de découper un instant pour réfléchir. Elle aspire une mèche de cheveux puis la recrache.

– Tu coupes aussi.

Je me concentre sur les mots. En voilà un, et un autre. Toute une phrase. Un paragraphe. Une page entière. Bientôt, j'ai un tas de méchancetés et de mesquineries à mes pieds. Elle s'en empare pour l'ajouter à sa pile. Quand elle en a fini avec un livre, elle le met de côté. C'est alors que je comprends : elle ne traque pas les méchancetés, elle les collectionne. Elle veut garder tous les passages méchants, désagréables, odieux pour elle.

– Pourquoi on fait ça, Dec ? je demande.

– Parce qu'ils n'ont rien à faire mélangés avec les bons mots. Ils cherchent à te piéger.

Je crois que je vois ce qu'elle veut dire. Je pense aux *Dessous de Bartlett* et à toutes les horreurs qu'ils débitent à longueur de page, pas seulement à mon sujet, mais à propos de tous les élèves qui sont un tant soit peu différents ou bizarres. Mieux vaut isoler les mots méchants, odieux, blessants, désagréables pour pouvoir les surveiller et ne pas risquer de les croiser quand on s'y attend le moins.

Une fois notre mission achevée, pendant qu'elle va chercher d'autres livres, je ramasse ceux qu'elle a écartés et les feuillette à la recherche de certains mots. Je les dépose sur son oreiller : FAIS-TOI UNE JOLIE VIE. Puis j'emporte tous les bouquins découpés.

Je reste figé sur le seuil de ma chambre. Quelque chose a changé. J'essaie de trouver quoi. Les murs sont bien rouges. La couette, la commode, le bureau, la chaise noirs sont à leur place. La bibliothèque est trop chargée. J'étudie la pièce en détail d'où je suis car je ne veux pas entrer tant que je ne sais pas ce qui cloche. Mes guitares sont là où je les ai laissées. Les fenêtres sont nues parce que je n'aime pas les rideaux.

La chambre a la même allure que tout à l'heure, mais il y a quelque chose de différent, à croire que quelqu'un est venu et a déplacé des choses. Je traverse la pièce à pas lents, comme si cette personne risquait de surgir sous mon nez. J'ouvre la porte de mon placard, en m'attendant presque à pénétrer dans une seconde version de ma chambre, la vraie celle-là.

Tout va bien.

Tu vas bien.

Je vais dans la salle de bains, je me déshabille et je me plonge sous l'eau bouillante, jusqu'à ce que ma peau soit écarlate, jusqu'à ce que le chauffe-eau crie merci. Enveloppé dans une serviette, j'écris « Fais bien attention » sur le miroir embué. Puis je reviens dans ma chambre pour la regarder sous un autre angle. Elle est exactement comme je l'ai laissée. J'en déduis que ce n'est peut-être pas la pièce qui a changé. Peut-être que c'est moi.

De retour dans la salle de bains, j'accroche ma serviette, j'enfile un T-shirt et un boxer, et j'aperçois mon reflet dans le miroir, maintenant que la buée se dissipe, laissant un ovale juste assez grand pour deux yeux bleus, des cheveux bruns mouillés, une peau très blanche. Je me penche pour mieux regarder, mais ce n'est pas mon visage, c'est quelqu'un d'autre.

Assis sur mon lit, je feuillette un à un les livres expurgés où tout est maintenant joyeux, tendre, drôle et chaleureux. J'ai envie de m'y plonger ; je découpe les meilleurs passages, les meilleurs mots comme « symphonie », « sans limite », « doré », « matin » et je les colle au mur, où ils en recouvrent d'autres, mélange de couleurs, de formes et d'humeurs.

Je m'enroule dans ma couette, aussi serré que possible, pour ne même plus voir la chambre et je m'allonge sur mon lit comme une momie. Je garde toute la chaleur et la lumière pour moi, je les empêche de ressortir. Je glisse une main hors de la couette pour prendre un livre, puis un autre. Et si la vie pouvait être ainsi ? Que du bonheur, jamais d'horreur, pas même de moments légèrement désagréables. Si on pouvait tout simplement ôter le mauvais et ne garder que le bon ? C'est ce que je voudrais faire avec Violet – ne lui donner que le bien, écarter le mal pour qu'il n'y ait plus que du bon autour de nous.

VIOLET

J-138

Dimanche soir. Ma chambre. Je feuillette notre carnet, à Finch et à moi. Armée du stylo qu'il m'a donné, je l'ouvre à une page blanche. La librairie et la Purina Tower ne sont pas des « balades officielles », mais ça ne veut pas dire qu'on ne doit pas en garder la trace.

Étoiles dans le ciel et sur la terre. Difficile de savoir où finit *l'un et où commence l'autre. J'aimerais dire quelque chose de profond et de poétique, seulement je ne trouve pas mieux que :*

– C'est joli.

– Joli, répète-t-il. Oui, c'est un mot qu'on devrait employer plus souvent.

Soudain, j'ai une idée. Au-dessus de mon bureau, il y a un gigantesque tableau d'affichage où j'ai punaisé des photos d'écrivains en noir et blanc. Je les enlève, puis je fouille dans mes tiroirs et j'en sors un gros paquet de Post-it multicolores. Sur le premier j'écris : *joli.*

Une demi-heure plus tard, je recule pour admirer mon œuvre. Le tableau est couvert de carrés de couleurs vives, des fragments, des phrases, des mots qui deviendront peut-être un texte, une nouvelle. Il y a aussi mes citations préférées. Et dans la dernière colonne, j'ai fait une section « Nouveau site Internet sans nom ». Sur trois Post-it séparés, j'ai noté : Lire. Aimer. Vivre. Je ne sais pas si ce seront des rubriques, des articles ou juste des mots qui sonnent bien.

Ce n'est pas grand-chose pour l'instant, mais je le prends en photo et je l'envoie à Finch en commentant : Regarde ce que tu m'as fait faire. Toutes les demi-heures, je regarde si j'ai reçu une réponse, puis je finis par me coucher sans avoir eu de nouvelles de lui.

FINCH

23e, 24e, 25e JOURS...

La soirée d'hier est un puzzle : toutes les pièces sont éparpillées et il en manque certaines. Pourquoi mon cœur bat-il si vite ?

Je ressors les livres pour lire les beaux mots que Decca y a laissés, mais ils se brouillent sur la page, ça n'a aucun sens. Je n'arrive pas à me concentrer.

Alors je me mets à ranger, organiser. Je décroche toutes mes notes jusqu'à ce que le mur soit vierge. Je les fourre dans un sac-poubelle, mais comme ça ne suffit pas, je décide de repeindre. J'en ai assez de ces murs rouges. C'est trop sombre, déprimant. *Voilà ce dont j'ai besoin. Un changement de décor. C'est pour ça que ma chambre me semble bizarre.*

Je prends Little Bastard pour filer au magasin de bricolage le plus proche et acheter de l'apprêt ainsi que quarante litres de peinture bleue, parce que je ne sais pas exactement combien il va m'en falloir.

Et il en faut, des couches et des couches, pour recouvrir le rouge. J'ai beau passer et repasser du bleu, le rouge remonte comme si les murs saignaient.

À minuit, la peinture n'est toujours pas sèche, alors je prends ma couette noire et je vais la fourrer au fond du placard du couloir, puis je fouille pour dénicher un vieux couvre-lit bleu de Kate. Je l'étale sur mon lit. J'ouvre les fenêtres, je pousse mon lit au milieu de la pièce, puis je me glisse sous les draps pour dormir.

Le lendemain, je me remets à peindre. Il me faut deux jours pour obtenir la bonne couleur, un bleu vif et clair, un bleu piscine. Allongé sur mon lit, je me sens mieux. Je respire à nouveau. *Ah, voilà. C'est ça.*

La seule chose que je ne touche pas, c'est le plafond car le blanc contient toutes les couleurs du spectre lumineux. Bon, d'accord, c'est vrai de la lumière blanche et non de la peinture blanche, mais je m'en fiche. Je me dis que toutes les couleurs sont là, et ça me donne une idée. Je pourrais composer une chanson, mais j'allume mon ordinateur et j'envoie un message à Violet : Tu es toutes les couleurs en une, à leur maximum d'éclat.

VIOLET

J - 135, 134, 133...

Finch ne vient pas en cours de toute la semaine. Certains disent qu'il a été exclu, d'autres qu'il a fait une overdose et qu'il a été envoyé en cure de désintox. La rumeur se répand à l'ancienne – de bouche à oreille ou par texto – parce que le proviseur, M. Wertz, a découvert le site des *Dessous de Bartlett* et l'a fait fermer.

Mercredi. Première heure. Jordan Gripenwaldt a apporté des bonbons pour fêter ça. Troy Satterfield fourre deux sucettes entre ses lèvres et demande, la bouche pleine :

– Où est ton petit ami, Violet ? Tu n'es pas de garde antisuicide aujourd'hui ?

Ça fait rire ses copains. Mais avant que j'aie pu réagir, Jordan lui arrache les sucettes et les jette à la poubelle.

Le jeudi, je vais trouver Charlie Donahue sur le parking après les cours. Je lui explique que je bosse sur un dossier de géo avec Finch et que je n'ai aucune nouvelle depuis plusieurs jours. Je ne lui demande pas si les bruits qui circulent sont vrais même si j'en meurs d'envie.

Charlie jette ses livres à l'arrière de sa voiture.

– Il est comme ça. Il va, il vient quand il veut.

Il enlève son blouson et le balance par-dessus ses affaires.

– Tu apprendras vite que ce n'est qu'un petit branleur grincheux.

Brenda Shank-Kravitz nous rejoint et ouvre la portière passager. Avant de s'asseoir, elle me dit :

– J'adore tes lunettes.

Et elle a l'air sincère.

– Merci, elles étaient à ma sœur.

Elle enregistre l'information, puis hoche la tête.

Le lendemain, avant la troisième heure, je l'aperçois dans les couloirs – Theodore Finch –, sauf qu'il a changé. Pour commencer, il porte un vieux bonnet de laine rouge, un pull noir informe, un jean, des baskets et des mitaines noires. *Finch SDF. Finch le zonard.* Il est adossé à un casier, un genou replié, en train de discuter avec Chameli Belk-Gupta, une première de la section théâtre. Il ne semble pas me remarquer lorsque je passe devant lui.

Arrivée en cours, j'accroche mon sac à ma chaise et je sors mon livre de maths.

– Commençons par corriger l'exercice que je vous avais donné à faire à la maison, annonce M. Heaton, mais il a peine fini sa phrase que l'alarme incendie se met à hurler.

Je rassemble mes affaires avant de suivre les autres dans le couloir.

Une voix s'élève dans mon dos :

– Retrouve-moi sur le parking des élèves.

Quand je me retourne, je découvre Finch, les mains dans les poches. Il s'éloigne d'un pas tranquille comme s'il était invisible, indifférent au chaos autour de nous, les professeurs et tout le personnel qui s'agitent, y compris le proviseur qui braille dans son téléphone.

Après un instant d'hésitation, je me mets à courir, mon sac battant contre ma hanche. J'ai peur que quelqu'un ne me rattrape, mais c'est trop tard pour faire demi-tour. Je rejoins Finch, hors d'haleine, et nous accélérons. Personne ne nous ordonne de nous arrêter, de revenir immédiatement. Je suis terrifiée, mais libre.

Nous traversons la route qui passe devant le lycée, longeons le rideau d'arbres séparant le parking de la rivière qui coupe la ville en deux. Lorsque nous nous arrêtons entre deux troncs, Finch me prend la main. Tout essoufflée, je demande :

– Où on va ?

– Par ici, mais chut ! Le premier qui fait un bruit retourne direct au lycée s'exhiber.

– Exhiber quoi ?

– Son corps. À poil. S'exhiber implique une nudité totale, c'est la définition du mot même, non ?

Je glisse, je dérape sur la rive boueuse tandis que Finch marche devant, en silence, sans la moindre difficulté. Arrivé tout au bord de l'eau, il tend le bras. J'ai du mal à distinguer ce qu'il me montre. Puis un mouvement attire mon regard. Un oiseau de près d'un mètre de haut, au corps gris, avec la tête blanche tachée de rouge. Il longe la rive opposée sur ses longues pattes, en se pavanant presque comme un être humain.

– Qu'est-ce que c'est ?

– Une grue moine. La seule de l'Indiana. Peut-être même la seule de tous les États-Unis. En principe, l'hiver, elles migrent en Asie, celle-ci est donc à dix mille kilomètres de ses congénères.

– Comment tu l'as trouvée ?

– Parfois, quand je ne supporte plus de rester enfermé là-dedans (il désigne le lycée), je viens ici. Je pique une tête, ou je reste simplement assis sur le rivage. Cette demoiselle est là depuis une semaine. J'avais peur qu'elle soit blessée.

– Elle est perdue.

– *Tt-tt.* Regarde-la bien.

La grue marche dans les eaux peu profondes, y plongeant le bec puis, de temps à autre, s'aventure où c'est plus profond, pataugeant gaiement comme un gamin à la piscine.

– Tu vois, Ultraviolet ? Elle se balade.

Finch recule d'un pas, la main en visière pour se protéger du soleil qui filtre entre les arbres. Son pied fait craquer une branche.

– Merde, souffle-t-il.

– Oh, mince ! Ça veut dire que tu dois retourner tout nu au lycée ?

Il fait une telle tête que je ne peux pas me retenir d'exploser de rire.

Avec un soupir abattu, il commence par ôter son pull, puis ses chaussures, son bonnet, ses mitaines et son jean, alors qu'il fait un froid polaire. Il me les tend au fur et à mesure. Lorsqu'il ne lui reste plus que son boxer, je l'encourage :

– Allez, Theodore Finch ! Enlève-moi ça aussi. C'est toi qui as dit « s'exhiber implique une nudité totale, c'est la définition du mot », non ?

Il sourit et, sans me quitter des yeux, fait tomber son caleçon. Je suis un peu surprise, je ne pensais pas qu'il allait le faire. Il se tient devant moi, le premier garçon nu que je vois de ma vie, et il n'a même pas l'air mal à l'aise. Il est mince, élancé. Je suis des yeux les fines veines bleues de ses bras, le contour des muscles de ses épaules, ses abdos, ses jambes. La cicatrice zèbre son ventre d'un éclair rouge vif.

– Ce serait beaucoup plus drôle si tu étais nue aussi, dit-il.

Puis il plonge dans la rivière avec une telle aisance qu'il perturbe à peine la grue. Il fend l'eau avec d'amples mouvements de crawl, comme un nageur olympique, et je reste là, assise sur la rive à le contempler.

Il nage tellement loin que j'ai du mal à le suivre des yeux. Je sors notre carnet pour noter l'histoire de la grue baladeuse et du garçon au bonnet rouge qui aimait nager l'hiver. Je perds la notion du temps et, quand je relève la tête, Finch est de retour. Il fait la planche, les bras croisés derrière la tête.

– Tu devrais venir.

– C'est bon. Je préfère ne pas risquer l'hypothermie.

– Allez, Ultraviolet Re-Mark-able. Elle est bonne.

– Comment tu m'as appelée ?

– Ultraviolet Re-Mark-able. Allez ! À la une, à la deux...

– Je suis très bien là où je suis.

– Bon.

Il se rapproche du bord, puis se redresse, de l'eau jusqu'à la taille.

– Tu étais passé où pendant tout ce temps ?

– Je faisais des travaux.

Il se penche, les mains en coupe, comme s'il essayait d'attraper quelque chose. La grue est immobile, sur la rive opposée, elle nous regarde.

– Ton père est revenu ?

Finch a visiblement attrapé ce qu'il voulait. Il l'examine, au creux de ses mains, avant de le relâcher.

– Malheureusement.

Je n'entends plus l'alarme incendie. Je me demande si tout le monde est rentré, désormais. Si c'est le cas, je serai notée absente. Ça devrait m'inquiéter, surtout après l'heure de colle, mais je reste là, tranquille, assise au bord de la rivière.

Finch sort de l'eau. Pour ne pas le fixer, nu et dégoulinant, je contemple la grue, le ciel... tout, sauf lui. Il rit.

– Tu n'aurais pas une serviette, par hasard, dans ton énorme sac ?

– Non.

Il se sèche avec son pull, secoue ses cheveux comme un chien qui s'ébroue, pour m'asperger, puis renfile ses vêtements. Quand il a fini de s'habiller, il fourre son bonnet dans sa poche et plaque ses cheveux en arrière.

– On devrait retourner en cours, dis-je.

Il a les lèvres bleues mais il ne tremble pas.

– J'ai une meilleure idée. Tu sais quoi ?

Mais avant qu'il ait pu me l'exposer, Ryan, Gabe et Joe Wyatt débarquent sur la rive.

– Génial, grince Finch entre ses dents.

Ryan fonce droit sur moi.

– On vous a vus filer pendant l'alerte incendie.

Gabe fixe Finch d'un œil mauvais.

– Vous êtes là pour l'exposé de géo, c'est ça ? Vous vous baladez le long de la rivière ou vous jouez aux mains baladeuses ?

Je soupire :

– T'es lourd, Gabe.

Ryan me frictionne les bras comme pour me réchauffer.

– Ça va ?

Je le repousse.

– Évidemment, ça va très bien. Tu n'as pas besoin de veiller sur moi.

Finch intervient :

– Je ne l'ai pas kidnappée si c'est ce qui vous inquiète.

– On t'a parlé, à toi ? demande Gabe.

Finch le toise, il le dépasse d'une demi-tête.

– Non, mais j'en serais charmé.

– Pédale.

Le cœur battant, paniquée par ce qui couve, je crie :

– Tu te calmes, Gabe ! Peu importe ce qu'il dit, vous êtes venus chercher la bagarre de toute façon.

Puis je me tourne vers Finch.

– Toi, n'en rajoute pas.

Gabe se colle à lui.

– Pourquoi t'es trempé ? T'as enfin décidé de te laver ?

– Non, mec. Je le ferai après mon rencard avec ta mère, ce soir.

Et brusquement, Gabe se jette sur lui et ils dévalent tous les deux la rive, jusque dans l'eau.

Comme Joe et Ryan restent plantés là, les bras ballants, je hurle :

– Faites quelque chose.

– C'est pas moi qui ai commencé, se défend Ryan.

– Ben, fais quelque chose quand même.

Gabe envoie son poing dans la tête de Finch. Puis il s'acharne, encore et encore, lui défonce la bouche, le nez, les côtes. Au début, Finch ne réplique pas, il se contente de parer les coups. Mais soudain, il tord le bras de Gabe en clé dans son dos, lui plonge la tête dans la rivière et le maintient sous l'eau.

– Lâche-le, Finch.

Soit il ne m'entend pas, soit il n'écoute pas. Les jambes de Gabe sont secouées de spasmes. Ryan attrape Finch par le col, il le tire par le bras.

– Viens m'aider, Wyatt.

– Lâche-le ! je répète.

Finch me regarde alors et, durant une seconde, on dirait qu'il ne me reconnaît pas.

– Lâche-le !

L'ordre claque sèchement, comme si je parlais à un chien ou à un enfant.

Et tout à coup, il lâche Gabe, se redresse, et le jette sur la rive où il reste agenouillé à cracher ses poumons. Le visage en sang,

Finch remonte le sentier, nous contourne, Ryan, Joe et moi, et s'éloigne sans un regard en arrière.

Je ne retourne pas en cours, de toute façon, le mal est fait. Mais comme ma mère serait surprise que je rentre à la maison maintenant, je vais discrètement reprendre Leroy sur le parking et je file vers l'est de la ville. J'arpente les rues, en long, en large, pour retrouver sa maison de brique. FINCH, c'est écrit sur la boîte aux lettres.

Je frappe à la porte. Une fille aux longs cheveux bruns vient m'ouvrir.

– Salut, me lance-t-elle sans paraître surprise de me voir là. Tu dois être Violet. Moi, c'est Kate.

J'ai toujours été fascinée de constater de quelle manière les mêmes gênes parentaux se recombinent chez les frères et sœurs. Les gens nous prenaient pour des jumelles, Eleanor et moi, malgré ses joues plus creuses et ses cheveux plus clairs. Kate ressemble à Finch... et en même temps pas du tout. Le même teint, la même couleur de cheveux, mais des traits différents, sauf les yeux. Ça fait drôle de voir ses yeux dans un autre visage.

– Il est là ?

– Je suis sûre qu'il doit être quelque part là-haut. J'imagine que tu sais où se trouve sa chambre.

Elle a un petit sourire ironique, mais pas méchant. Je me demande ce qu'il lui a raconté sur moi.

À l'étage, je frappe à sa porte.

– Finch ?

J'essaie encore.

– C'est Violet.

Pas de réponse.

J'essaie d'ouvrir la porte mais elle est verrouillée.

Je frappe à nouveau.

Je me dis qu'il doit dormir, ou avoir son casque sur les oreilles, alors je frappe encore et encore. Je sors l'épingle que j'ai toujours au fond de ma poche et je me penche pour examiner la serrure. La première que j'ai crochetée, c'était celle du placard du bureau de ma mère. Eleanor m'avait convaincue que nos parents y cachaient les cadeaux de Noël. J'ai découvert que savoir crocheter les serrures pouvait être bien utile pour s'éclipser du cours de gym ou simplement prendre un petit moment tranquille.

Je secoue la poignée, puis je range mon épingle. Je pourrais sans doute la crocheter, mais je ne préfère pas. Si Finch voulait m'ouvrir, il le ferait.

Quand je redescends, Kate est devant l'évier, en train de fumer à la fenêtre de la cuisine.

– Il était là ?

Comme je réponds que non, elle jette sa cigarette à la poubelle.

– Ah… Il dormait peut-être, ou alors il est parti courir.

– Il court ?

– Environ quinze fois par jour.

C'est à mon tour de murmurer :

– Ah…

– On ne peut jamais prévoir ce que ce garçon va faire.

FINCH

J 27 (JE SUIS TOUJOURS LÀ)

Par la fenêtre, je la vois monter sur son vélo. Ensuite, je reste assis dans le bac à douche, avec l'eau qui me fouette le crâne pendant vingt bonnes minutes. Je ne peux même pas me regarder dans le miroir.

J'allume mon ordi parce que c'est un lien avec le monde, et peut-être est-ce ce dont j'ai besoin maintenant. La luminosité de l'écran me fait mal aux yeux. Je la diminue jusqu'à ce que les formes et les lettres ne soient plus que des ombres. C'est mieux. Je vais sur ma page Facebook, qui n'appartient qu'à Violet et à moi. Je relis tous nos messages depuis le début, mais les mots n'ont aucun sens, je suis obligé de me prendre la tête entre les mains et de les répéter tout haut.

J'essaie de lire la version des *Vagues* que j'ai téléchargée et, comme ce n'est pas mieux, je me dis *c'est l'ordinateur. Ce n'est pas moi*. Je déniche un vrai livre que je feuillette, mais les lignes dansent sur la page comme si elles voulaient m'échapper.

Je vais rester éveillé.

Je ne vais pas sombrer dans le sommeil.

Je me dis que je vais appeler ce bon vieil Embryon. Je repêche le numéro au fond de mon sac à dos, je vais même jusqu'à le composer sur le téléphone, mais je n'appuie pas sur « appeler ».

Je pourrais descendre et prévenir ma mère, lui expliquer ce qui m'arrive – si elle est là –, mais elle me dirait de prendre un Advil dans son sac, de me détendre et d'arrêter de stresser, parce que, dans cette maison, on n'est pas malade tant que le thermomètre ne l'a pas prouvé. Tout est noir ou blanc – mauvaise humeur, mauvais caractère, ne se contrôle pas, toujours triste, toujours déprimé.

Tu as toujours été trop sensible, Theodore. Depuis tout petit. Tu te rappelles le cardinal ? Celui qui se cognait dans la porte-fenêtre du salon ? Il n'arrêtait pas de s'assommer et tu disais : « On n'a qu'à le prendre à la maison, comme ça, il ne se fera plus mal. » Tu te souviens ? Et puis, un jour, en rentrant, on l'a trouvé gisant sur la terrasse. Il était rentré dans cette vitre une fois de trop. Tu l'as enterré dans le jardin en lui faisant ce que tu appelais un nid de boue, et en affirmant : « Ce ne serait pas arrivé si vous l'aviez laissé entrer. »

Je ne veux plus entendre cette histoire. Parce que, de toute façon, cet oiseau serait mort, qu'on lui ait permis de pénétrer dans la maison ou non. Peut-être qu'il le savait et que c'est pour ça qu'il a foncé dans la vitre un peu plus fort ce jour-là. Il serait mort aussi chez nous, plus lentement, c'est tout, parce que c'est ce qui arrive quand on est un Finch. Le mariage meurt. L'amour meurt. Les gens s'éteignent.

Je mets mes baskets et croise Kate dans la cuisine. Elle me dit :

– Ta petite amie vient de passer, elle te cherchait.

– Je devais avoir mon casque.

– Qu'est-ce que tu as à l'œil et à la lèvre ? C'est pas elle qui t'a fait ça, quand même ?

– Je me suis cogné dans une porte.

Elle me dévisage longuement.

– Ça va, toi ?

– Ouais, ouais. Très bien. Je vais courir un peu.

Quand je reviens, le blanc de mon plafond m'éblouit, je le recouvre de bleu avec le restant de peinture.

VIOLET

ENCORE 133 JOURS

Six heures. Dans le salon. Mes parents sont assis face à moi, sourcils froncés et air furieux. Le proviseur a appelé ma mère quand il s'est aperçu que je n'étais pas revenue en cours en troisième heure, ni de toute la journée, d'ailleurs.

Mon père ne s'est pas changé, il a toujours son costume du boulot. C'est surtout lui qui parle :

– Où étais-tu ?

– Juste devant le lycée.

– Où ça, devant ?

– Près de la rivière.

– Qu'est-ce que tu fichais au bord de la rivière, pendant les cours et en plein hiver ?

De sa voix calme et posée, ma mère intervient :

– James.

– Il y a eu une alerte incendie. On est tous sortis et Finch a voulu me montrer une espèce très rare de grue asiatique…

– Finch ?

– Le gars avec qui je bosse sur le dossier de géo. Vous l'avez rencontré.

– Il vous reste beaucoup à faire sur ce dossier ?

– On doit encore visiter un site, puis tout rédiger.

Maman reprend :

– Violet, tu nous déçois beaucoup.

C'est comme un coup de couteau dans le ventre. Mes parents ne nous ont jamais privées de sorties, de téléphone ou d'ordinateur – le genre de punitions que récolte Amanda quand elle enfreint les règles. Ils préfèrent qu'on ait une grande discussion pour nous dire à quel point ils sont déçus.

Enfin pour *me* dire. À moi.

– Ça ne te ressemble pas.

Maman secoue la tête.

– Tu ne peux pas te servir de ta sœur comme excuse pour faire n'importe quoi, renchérit mon père.

Je préférerais qu'ils m'envoient dans ma chambre pour une fois.

– Je n'ai pas fait n'importe quoi. Ça ne s'est pas passé comme ça. C'est juste que… je ne suis plus dans les pom-pom girls. Ni au conseil des élèves. Je suis nulle en flûte, alors l'orchestre… Je n'ai plus d'amis ni de petit ami parce que, contrairement à moi, le reste du monde ne s'est pas arrêté… et…

Je ne peux pas m'empêcher de hausser le ton.

– Tout le monde continue sa vie comme avant, mais pas moi. Pas possible, pas envie. La seule chose pour laquelle j'étais douée, je n'y arrive même plus. Je ne voulais pas faire ce dossier, au départ, mais finalement, c'est la seule chose à laquelle je peux me raccrocher en ce moment.

Et soudain, parce qu'ils ne le feront pas de toute façon, je m'envoie dans ma chambre. Je me lève et je m'en vais tandis que mon père réplique :

– Enfin, tu es douée pour beaucoup de choses, ma puce, pas qu'une seule…

Nous dînons dans un silence presque complet. Puis ma mère monte dans ma chambre et, en regardant mon tableau d'affichage, elle demande :

– Qu'est devenu *eleanorandviolet.com* ?

– J'ai laissé tomber. Ça ne servait à rien de continuer.

– Tu as sûrement raison.

Elle a la voix étranglée et les yeux rouges.

– Je crois que je ne m'y habituerai jamais, dit-elle.

Puis elle soupire. Un soupir comme je n'en ai jamais entendu. Un soupir de douleur et de désespoir. Puis elle s'éclaircit la voix et tapote le Post-it *Nouveau site Internet sans nom.*

– Et ça, alors, c'est quoi ?

– Je vais peut-être créer un nouveau site. Ou pas. L'idée m'est venue à cause de *eleanorandviolet.com.*

– Tu aimais bosser là-dessus.

– Oui, mais si j'en commence un nouveau, je voudrais qu'il soit différent. Moins superficiel, avec une vraie réflexion, une vraie écriture, plus en prise avec la vraie vie.

Elle désigne *Lire, aimer, vivre.*

– Et ça ?

– Je ne sais pas, ça pourrait être des onglets.

Elle approche une chaise pour s'asseoir à côté de moi. Puis elle m'interroge : ce serait juste pour des filles de mon âge ou aussi pour les plus âgées ? J'écrirais tout ou j'aurais d'autres contributeurs ? Quel serait le but – pourquoi ai-je envie de créer un nouveau site ? *Parce que les gens de mon âge ont besoin d'avoir un lieu où trouver des conseils, de l'aide, s'amuser ou même un lieu où* être, *tout simplement, sans avoir quelqu'un qui s'inquiète sur leur dos. Un endroit où ils peuvent s'exprimer sans retenue et sans crainte, comme dans leur propre chambre.*

Je n'avais pas réfléchi à tout ça, je réponds donc :

– Je ne sais pas.

Peut-être que c'est une idée idiote.

– Pour l'instant, je n'ai que des bribes de phrases. Juste des idées éparses.

Je désigne l'ordinateur puis le mur.

– J'ai une idée en germe ici, et un germe d'idée là. Rien de structuré ni de concret.

– « La croissance en elle-même contient le germe du bonheur. » Pearl Buck. Peut-être qu'un germe suffit. Peut-être est-ce tout ce dont tu as besoin.

Elle pose son menton dans sa main, désignant l'ordinateur.

– Il faut commencer par le commencement. Ouvre un document vierge ou prends une feuille blanche, ce sera notre point de départ. Rappelle-toi ce que disait Michel-Ange : la sculpture est déjà dans la pierre, elle y est depuis le début et le travail de l'artiste consiste à la révéler. Tes mots sont là, quelque part.

Pendant deux heures, on fait un brainstorming, on note, on griffonne. À la fin, j'ai la trame du site Internet, avec une esquisse des différents onglets qui pourraient s'ouvrir dans les rubriques Lire, Aimer, Vivre.

Il est presque dix heures quand elle me dit bonne nuit. Sur le pas de la porte, elle se retourne pour me demander :

– Tu crois que tu peux te fier à ce garçon, Vi ?

Je fais pivoter ma chaise de bureau.

– Finch ?

– Oui.

– Je pense, oui. En ce moment, c'est mon seul ami.

J'ignore si c'est une bonne ou une mauvaise chose.

Une fois qu'elle est partie, je m'allonge sur mon lit avec mon portable sur les genoux. Je ne pourrai jamais alimenter le site toute seule. Je fais une liste de quelques noms, Brenda Shank-Kravitz,

Jordan Gripenwaldt et Kate Finch avec un point d'interrogation à côté.

Germ. Je vérifie. Le nom de domaine est libre – **www.germmagazine.com** – cinq minutes plus tard, il est enregistré et acheté. Première pierre posée.

Puis je me connecte à Facebook pour envoyer un message à Finch :

J'espère que ça va. Je suis passée te voir ce soir, mais tu n'étais pas là. Mes parents sont au courant que j'ai séché les cours et pas vraiment ravis. Je crains que ce ne soit la fin de nos balades.

J'ai déjà éteint la lumière et fermé les yeux, lorsque je m'aperçois que, pour la première fois, j'ai oublié de barrer le jour sur mon calendrier. Je me relève pour aller jusqu'à mon placard, pieds nus sur le parquet froid. Je prends mon marqueur noir, je le débouche mais, soudain, mon geste se fige dans les airs. Je regarde les jours qui restent avant l'examen et la liberté avec un serrement de cœur. Il n'y en a plus qu'une centaine, même pas la moitié d'une année… Qui sait où j'irai et ce que je ferai après ?

Je rebouche le marqueur, je tire sur le calendrier pour le décrocher. Je le plie en deux et le fourre au fond de mon placard, jetant le feutre à sa suite. Puis je me faufile dans le couloir.

La porte de la chambre d'Eleanor est fermée. Je l'ouvre et je pénètre à l'intérieur. Les murs jaunes sont couverts de photos d'elle, avec ses amis de l'Indiana, avec ses amis de Californie. Le drapeau californien flotte au-dessus de son lit. Son matériel d'arts plastiques est entassé dans un coin. Mes parents ont commencé à ranger lentement ses affaires.

Je pose ses lunettes sur sa commode.

– Merci de me les avoir prêtées, mais elles me donnent mal à la tête. Et elles sont hideuses.

Je l'entends presque rire.

VIOLET

SAMEDI

Le lendemain, quand je descends, Finch est assis à la table de la salle à manger avec mes parents. Son bonnet rouge est pendu au dossier de sa chaise. Il boit un jus d'orange, et son assiette est déjà presque vide. Il a la lèvre fendue et un bleu sur la joue.

– Tu es mieux sans les lunettes, remarque-t-il.

– Qu'est-ce que tu fais là ?

Je les dévisage tour à tour, lui et mes parents.

– Je prends le petit déjeuner, le repas le plus important de la journée. Mais en réalité, je suis venu m'expliquer pour hier. J'ai dit à tes parents que c'était mon idée, que tu n'avais pas envie de sécher les cours. Que tu as seulement voulu m'éviter d'avoir des ennuis en essayant de me convaincre de retourner au lycée.

Finch se ressert une gaufre et de la salade de fruits.

Mon père intervient :

– Nous avons mis en place quelques règles pour votre dossier de géo.

– On peut continuer à le faire ensemble ?

– Theodore et moi, nous avons un accord, n'est-ce pas ?

Mon père me sert une gaufre.

– Oui, monsieur, confirme Finch en me faisant un clin d'œil.

Mon père lui lance un regard sévère.

– Un accord qui ne doit pas être pris à la légère.

Finch retrouve instantanément son sérieux.

– Oui, monsieur.

– Nous lui avons dit que nous lui faisions confiance. Nous lui sommes reconnaissants de t'avoir aidée à remonter en voiture. Nous sommes tout à fait d'accord pour que tu t'amuses, dans les limites du raisonnable. Ce qui implique d'être prudents et d'aller en cours.

– OK... Merci...

J'ai un peu le tournis.

Mon père se tourne vers Finch.

– Il nous faudrait ton numéro de téléphone, et les coordonnées de tes parents.

– Tout ce que vous voudrez, monsieur.

– Ton père, c'est le Finch de Finch Stockage ?

– Oui, monsieur.

– Ted Finch, l'ancien joueur de hockey ?

– Oui, tout à fait. Mais on n'a plus de nouvelles depuis des années. Il est parti quand j'avais dix ans.

Je le regarde avec de grands yeux tandis que ma mère murmure :

– Oh, désolée...

– Au final, on est bien mieux sans lui, mais merci.

Il adresse à ma mère un petit sourire triste d'oiseau blessé et, contrairement à ce qu'il lui raconte, son sourire est authentique.

– Ma mère travaille chez Broome Immobilier et Bookmarks. Elle n'est pas souvent à la maison, mais si vous avez un stylo, je vais vous donner son numéro.

C'est moi qui lui apporte le papier et le crayon. Je les pose à côté de lui, essayant de croiser son regard, mais il se penche sur le carnet pour noter en lettres capitales : « LINDA FINCH », avec tous ses téléphones, maison, bureau, et portable. Puis il note : *Theodore Finch, Jr*, avec son portable. L'écriture est soigneuse et appliquée, comme un enfant qui s'attend à être noté. En tendant le papier à mon père, j'ai envie de dire : *Encore un mensonge. Ce n'est pas sa véritable écriture. Ce garçon n'a rien de soigneux ni d'appliqué.*

Ma mère adresse un sourire à mon père, c'est un sourire qui signifie : *Passons à autre chose*. Elle se tourne vers Finch.

– Alors, qu'est-ce que tu comptes faire, l'an prochain ?

La conversation se fait plus légère. Lorsqu'elle lui demande s'il a réfléchi à ce qu'il voudrait faire après la fac, dans la vie, je tends l'oreille car je ne connais pas la réponse.

– Ça change tous les jours. Je suis sûr que vous avez lu *Pour qui sonne le glas*.

Maman acquiesce pour tous les deux.

– Eh bien, Robert Jordan est conscient qu'il va mourir. Il se dit : « Il n'y a rien d'autre que maintenant. (...) Il n'y a que deux jours. Eh bien, deux jours, c'est ta vie et tout ce qui s'y passera sera en proportion[1]. » Personne ne sait combien de temps il lui reste à vivre. Peut-être un mois, peut-être cinquante ans. J'aime vivre comme s'il ne me restait que deux jours.

Je regarde mes parents pendant le petit discours de Finch. Il parle d'un ton posé, détaché, mais assez bas – par respect pour les morts, pour Eleanor, qui n'a pas eu très longtemps à vivre.

Mon père prend une gorgée de café et se renfonce dans son fauteuil.

– Les hindous d'autrefois pensaient qu'il fallait profiter de l'existence au maximum. Au lieu d'aspirer à l'immortalité, ils cherchaient à vivre une vie saine et bien remplie...

---

1. *Pour qui sonne le glas*, Ernest Hemingway, traduction de Denise Van Moppès, Gallimard.

Il conclut un bon quart d'heure plus tard, sur le concept de réincarnation qui permet de retourner à dame Nature et de poursuivre son existence sur la terre sous une autre forme. Il cite un chant védique : « Que ton œil rejoigne le soleil, ton âme le vent... »

– « ... ou l'eau si c'est ce qui te convient », complète Finch.

Mon père hausse les sourcils, surpris. Je vois bien qu'il s'efforce de comprendre ce gamin sans tout à fait y parvenir.

– J'ai un truc avec l'eau, avoue Finch.

Mon père se lève pour lui resservir deux gaufres. Intérieurement, je soupire de soulagement. Maman nous questionne sur notre dossier « Balades en Indiana » et, pendant le restant du petit déjeuner, Finch et moi, nous leur parlons des endroits que nous avons visités jusque-là et de ceux où nous avons l'intention d'aller. À la fin du repas, mes parents sont passés de M. et Mme Markey à « Tu-peux-m'appeler-James » et « Tu-peux-m'appeler-Sheryl ». On pourrait presque rester là, à discuter toute la journée avec eux, mais soudain Finch se tourne vers moi, avec ses yeux bleus qui pétillent.

– Allez, Ultraviolet. Pas de temps à perdre. En route !

Dehors, je demande :

– Pourquoi tu as fait ça ? Pourquoi tu as menti à mes parents ?

Il écarte sa mèche de ses yeux et tire sur son bonnet rouge.

– Ce n'est pas un mensonge si c'est ce que je ressens.

– Qu'est-ce que tu racontes ? Même ton écriture mentait.

Bizarrement, c'est ce qui m'énerve le plus. S'il n'est pas honnête avec eux, alors peut-être ne l'est-il pas avec moi. J'ai envie de lui demander : *Et tu m'as menti sur quoi d'autre ?*

Il se tourne pour ouvrir la portière passager si bien que je ne vois pas son visage.

– Parfois, ce qu'on ressent nous paraît plus vrai que la vérité, Ultraviolet.

FINCH

28e JOUR

John Ivers est un gentil papy moustachu, à la voix calme et posée, coiffé d'une casquette de base-ball. Il habite avec sa dame dans une grande ferme au milieu de la campagne. J'ai déniché son numéro de téléphone sur le site « l'Indiana Insolite ». Je l'ai donc appelé avant de venir, comme le recommandait le site, si bien que John nous attend dans la cour. Il nous fait signe et s'avance pour nous serrer la main en s'excusant que Sharon soit partie au marché.

Il nous conduit ensuite aux montagnes russes qu'il a construites dans son jardin. Il y en a deux : le Blue Flash et le Blue Too. On ne peut y monter qu'à une seule personne à la fois, je suis un peu déçu, mais sinon c'est sacrément cool !

– Je n'ai pas fait d'études d'ingénieur, nous explique-t-il, mais je suis accro aux sensations fortes. Plus jeune, j'étais un passionné de courses de dragster, de concours de démolition, de stock-cars... Quand j'ai dû arrêter tout ça, j'ai essayé de trouver un autre moyen d'avoir ma dose d'adrénaline. J'adore la vitesse, le risque, cette sensation de danger inévitable et imminent... alors j'ai construit de quoi me procurer ce frisson.

Tandis que, mains sur les hanches, il désigne le Blue Flash du menton, je pense à cette *sensation de danger inévitable et imminent* – une expression qui me va bien, je la garde dans un coin de ma tête pour plus tard, peut-être pour la ressortir dans une chanson. Je décrète :

– Vous êtes un génie!

C'est le rêve de pouvoir éprouver toutes ces sensations en même temps. Moi aussi, je le veux. C'est alors que mon regard s'arrête sur Violet. Et je pense : *Je l'ai.*

John Ivers a construit son manège en prenant appui sur un hangar. Il fait cinquante-cinq mètres de long et monte jusqu'à six mètres. La vitesse ne dépasse pas quarante kilomètres à l'heure et le tour ne dure que dix secondes, mais en plein milieu, il y a un looping où on a la tête en bas. De l'extérieur, le Flash n'est qu'un assemblage de rails métalliques tordus et peints en bleu ciel où roule un siège baquet des années 70 à la ceinture tout effilochée, mais ça me démange de l'essayer.

– Vas-y, Violet, à toi l'honneur, dis-je.

– Non, non, vas-y, toi.

Elle recule de quelques pas comme si le manège risquait de la dévorer. Je me demande si c'est une bonne idée, finalement.

Mais avant que j'aie pu ouvrir la bouche, John me sangle sur le siège et me pousse jusqu'au pied du hangar jusqu'à ce que j'entende un *clic*, puis je monte, je monte, je monte le long de la pente du toit.

– Accroche-toi, fiston! me conseille-t-il alors que j'arrive au sommet.

Je m'exécute tandis que je stationne, juste une fraction de seconde, tout en haut, dominant les champs qui s'étendent autour de moi à perte de vue. Et, soudain, je suis propulsé en avant, puis dans le looping, hurlant à me casser la voix. C'est trop vite fini.

Je veux recommencer : c'est comme ça que la vie devrait être de bout en bout et pas seulement durant dix secondes!

Je le refais cinq fois de suite parce que Violet ne se sent toujours pas prête. Chaque fois que j'arrive au bout, elle agite la main en disant :

– Vas-y, recommence.

Quand je sors du fauteuil, j'ai les jambes qui flageolent. Violet prend ma place, John Ivers l'attache avec la ceinture, et voilà qu'elle monte à son tour jusqu'au sommet du toit du hangar où elle s'arrête une seconde. Elle tourne la tête pour me regarder mais, brusquement, elle s'élance, plonge, et remonte en hurlant à pleins poumons.

Lorsque ça s'arrête, je ne saurais dire si elle va vomir, ou sortir pour me gifler. Mais, contre toute attente, elle crie :

– Encore!

Et elle redémarre dans un brouillard de métal bleu pastel, cheveux flottants et bras en l'air.

Ensuite, nous échangeons à nouveau et je le refais trois fois de suite, jusqu'à ce que le monde soit complètement à l'envers et que je sente mon pouls cogner fort dans mes veines. En détachant la ceinture, John Ivers pouffe :

– Eh ben, on ne t'arrête plus!

– Ouais, vous pouvez le dire!

Je me raccroche à Violet parce que je ne tiens plus trop sur mes jambes. Elle me prend dans ses bras tout naturellement, je me colle à elle, elle se colle à moi, et nous ne faisons plus qu'un.

– Vous voulez essayer le Blue Too? propose John.

Je n'en suis plus si sûr parce que, tout à coup, je n'ai plus qu'une envie : être seul avec cette fille.

Mais Violet m'échappe pour foncer vers le deuxième manège où John la sangle au fauteuil.

Le Blue Too n'est pas aussi drôle, nous préférons refaire des tours de Blue Flash. Quand j'en descends pour la dernière fois, je prends la main de Violet. Elle la balance d'avant en arrière. Demain, je serai chez mon père pour le dîner du dimanche soir, mais aujourd'hui, je suis là.

Nous laissons derrière nous une petite voiture représentant Little Bastard que nous avons dénichée au Tout à 1 Dollar, et deux figurines de maison de poupées, un garçon et une fille que nous glissons dans un paquet de cigarettes vide. Puis nous tassons le tout dans une petite boîte magnétique.

– Alors voilà, décrète Violet en l'aimantant sous le Blue Flash, c'était notre dernière balade ?

– Je ne sais pas. On s'est bien amusés, sauf que je ne suis pas sûr que ce soit le genre de site auquel Black pensait. Je vais y réfléchir, mais il faudrait peut-être qu'on en ait un de rechange, au cas où. Je ne voudrais pas planter le truc, surtout maintenant qu'on a le soutien de tes parents.

Sur le trajet du retour, elle baisse la vitre ; ses cheveux volent au vent. L'air fait bruisser les pages de notre carnet de balades tandis qu'elle écrit, les jambes croisées pour se faire une sorte de table. Comme elle ne lève pas le nez pendant des kilomètres, je demande :

– Tu fais quoi ?

– Je prends des notes. J'ai décrit le Blue Flash et fait le portrait de cet homme qui a construit des montagnes russes dans son jardin. Mais j'avais d'autres idées que je voulais coucher sur le papier.

Avant que je puisse la questionner, elle se replonge dans le carnet, son stylo crissant sur le papier.

Lorsqu'elle se redresse, trois ou quatre kilomètres plus loin, elle lance :

– Tu sais ce que j'aime chez toi, Finch ? Tu es intéressant. Tu es différent. Et je peux te parler. Mais ne prends pas la grosse tête, hein ?

L'atmosphère est chaude, électrique – j'ai l'impression que si on grattait une allumette, la voiture, Violet, moi, tout exploserait d'un coup. Pourtant, je garde les yeux rivés sur la route.

– Tu sais ce que j'aime chez toi, Ultraviolet Re-Mark-able ? Tout.

– Je croyais que je ne te plaisais pas.

Alors je lui jette un regard. Elle hausse un sourcil.

Je prends la première sortie que je croise. Nous passons devant une station-service, deux trois fast-foods, avant de traverser la route pour entrer sur un parking. Le panneau indique : BIBLIOTHÈQUE MUNICIPALE DE LA COMMUNAUTÉ DE COMMUNES RÉGION EST.

Je gare Little Bastard, puis je sors pour aller ouvrir sa portière. Elle s'étonne :

– Qu'est-ce qui se passe ?

– Je ne peux pas attendre. Je croyais que oui. Mais non, désolé.

Je me penche pour détacher sa ceinture, puis je la tire hors de la voiture si bien que nous nous retrouvons face à face, plantés au milieu de ce parking hideux, devant cette bibliothèque sinistre, baignés par la délicate odeur de poulet frit échappée du fast-food voisin. J'entends le caissier proposer une boisson et une frite à son client dans le haut-parleur du drive.

– Finch ?

J'écarte une mèche volante de sa joue. Puis je prends son visage entre mes mains et je l'embrasse. Plus fort que je ne l'aurais voulu, alors je relâche un peu la pression, mais elle me rend mes baisers. Elle passe ses bras autour de mon cou, je suis tout contre elle, elle est contre la voiture. Ses jambes s'enroulent autour de ma taille, je la soulève et j'arrive à ouvrir la portière arrière pour la déposer sur la couverture, j'entre et j'enlève mon pull tandis qu'elle ôte sa chemise.

– Tu me rends dingue. Ça fait des semaines que tu me rends dingue, j'avoue.

Quand je l'embrasse dans le cou, elle respire fort, puis soudain, elle s'écrie :

– Oh, bon sang, mais où on est ?

Et elle rit, et je ris et elle m'embrasse dans le cou et j'ai l'impression que tout mon corps va exploser, putain. Sa peau est douce et chaude, je passe la main sur la courbe de sa hanche tandis qu'elle me mordille l'oreille, et ma main glisse dans le creux entre son ventre et son jean. Elle me serre plus fort, mais quand je commence à défaire ma ceinture, elle recule. Oh, non ! J'ai envie de me cogner la tête contre la portière parce que... merde ! Elle est vierge. C'est pour ça qu'elle recule.

Elle murmure :

– Désolée.

– Tout ce temps avec Ryan, et rien ?

– Presque, mais non.

Je lui effleure doucement le ventre, je vais, je viens.

– Sérieux ?

– Pourquoi c'est si difficile à croire ?

– Parce que c'est Ryan Cross. Je croyais qu'il dépucelait les filles d'un seul regard.

Elle me donne une tape sur le bras, puis pose sa main sur la mienne.

– C'est bien la dernière chose que j'avais prévue aujourd'hui, tiens...

– Merci.

– Tu comprends ce que je veux dire.

Je ramasse sa chemise, je la lui tends. Je ramasse mon pull. En la regardant se rhabiller, je promets :

– Un jour, Ultraviolet.

Et en fait, elle a l'air déçue aussi.

De retour dans ma chambre, je suis submergé par les mots. Des paroles de chansons, les noms d'endroits où on ira Violet et moi avant qu'il soit trop tard et que je replonge. Je ne peux plus m'arrêter d'écrire. Je ne voudrais pas, même si je le pouvais.

31 janvier. Méthode : aucune. Proximité de réussite sur une échelle de un à dix : zéro. Info : le manège de l'euthanasie n'existe pas, mais ce pourrait être des montagnes russes d'un kilomètre de long, qui montent à pic puis redescendent brutalement et enchaînent sept loopings. Cette descente finale et la série de loopings prennent soixante secondes, mais c'est la force centrifuge de 10 G résultant des loopings à trois cent cinquante kilomètres à l'heure qui serait mortelle.

Puis, il y a une sorte de faille temporelle, et je m'aperçois que je ne suis plus en train d'écrire. Je cours. J'ai gardé le pull noir, le vieux jean, les baskets et les gants. J'ai mal aux pieds et, je ne sais pas comment, je suis arrivé à Centerville, la ville voisine.

J'enlève mes chaussures et mon bonnet pour rentrer en marchant parce que, pour une fois, j'ai réussi à m'épuiser. Mais c'est bon, je me sens utile, fatigué et vivant.

Julijonas Urbonas, l'homme qui a eu l'idée du manège euthanasiant, prétend qu'il a été conçu pour « ôter la vie d'un être avec humanité, dans l'élégance et l'euphorie ». Avec ses 10 G de force centrifuge, le sang file vers le bas au lieu de remonter au cerveau, il en résulte une hypoxie cérébrale et la mort.

Je marche dans la nuit noire de l'Indiana, sous un plafond étoilé en pensant à cette phrase « *l'élégance et l'euphorie* », ce qui décrit exactement ce que je ressens quand je suis avec Violet.

Pour une fois, je n'ai pas envie d'être un autre, juste Theodore Finch, le garçon qu'elle voit. Lui comprend ce que c'est d'être élégant et euphorique, d'être cent personnes différentes, pour la plupart misérables et stupides, un peu salaud, un peu dégénéré, un peu fêlé, un garçon qui aimerait être cool avec les gens qui l'entourent pour ne pas les inquiéter et surtout être cool avec lui-même. Un garçon qui a sa place – bien dans ce monde et dans sa peau. Un garçon qui est exactement celui que j'aimerais être. Et mon épitaphe serait : *Le garçon qu'aime Violet Markey.*

FINCH

30e JOUR (ET JE SUIS ÉVEILLÉ)

Je suis sur le terrain de base-ball du lycée avec Charlie Donahue. Nous sommes au-delà de la troisième base, l'endroit idéal pour discuter tranquillement. Sans même lever les yeux, il rattrape la balle qui fonce vers nous et la renvoie d'où elle vient. Depuis qu'il a franchi la porte du lycée en seconde, tous les entraîneurs ont essayé de le recruter, mais il refuse d'incarner le stéréotype du grand Noir sportif. En activités extrascolaires, il a pris échecs, rédaction de l'album de l'année et «euchre» (un jeu de cartes antique), parce que, selon lui, ça fera la différence pour sa candidature à l'université.

Bras croisés et sourcils froncés, il me demande :

– C'est vrai que t'as failli noyer Gabe ?

– Plus ou moins.

– Faut toujours finir ce qu'on a commencé, mec.

– J'ai préféré ne pas être envoyé en prison avant d'avoir pu coucher une dernière fois.

– Mauvais calcul : une arrestation pourrait augmenter tes chances de coucher.

– Ce n'est pas vraiment ce que je recherche.

– Bon, alors qu'est-ce que tu bricoles en ce moment ? Tu t'es vu ?

– J'aimerais prendre le compliment pour moi, mais je suis bien obligé de reconnaître que le survêtement du lycée nous met tous en valeur.

– Quel branleur. Tu parles comme la reine d'Angleterre.

Pourtant, je ne suis plus dans ma période anglaise. *Bye bye*, Fiona. *Bye*, notre appart. *Bye*, Abbey Road.

– Tu es Finch le Clochard depuis un moment, maintenant. Et avant, tu as été Finch le Gros Dur pendant quelques semaines. Tu baisses, mec.

– Peut-être que je me plais en clochard.

Alors que je rajuste mon bonnet de laine, soudain, je me fige. Quel Finch aime Violet ? Question épineuse sur laquelle mon esprit se jette comme un chien affamé. *Quel Finch elle aime ? Et si celui qu'elle aime n'est qu'une version du Finch réel ?*

Charlie me tend une cigarette, je secoue la tête.

– Qu'est-ce qui se passe entre vous ? Vous sortez ensemble ?

– Violet ?

– Tu te l'es faite alors, ou pas ?

– Mon ami, tu n'es qu'un gros porc. Non, je prends juste du bon temps.

– Pas si bon que ça, visiblement.

C'est au tour de Gabe de frapper, nous avons donc intérêt à faire attention. Car non seulement, c'est le deuxième meilleur joueur de base-ball du lycée (le premier étant Ryan Cross), mais en plus, il aime nous viser droit dans la tête. S'il ne risquait pas quelques embêtements, il viendrait directement me défoncer le crâne à coups de batte parce que j'ai failli le noyer.

Comme prévu, la balle s'abat sur nous. La cigarette entre les lèvres, Charlie recule d'un pas, puis deux, puis trois, comme s'il avait tout le temps du monde devant lui, comme s'il était sûr de l'avoir.

Puis il tend la main et la balle tombe pile au creux de son gant. Gabe laisse échapper quinze mille jurons tandis qu'il la lui renvoie.

Je désigne M. Kappel, notre prof de sport, qui se trouve être également l'entraîneur de base-ball.

– Tu es conscient que chaque fois que tu fais ça, tu le fais mourir un peu ?

– Kappy ou Gabe ?

– Les deux.

Il me sourit – chose rare.

– Je sais.

Gabe me coince dans les vestiaires alors que Charlie est déjà parti et que Kappel est dans son bureau. Les gars qui traînent encore là se fondent aussitôt dans le décor, comme s'ils voulaient devenir invisibles. Gabe est si près de moi que je sens qu'il a mangé des œufs au petit déj.

– T'es mort, Fêlé.

Même si je meurs d'envie de lui flanquer une raclée, je ne vais pas le faire parce que 1) il ne vaut pas les ennuis qu'il peut m'attirer, 2) je revois la tête de Violet quand elle m'a dit de le lâcher au bord de la rivière.

Alors je compte. *Un, deux, trois, quatre, cinq…*

Tiens bon. Ne lui mets pas ton poing dans la gueule.

Sois sage.

Il m'envoie valdinguer dans les casiers, m'explose l'œil, me défonce le nez. Je m'efforce tant bien que mal de rester debout en comptant comme un malade parce que j'ai envie de le tuer, ce fils de pute.

Si je continuais à compter assez longtemps, est-ce que je pourrais remonter le temps, revenir au début de la quatrième, quand je n'étais pas encore bizarre, que personne ne me remarquait jamais, avant que j'ouvre ma grande gueule, que je me confie à Gabe et que tout le monde se mette à me traiter de fêlé, quand j'étais tout le temps réveillé, que tout allait bien, tout était plutôt normal – quoi que ça veuille dire – et que les gens me regardaient normalement, sans me fixer, sans se demander ce que je fous, juste normal genre : « Salut, mec, ça va ? Quoi de neuf, mon pote ? » Je me demande si, en comptant à rebours, je pourrais remonter le temps et emporter Violet Markey avec moi, pour qu'on ait plus de temps ensemble. Parce que j'ai peur du temps.

Et de moi.

J'ai peur de moi-même.

– Y a un problème ?

Kappel se plante à quelques mètres de nous, il nous toise, une batte de base-ball à la main. Je l'imagine, le soir, à la maison, racontant à sa femme : « L'ennui, ce ne sont pas les plus jeunes, ce sont les plus âgés, ceux qui ont eu leur poussée de croissance, et qui commencent à prendre du muscle. Là, faut pouvoir te défendre, coûte que coûte. »

– Pas de problème, dis-je. Aucun souci.

Comme je le connais, il ne va jamais faire remonter l'affaire au proviseur vu que l'un de ses meilleurs joueurs est impliqué. Je suis sûr que tout va me retomber dessus. Je me prépare à recevoir des heures de colle, ou à être exclu, même s'il n'y a que moi qui saigne.

Mais finalement, Kappy soupire :

– C'est bon, Finch. Tu peux y aller.

J'essuie le sang d'un revers de manche et je m'éloigne en adressant un grand sourire à Gabe.

– Pas si vite, Romero ! aboie le prof.

Et le simple fait d'entendre Gabe bredouiller vaut presque la peine d'avoir encaissé les coups.

Lorsque je passe à mon casier prendre mes livres, je trouve posé dessus ce qui ressemble au caillou de Hoosier Hill. Je le retourne et, au dos, je lis : « À ton tour ».

– C'est quoi ? veut savoir Brenda.

Elle me le prend des mains pour l'examiner.

– Pas compris. Ton tour ? Ton tour de quoi ?

– C'est une *private joke*. Seuls les élèves les plus cool et sexy du lycée peuvent comprendre.

Elle me donne un coup dans le bras.

– Alors, tu dois piger que dalle. Qu'est-ce qui est arrivé à ton œil ?

– Ton petit ami. Gabe.

Elle fait la grimace.

– Je ne l'ai jamais aimé.

– C'est vrai ?

– La ferme. J'espère que tu lui as cassé le nez.

– Non, j'essaie de m'élever au-dessus de tout ça.

– Chochotte.

Elle m'accompagne en bavardant non-stop : « T'es vraiment amoureux de Violet Markey, du style le grand amour pour toujours et à jamais ou bien juste elle m'intéresse, là, sur le moment ? Et Suze Haines, alors ? T'avais pas un petit faible pour elle ? Et les trois Briana et les filles de l'atelier macramé ? Et si Emma Watson te tombait dans les bras, là, maintenant, tu ferais quoi ? Tu la peloterais ou tu lui dirais de te laisser tranquille ? Tu crois que mes cheveux seraient mieux en violet ou en bleu ? À ton avis, faut que je perde du poids ? Sois honnête. Tu crois qu'un jour y aura un mec qui voudra coucher avec moi ou m'aimer pour ce que je suis ? »

Je réponds : « Ouais », « Je ne crois pas », « Bien sûr », « On ne sait jamais », tout en pensant à Violet Markey, la crocheteuse de serrures.

VIOLET

2 FÉVRIER

Mme Kresney joint les mains et m'adresse son sourire trop radieux.

– Comment allez-vous, Violet ?

– Ça va, et vous ?

– Très bien, mais parlons de vous. J'aimerais savoir comment vous vous sentez.

– Je me sens bien. Je ne m'étais pas sentie aussi bien depuis longtemps.

– Ah oui ?

Elle est surprise.

– Oui, j'ai même recommencé à écrire. Et à monter en voiture.

– Vous dormez bien ?

– Oui, très bien.

– Des cauchemars ?

– Non.

– Pas un seul ?

– Pas depuis un moment.

Pour la première fois, c'est la vérité.

En littérature russe, Mme Mahone nous donne une dissert de cinq pages à rédiger sur *Pères et Fils* de Tourgueniev. Elle me regarde mais je ne lui ressors pas les « circonstances atténuantes ». Je copie le sujet comme tout le monde. À la fin du cours, Ryan me demande :

– Je peux te parler ?

Mme Mahone me suit des yeux tandis que je passe devant son bureau. Je lui adresse un petit signe.

– Qu'est-ce qu'il y a, Ryan ?

Dans le couloir, nous sommes emportés par le flot des élèves. Il me prend la main pour ne pas me perdre. Oh, bon sang. Mais quand la foule s'éclaircit, il me relâche.

– Tu vas où maintenant ? veut-il savoir.

– Déjeuner.

Nous y allons ensemble.

– Je voulais juste te prévenir que j'avais proposé à Suze de sortir avec moi. Je me disais que tu préférerais l'apprendre de moi avant que ça circule dans tout le lycée.

– Super.

Je n'ose pas enchaîner sur Finch parce que je ne sais pas si on sort vraiment ensemble ou quoi.

– Merci de me l'avoir dit. J'espère que Suze se rend compte de la chance qu'elle a.

Il acquiesce en m'adressant son sourire à fossettes, puis il embraye :

– Je ne sais pas si tu es au courant, mais Gabe s'est vengé sur Finch, aujourd'hui, en sport.

– Comment ça, vengé ?

– Bah… Il l'a secoué un peu. Gabe est un connard.

– Et qu'est-ce qui s'est passé ? Ils ont été exclus ?

– Je ne crois pas. C'était pendant le cours de Kappel, il ne peut pas se passer de Gabe. Faut que j'y aille.

Au bout de quelques pas, il se retourne.

– Finch n'a même pas essayé de se défendre. Il est resté planté là, à encaisser.

À la cafet', je ne m'assois pas à ma table habituelle, avec Gabe, Amanda et toute la bande. J'entends Gabe qui parle fort, mais je ne l'écoute pas. Je me dirige vers une table à moitié vide, à l'autre bout de la pièce, quand soudain quelqu'un me hèle. Brenda Shank-Kravitz est assise à une table ronde, près de la fenêtre, avec les trois Briana et une petite brune qui s'appelle Lara, je crois.

– Salut, dis-je. Je peux manger avec vous ?

J'ai l'impression d'être la nouvelle qui essaie de se faire des amis et de trouver sa place.

Brenda ôte son sac, son pull, son téléphone, ses clés et toutes les affaires qui sont entassées sur la table pour les poser par terre. Je m'installe à côté d'elle.

Lara est si frêle qu'on dirait une seconde, même si je sais qu'on est dans la même classe. Elle est en train de raconter comment, il y a cinq minutes, elle a, sans le vouloir et sans préméditation, avoué au mec qui lui plaît qu'elle était amoureuse de lui. Mais au lieu de se cacher sous la table, elle en rigole et continue à manger.

Puis les trois Briana discutent de ce qu'elles vont faire après le lycée – il y en a une qui joue de la musique, l'autre qui veut devenir éditrice et la troisième qui est presque fiancée. Elle aimerait ouvrir une boutique de cookies ou devenir critique littéraire, mais en tout cas, faire un truc qui lui plaît. Son petit ami nous rejoint. Ils sont assis côte à côte, tranquilles, heureux, prêts à passer toute leur vie ensemble.

Je mange en les écoutant. À un moment, Brenda se penche à mon oreille pour murmurer :

– Gabe est une vraie crevure.

Je lève ma bouteille d'eau, elle lève sa canette de soda et nous trinquons ensemble.

VIOLET

LE WEEK-END

Désormais, nos balades sont plutôt un prétexte pour aller quelque part en voiture et sortir ensemble. Je me dis que je ne suis pas encore prête à sauter le pas parce que, à mes yeux, le sexe, c'est sérieux, même si certaines de mes amies couchent depuis la troisième. Mais je ne peux pas nier que mon corps éprouve une étrange attirance envers Finch, comme s'il n'était jamais rassasié. J'ajoute une rubrique « Sexe » à mon projet pour *Germ*. J'écris quelques pages dans notre carnet de balades, qui est petit à petit devenu une sorte de journal intime, un brouillon où je note en vrac mes idées pour mon nouveau site.

Avant qu'Amanda et moi cessions d'être des pseudo-meilleures amies, je suis allée dormir chez elle pour une soirée pyjama, et on a discuté avec ses grands frères. Selon eux, les filles qui couchent sont des traînées et celles qui refusent des allumeuses. Les filles qui étaient présentes ce soir-là ont pris cette théorie très au sérieux car aucune de nous n'avait de grand frère. Une fois que nous avons été à nouveau entre filles, Amanda a affirmé : « Le seul moyen, c'est de rester avec le même mec pour toujours. » Mais le « pour toujours » n'aurait-il pas une date limite de consommation... ?

Quand Finch passe me chercher samedi matin, il est un peu amoché. Nous n'allons pas très loin, juste à l'arboretum, et dès qu'il a garé la voiture, avant même qu'il ne se tourne vers moi, je le questionne :

– Qu'est-ce qui s'est passé avec Gabe ?

– Comment tu l'as su ?

– Ryan m'a prévenue. Et puis… désolée, mais ça se voit que tu t'es battu.

– Ça me rend plus sexy ?

– Sérieusement. Qu'est-ce qui s'est passé ?

– T'inquiète. Il a fait son gros connard. Rien d'étonnant. Maintenant que le sujet est clos, j'ai d'autres idées en tête, si tu permets…

Il passe à l'arrière de Little Bastard et m'entraîne avec lui.

J'ai l'impression de ne vivre que pour ces moments – le moment où je vais m'allonger avec lui et où je sais ce qui va arriver, sa peau contre la mienne, sa bouche sur la mienne, puis dès qu'il me touche, la décharge électrique dans tout mon corps. C'est comme si je passais le restant de la journée à attendre cet instant précis.

On s'embrasse jusqu'à ce que nos lèvres endolories ne sentent plus rien, on s'arrête juste au bord, juste avant Un Jour, pas encore, pas ici, même si cela demande une volonté que je ne pensais pas avoir. J'en ai la tête qui tourne, remplie de lui et de ce Presque…

Une fois rentré chez lui, il m'envoie un message :

Je pense en permanence à Un Jour.

Je réponds : Un Jour très proche.

Finch : Un Jour quand ?

Moi : ????

Finch : *#@*!!!

Moi : ☺

Dimanche matin, neuf heures. Chez moi. Quand je descends dans la cuisine, mes parents sont en train de tartiner des bagels. Ma mère me regarde par-dessus le mug qu'Eleanor et moi, on lui avait offert pour une fête des mères. *Rock Star Mum.* Elle m'annonce :

– Il y a un paquet pour toi.

– Mais on est dimanche.

– Quelqu'un l'a laissé sur le paillasson.

Je la suis dans la salle à manger, en remarquant qu'elle a la même démarche qu'Eleanor – les cheveux qui dansent, les épaules en arrière. Eleanor ressemblait plus à papa, et moi à maman, mais elle avait les mêmes attitudes, les mêmes expressions que notre mère si bien que les gens s'exclamaient toujours : « Oh, c'est ton portrait craché ! » Je réalise que maman n'entendra peut-être plus jamais cette phrase.

Il y a un truc enveloppé dans du papier kraft sur la table de la salle à manger. Le paquet biscornu est entouré de ruban rouge, avec écrit Ultraviolet sur le côté.

– Tu sais de qui ça vient ?

Mon père apparaît dans l'encadrement de la porte, des miettes plein la barbe.

– James..., murmure ma mère en lui faisant signe de s'épousseter.

Je suis obligée d'ouvrir le paquet devant eux – j'espère que ce n'est pas un truc gênant parce que, venant de Theodore Finch, on ne sait jamais.

Je tire le ruban, déchire le papier, brusquement redevenue une petite fille de six ans à Noël. Eleanor savait toujours ce qu'elle allait avoir. Une fois qu'on avait crocheté la serrure du placard de ma mère, elle ouvrait tous les cadeaux, mais pas devant moi. Elle voulait toujours me dire ce qu'il y avait dans les miens, mais je refusais. À l'époque, j'aimais encore les surprises.

Dans le paquet, je trouve une paire de lunettes en plastique, du genre lunettes de piscine.

– Cadeau de qui ? s'enquiert maman.

– Finch.

– Des lunettes de piscine. Waouh, c'est du sérieux, remarque-t-elle avec un petit sourire plein d'espoir.

– Désolée, maman, mais c'est juste un copain.

Je ne sais pas pourquoi j'ai dit ça, mais je n'ai pas envie qu'ils me demandent pourquoi il m'offre ça, surtout que je n'en ai moi-même aucune idée.

– Ça viendra peut-être. Il faut laisser le temps au temps, dit-elle, reprenant une phrase fétiche d'Eleanor.

Je dévisage ma mère pour voir si elle se rend compte qu'elle vient de la citer, mais si c'est le cas, elle ne le montre pas. Elle est trop occupée à examiner les lunettes en demandant à mon père s'il se rappelle l'époque où il lui envoyait toutes sortes de trucs pour la convaincre de sortir avec lui.

Dans ma chambre, j'écris : Merci pour les lunettes. C'est pour quoi faire ? Rassure-moi, tu ne veux pas que je les porte pour Un Jour ?

Finch me répond : Tu verras. Ça nous servira bientôt. On attend le premier jour de chaleur. Il y en a toujours un qui se faufile à la fin de l'hiver. On le coince et on fonce. N'oublie pas les lunettes.

FINCH

PREMIER JOUR DE CHALEUR

La deuxième semaine de février, le blizzard s'abat sur la ville et nous prive de courant pendant deux jours. L'avantage, c'est que le lycée est fermé, le problème, c'est que la neige est si épaisse et l'air si glacial qu'on peut à peine rester dehors cinq minutes. En me répétant que c'est simplement de l'eau sous une forme différente, je marche jusque chez Violet, où nous construisons le plus grand bonhomme de neige du monde. Nous le baptisons M. Black et décidons que ce pourrait être une curiosité que les autres viendraient voir au cours de leurs balades. Ensuite, nous nous blottissons au coin du feu avec ses parents, comme si je faisais partie de la famille.

Une fois que les routes sont dégagées, Violet et moi, nous roulons au pas, très très prudemment, le pont peint en arc-en-ciel, la table des éléments périodiques de l'université d'Indiana, les Sept Piliers, le site où ont été lynchés et enterrés les frères Reno, les premiers braqueurs de train des États-Unis. Nous escaladons les parois à pic de l'Empire Quarry, la carrière d'où ont été extraites les dix-huit mille six cent trente tonnes de pierre qui ont servi à construire l'Empire State Building. Nous rendons visite à l'Indiana Moon Tree, un sycomore âgé de plus de trente ans, issu d'une graine qui a fait un aller-retour sur la lune. C'est une véritable star car, sur les cinq cents qu'ils étaient au départ, il n'en reste que cinquante.

Nous nous rendons à Kokomo pour entendre *the Hum,* cet étrange bourdonnement inexpliqué dans les airs. Nous mettons Little Bastard au point mort au pied de la colline Magique pour remonter jusqu'au sommet. On dirait les montagnes russes les plus lentes du monde, mais ça marche : une minute plus tard, nous sommes au sommet ! Ensuite, pour la Saint-Valentin, j'emmène Violet dîner dans mon resto préféré, Happy Family, qui est à une vingtaine de kilomètres de chez moi. C'est le meilleur resto chinois à l'est du Mississippi.

Le premier jour de chaleur tombe un samedi, et donc nous filons au Blue Hole[1] à Prairieton, un lac d'un hectare sur une propriété privée. J'ai apporté nos offrandes : les moignons des crayons qu'elle a utilisés pour le SAT et quatre cordes de guitare cassées. Il fait si doux qu'on n'a même pas besoin de blouson, juste un petit pull et, après l'hiver que nous venons de subir, la chaleur paraît presque tropicale.

Je lui tends la main, nous grimpons le talus et puis nous dévalons la pente jusqu'à un bassin bleu et rond, une sorte de piscine naturelle au milieu des arbres. Un petit coin tellement à l'écart et silencieux qu'on pourrait imaginer qu'on est seuls au monde – et j'aimerais tant que ce soit vrai.

– Waouh...

Elle expire longuement comme si elle retenait sa respiration depuis des heures. Elle a ses lunettes de natation autour du cou.

– C'est quoi, cet endroit ?

1. « Trou Bleu » (*NdT*).

– Le Blue Hole, dis-je. Il y a plusieurs rumeurs à son sujet : on raconte qu'il serait sans fond, ou tapissé de sables mouvants ; qu'au milieu du lac, une force étrange t'aspire et t'emporte dans un ruisseau souterrain qui se jette dans la rivière Wabash. On dit qu'il mène dans un autre monde. Que les pirates y cachaient leur butin et les bandits de Chicago leurs cadavres et leurs voitures volées. En 1950, un groupe d'ados qui était venu y nager a disparu mystérieusement. En 1969, deux shérifs adjoints ont décidé d'explorer le trou, mais ils n'y ont trouvé ni trésor ni corps. Et ils n'ont pas non plus trouvé le fond. En revanche, ils sont bien tombés sur un courant tourbillonnant qui a failli les aspirer.

Aujourd'hui, j'ai troqué bonnet, mitaines et pull noir pour un jean et un polo bleu marine. Je me suis fait couper les cheveux tout courts. Quand elle m'a vu, Violet s'est exclamée : « Finch l'Américain modèle... OK. » Maintenant, j'envoie balader mes chaussures et je me mets torse nu. Il fait presque trop chaud au soleil, j'ai bien envie d'aller me baigner.

– Il y a des trous d'eau sans fond un peu partout dans le monde, avec toujours les mêmes légendes. En réalité, ils communiquent avec des cavernes formées à l'ère glaciaire. Ce sont des sortes de trous noirs terrestres, des failles spatio-temporelles, où l'on peut échapper à l'espace et au temps. Tu imagines la chance qu'on a : il y en a un tout près de chez nous !

Elle jette un coup d'œil vers la maison, la voiture et la route, puis me sourit.

– Génial.

Elle envoie valser ses chaussures, elle aussi, puis le haut, et le bas. Et deux secondes plus tard, elle est en culotte et soutien-gorge, d'un rose un peu délavé, mais bizarrement, je n'ai jamais vu de lingerie aussi sexy.

Me voyant bouche bée, elle explose de rire.

– Ben quoi ? Allez, fais pas ton timide. Enlève ton jean et allons-y. J'imagine que tu veux vérifier toutes ces rumeurs.

Comme je ne réponds pas, complètement hébété, elle prend la pose, une main sur la hanche, à la Amanda Monk, et explicite :

– On va voir s'il y a un fond ou pas.

– Ah, euh… oui, bien sûr.

Je baisse mon jean pour me retrouver en caleçon et je lui prends la main. Nous nous hissons sur les rochers qui bordent le Blue Hole. Je sens déjà la brûlure cuisante du soleil sur ma peau.

Avant de sauter, je demande :

– C'est quoi, ta plus grande peur ?

– Mourir. Perdre mes parents. Passer toute ma vie ici. Ne jamais trouver ma voie. Être ordinaire. Perdre tous ceux que j'aime.

Je me demande si elle m'inclut dans cette dernière catégorie. Elle sautille sur place, comme si elle avait froid. J'essaie de ne pas regarder ses seins, parce que Finch l'Américain modèle n'est certainement pas un pervers.

– Et toi ? demande-t-elle en mettant ses lunettes. Tu as peur de quoi ?

J'ai peur de « Fais bien attention ». J'ai peur du grand saut. J'ai peur du Grand Sommeil et du « danger inévitable et imminent ». J'ai peur de moi.

– De rien, dis-je.

Je lui prends la main et nous sautons dans le vide ensemble. Et en cet instant, je n'ai vraiment peur de rien, sauf de lui lâcher la main. Contre toute attente, l'eau est bonne, et sous la surface, tellement claire et… hum, bleue. Je la regarde, espérant qu'elle a les yeux ouverts, et oui, en effet. Sans la lâcher, je désigne les profondeurs. Quand elle hoche la tête, ses cheveux se déploient telles des algues. Nous nageons main dans la main, étrange créature à trois bras.

Nous descendons vers les profondeurs, là où le fond devrait se trouver. Au fur et à mesure que nous nous enfonçons, autour de nous, le bleu fonce petit à petit. L'eau est plus sombre, plus lourde. Soudain, je sens qu'elle me tire par le bras, je la laisse m'entraîner vers la surface où nous émergeons pour reprendre notre respiration.

– Eh ben, comment tu fais pour retenir ton souffle comme ça ? s'étonne-t-elle.

– Question d'entraînement, dis-je.

Je le regrette aussitôt parce que c'est le genre de phrase, comme *Je suis une illusion* qui sonne mieux dans ma tête que prononcée tout haut.

Elle sourit et m'éclabousse, je l'éclabousse et on joue à ça un moment, puis je plonge sous l'eau et je l'attrape par les jambes. Elle m'échappe, filant dans une brasse parfaite. Mais c'est vrai, c'est une fille de Californie, elle a dû passer son enfance dans l'eau. Soudain, je suis jaloux de toutes ces années qu'elle a vécues sans moi. Je me lance à sa poursuite. Nous nous retrouvons face à face, les yeux dans les yeux, et brusquement il n'y a pas assez d'eau entre nous pour laver mon esprit de toutes les pensées coquines qui le traversent.

– Je suis contente d'être venue, dit-elle.

On fait la planche, en se tenant à nouveau la main, offrant nos visages au soleil. Les yeux fermés, je murmure :

– Marco.

– Polo[1], répond-elle d'une voix paresseuse et lointaine.

Au bout d'un moment, je propose :

– Tu veux retourner chercher le fond ?

---

1. Jeu auquel les enfants jouent dans l'eau. L'un crie « Marco », les yeux fermés, en répondant « Polo », l'autre indique où il se trouve et Marco doit l'attraper (*NdT*).

– Non, je suis bien là, comme ça.

Puis elle me demande :

– Ils ont divorcé quand, tes parents ?

– À peu près à cette époque, l'an dernier.

– Tu l'avais vu venir ?

– Oui… et non à la fois.

– Et ta belle-mère, tu l'aimes bien ?

– Ça va. Elle a un fils de sept ans, qui pourrait être le fils de mon père, ou pas, parce que je suis sûr qu'il trompait ma mère avec elle depuis des années. Il était déjà parti une fois, quand j'avais dix ou onze ans, en disant qu'il ne nous supportait plus. Je pense qu'il était allé vivre avec elle. Il est revenu, mais quand il est parti pour de bon, il nous a clairement fait sentir que c'était notre faute. Il était revenu à cause de nous, et il partait à cause de nous. Il ne supportait pas la vie de famille.

– Tout ça pour épouser une femme qui a déjà un enfant. Il est comment, le gamin ?

C'est le fils que je ne serai jamais.

– C'est un gamin, quoi.

Je n'ai pas envie de parler de Josh Raymond.

– Je vais essayer de toucher le fond, dis-je. Ça t'embête ?

– Non, non, ça va. Vas-y. Je reste là.

Je prends une profonde inspiration avant de plonger, heureux de retrouver l'obscurité de l'eau, sa chaleur. Je nage pour échapper à Josh Raymond, à mon traître de père, aux parents attentifs de Violet, qui sont aussi ses amis, à ma misérable mère démissionnaire, je nage pour m'échapper de ma propre peau. Je ferme les yeux en m'imaginant que c'est Violet qui m'entoure à la place, puis je les rouvre brusquement et je me propulse, les bras tendus en avant, à la Superman.

J'ai beau sentir mes poumons réclamer de l'air, je continue.

C'est exactement comme lutter pour rester éveillé, lorsque je sens l'obscurité s'insinuer sous ma peau, tenter de m'emprunter mon corps sans demander la permission de sorte que mes mains deviennent ses mains, mes jambes ses jambes.

Je m'enfonce plus profondément encore, les poumons en feu. Une alarme se déclenche alors quelque part dans mon esprit, mais je la calme, avant de descendre encore. Je veux voir jusqu'où je peux aller. *Elle m'attend.* Cette pensée me traverse, mais l'obscurité fait son chemin sous ma peau, se faufile dans mes doigts, tentant de prendre le contrôle.

Aux États-Unis, la noyade représente moins de deux pour cent des suicides, car le corps humain est conçu pour flotter. C'est la Russie qui affiche le plus grand taux de mort par noyade, volontaire ou accidentelle, avec un chiffre qui atteint le double du second du classement, le Japon. Les îles Caïman, au milieu de la mer des Caraïbes, ont le taux de noyade le plus faible.

J'aime les profondeurs, là où l'eau pèse de tout son poids. C'est encore mieux que courir, car l'eau chasse tout le reste. C'est l'un de mes superpouvoirs pour contrer le Grand Sommeil et bloquer sa progression.

Je veux aller encore plus profond; plus c'est profond, meilleur c'est. Je veux continuer. Pourtant, quelque chose me retient. Violet. Mes poumons en feu. Je contemple avec envie les eaux sombres où le fond devrait se trouver, puis je relève les yeux vers la lumière, faible, mais bien là, qui m'attend avec Violet, au-dessus de ma tête.

Je dois rassembler mes forces pour remonter parce que j'ai besoin d'air, vraiment. La panique revient, plus intense cette fois, je fonce vers la surface. *Allez. Allez, remonte, s'il te plaît.* Mon corps veut remonter, mais il est épuisé. *Pardon. Pardon, Violet. Je ne te laisserai plus jamais. Je ne sais pas ce qui m'a pris. J'arrive.*

Quand j'émerge enfin à l'air libre, elle est assise sur le bord, en larmes.

– Salaud, sanglote-t-elle.

Mon sourire s'évanouit, je la rejoins à la nage, la tête hors de l'eau, craignant de la replonger, ne serait-ce qu'une seconde, craignant qu'elle ne panique encore plus.

– Salaud, répète-t-elle plus fort, en se levant, toujours en sous-vêtements.

Elle croise les bras, pour se réchauffer, pour se cacher, pour m'échapper.

– Qu'est-ce qui t'a pris ? Tu imagines la frayeur que j'ai eue ? Je t'ai cherché partout, j'ai plongé aussi profond que j'ai pu et je suis remontée, au moins trois fois de suite.

Je veux qu'elle dise mon nom, comme ça, je saurai que ça va. Que je n'ai pas été trop loin, que je n'ai pas tout gâché. Que je ne l'ai pas perdue pour toujours. Mais elle ne le prononce pas, un froid glacial se propage dans mon ventre – aussi froid et sombre que l'eau. Je m'approche du bord, là où j'ai pied, là où il y a un fond, et je me hisse à côté d'elle, tout dégoulinant sur les rochers.

Elle me pousse de toutes ses forces, je vacille, mais je ne tombe pas. Je reste là, j'encaisse les coups dont elle me mitraille, puis elle éclate en sanglots, elle tremble comme une feuille.

J'aimerais l'embrasser, mais je ne l'ai jamais vue dans cet état, et j'ignore comment elle va réagir si je la touche. Je me dis : *Pour une fois, tout n'est pas à cause de toi, Finch.* Alors je garde mes distances et je dis :

– Vas-y, libère-toi. Balance tout ce qui te pèse. Tu es furax contre moi, contre tes parents, contre la vie, contre Eleanor. Vas-y. Je veux bien prendre pour tout le monde. Mais ne te referme pas.

Je veux dire en elle-même, là où je ne pourrai jamais l'atteindre.

– Va te faire foutre, Finch.

– C'est mieux. Ça vient. Ne t'arrête pas en si bon chemin. Arrête d'attendre. Tu es en vie. Tu as survécu à un terrible accident. Mais tu es là. Tu existes comme tous les autres. Vas-y. Agis. Vide le réservoir. Encore et encore, pour ne plus avoir à y penser.

Elle me frappe.

– Arrête de croire que tu sais ce que je ressens.

Elle me martèle de coups de poing, mais je tiens bon, j'encaisse.

– Je sais que ce n'est pas que moi. C'est tout ce que tu retiens et ressasses depuis des années qui ressort.

Elle cogne, cogne, et soudain enfouit son visage dans ses mains.

Je murmure alors :

– Tu ne sais pas ce que c'est. Comme si j'avais un double furieux en moi, une véritable boule de haine, qui essaie de sortir. Qui grossit de plus en plus, qui gonfle dans mes poumons, dans ma poitrine, qui monte dans ma gorge et que je suis obligé de repousser. Je ne veux pas qu'il sorte. Je ne peux pas le laisser sortir.

– Et pourquoi ?

– Parce que je le déteste, parce que ce n'est pas moi… mais il est là, à l'intérieur, il ne me lâche pas… et je ne pense plus qu'à me ruer sur quelqu'un, n'importe qui, et le démolir, parce que j'en veux à la terre entière.

– Alors au lieu de dire tout ça, casse quelque chose, démolis ce que tu veux, lance un truc. Ou hurle. Fais sortir tout ça.

Je hurle. Je hurle encore et encore. Puis je prends une pierre et je la jette contre les rochers.

Je lui tends une pierre, elle se lève, la paume vers le ciel, hésitante. Je lui reprends la pierre, je la jette contre les rochers, puis je lui en donne une autre. Et voilà qu'elle la jette, puis une autre, et encore une autre, elle hurle, elle tape des pieds, une vraie furie. Nous nous déchaînons tous les deux sur la rive, quand soudain, elle se tourne vers moi en demandant :

– Qu'est-ce qu'on fait là, sur cette terre, après tout ? C'est quoi, le but ?

Et là, c'est plus fort que moi, même si elle est furieuse, même si elle m'en veut, je l'attire contre moi et je l'embrasse comme j'ai toujours eu envie de l'embrasser, plus genre « interdit aux moins de dix-huit ans » que « déconseillé aux moins de douze ans ».

Je sens qu'elle se raidit, elle ne me rend pas mes baisers, et ça me brise le cœur. Mais je n'ai pas le temps de desserrer mon étreinte qu'elle se laisse aller, elle se fond en moi comme je me fonds en elle, sous le soleil chaud de l'Indiana. Elle est là, dans mes bras, et elle ne va nulle part, et tout va bien. « *Je suis emportée. Nous nous abandonnons à cette marée lente... Dedans, puis dehors... nous ne pouvons plus sortir de ses remparts sinueux, hésitants, abrupts, de leur cercle parfait*[1] ». Brusquement, je la repousse.

– Qu'est-ce qui te prend, Finch ?

Elle est mouillée, furieuse, elle me dévisage de ses grands yeux gris vert.

– Tu mérites mieux. Je ne peux pas te promettre d'être toujours là, pas parce que je ne veux pas, mais... c'est difficile à expliquer. Je suis un raté. Je suis détraqué et personne ne peut me réparer. J'ai essayé. J'essaie toujours. Je ne peux aimer personne parce que ce ne serait pas juste pour la personne qui m'aimerait en retour. Je ne te ferai jamais de mal, pas comme à Gabe. Mais je ne peux pas te promettre que je ne vais pas te détruire petit à petit, jusqu'à ce que tu sois en pièces, comme moi. Je veux que tu le saches avant de t'embarquer là-dedans.

– Au cas où tu n'aurais pas remarqué, on est déjà embarqués là-dedans, Finch. Au cas où tu n'aurais pas remarqué, je suis détraquée aussi.

---

1. *Les Vagues* de Virginia Woolf, traduit par Michel Cusin, 2012, Gallimard (*NdT*).

Puis elle ajoute :

– Comment tu t'es fait cette cicatrice ? Pour de vrai.

– La vérité est inintéressante. Mon père a des crises. Des sautes d'humeur. Humeur noire de chez noire. Genre pas de lune, pas d'étoiles, les gros nuages noirs et la tempête. J'étais beaucoup moins grand que maintenant, à l'époque. Je ne savais pas comment lui échapper.

Voilà typiquement le genre de choses que j'aurais préféré passer sous silence.

– J'aimerais te promettre soleil, ciel bleu, une succession de jours parfaits, mais je ne serai jamais Ryan Cross.

– S'il y a bien une chose dont je suis sûre, c'est que personne ne peut rien promettre. Et je ne veux pas de Ryan Cross. C'est à moi de savoir ce que je veux, pas à toi.

Et elle m'embrasse. Le genre de baiser qui fait perdre toute notion de temps, toute notion de tout.

Une heure ou cinq minutes plus tard, elle reprend :

– Et au fait, Ryan Cross est kleptomane. Il vole des trucs pour le plaisir. Même pas des trucs dont il a envie, n'importe quoi. Sa chambre ressemble à un entrepôt. Au cas où tu t'imaginerais qu'il est parfait.

– Ultraviolet Re-Mark-able, je crois que je t'aime.

Pour qu'elle n'ait pas l'impression de devoir me rendre mon « je t'aime », je l'embrasse encore et encore, hésitant à aller plus loin, craignant de tout gâcher. Puis, parce que, maintenant, c'est moi qui réfléchis trop, et qu'elle n'est pas comme les autres et que je ne veux vraiment vraiment pas tout gâcher, je me concentre sur l'instant présent : on est en train de s'embrasser au bord du Blue Hole, et ça me suffit.

VIOLET

LE JOUR OÙ

Vers trois heures, comme ça se rafraîchit, nous rentrons chez Finch prendre une douche et nous réchauffer. La maison est vide, tout le monde va et vient comme il veut. Il prend à boire dans le frigo et un paquet de bretzels dans le placard ; je le suis à l'étage, trempée et grelottante.

Sa chambre est bleue, maintenant – murs, plafond, sol –, et il a changé la disposition des meubles, de façon à diviser la pièce en deux. Il y a moins de bazar, le mur d'idées a disparu. Avec tout ce bleu, j'ai l'impression d'être dans une piscine, ou au Blue Hole, tiens.

Je me douche la première, essayant de me réchauffer sous l'eau brûlante. Quand je sors de la salle de bains, drapée dans une serviette, Finch a mis un disque sur sa vieille platine.

Il reste bien moins longtemps sous la douche que dans le Blue Hole. Je ne suis même pas rhabillée qu'il réapparaît, une serviette autour de la taille, en remarquant :

– Tu ne m'as jamais demandé ce que je faisais perché en haut de ce clocher.

Il se tient devant moi, prêt à se confier, mais bizarrement, je ne suis pas sûre d'avoir envie de le savoir.

– Qu'est-ce que tu faisais perché en haut de ce clocher ?

Ma question est à peine un murmure.

– La même chose que toi. Je voulais voir comment ça faisait. Imaginer que je sautais. Laisser toutes les emmerdes derrière moi. Mais quand j'ai essayé d'imaginer, ça ne m'a pas plu du tout. Puis je t'ai vue.

Il me prend la main et me fait tournoyer, partir, revenir, comme si on dansait le rock. Puis me serre contre lui. J'ai le cœur battant parce que, si je penche la tête en arrière, comme lui, il va m'embrasser… comme il est justement en train de le faire. Je sens ses lèvres esquisser un sourire. Je rouvre les paupières au même moment que lui et ses yeux bleu de bleu brillent d'un éclat si intense qu'ils en sont presque noirs. Ses cheveux mouillés lui tombent sur le front. Il appuie sa tête contre la mienne. Je m'aperçois soudain que sa serviette est tombée par terre et qu'il est nu.

Je pose la main sur son cou, assez longtemps pour sentir son pouls qui bat au même rythme que le mien – rapide et fiévreux.

– On n'est pas obligés.

– Je sais.

Puis je ferme les yeux tandis que ma serviette tombe à son tour et que la chanson s'arrête. Je l'entends toujours dans ma tête alors que nous sommes au lit, sous les draps, et que les autres titres du disque ont pris la suite.

FINCH

LE JOUR OÙ

Elle est constituée d'oxygène, carbone, hydrogène, nitrogène, calcium et phosphore. Les mêmes éléments chimiques que nous tous, cependant je ne peux m'empêcher de penser qu'elle est plus que ça, qu'il y a en elle d'autres composants dont personne n'a jamais entendu parler, qui font qu'elle est à part. Je suis pris de panique en pensant : *Et si l'un de ces composants venait à manquer ou cessait de fonctionner?* Je chasse cette pensée pour me concentrer sur la douceur de sa peau, pour ne plus voir un assemblage de molécules, mais Violet tout entière.

Tandis que les morceaux se succèdent sur la platine, une chanson prend forme en moi.

Tu me rends fou d'amour...

Cette phrase tourne en boucle dans ma tête alors que nous passons en position allongée.

Tu me rends fou d'amour...
Tu me rends fou d'amour...
Tu me rends fou d'amour...

J'aimerais me lever pour la noter et l'afficher au mur. Mais je me retiens.

Plus tard, alors que nous sommes étendus là, emmêlés, essoufflés, genre « Waouh » et « Oooh », elle murmure :

– Faut que je rentre.

Nous profitons encore un peu de l'instant, puis elle répète :

– Faut que je rentre.

Dans la voiture, nous nous tenons la main, sans parler de ce qui vient de se passer. Au lieu de la ramener directement chez elle, je fais un détour. En apercevant la Purina Tower, elle me demande ce qu'on fabrique là.

Je prends la couverture et l'oreiller à l'arrière en annonçant :

– Je vais te raconter une histoire.

– Là-haut ?

– Oui.

Nous grimpons l'échelle métallique jusqu'au sommet. Il doit faire froid car je vois mon haleine blanche et vaporeuse, mais j'ai chaud au cœur, partout à l'intérieur. Derrière le sapin de Noël, j'étale la couverture. Nous nous blottissons au milieu et je l'embrasse.

Elle me repousse en souriant.

– Allez, raconte !

Nous nous allongeons, sa tête sur mon épaule. Comme si mes désirs étaient des ordres, les étoiles illuminent le ciel, scintillantes. Il y en a des millions.

Je commence :

– Il était une fois un célèbre astronome britannique, qui s'appelait Patrick Moore. Il a animé une émission sur la BBC, intitulée *The Sky at Night*, pendant près de cinquante-cinq ans. Enfin bref, le 1er avril 1976, sir Patrick Moore a annoncé qu'un événement extraordinaire allait se produire dans le ciel. À exactement 9 h 47 du matin, vu de la Terre, Pluton passerait derrière Jupiter. C'était un alignement de planètes extrêmement rare, et la gravité combinée de ces deux planètes devait contrer un instant les effets de la gravité ici sur Terre ; du coup, les habitants pèseraient moins lourd. Il appelait ça l'effet gravitationnel jovien-plutonien.

Violet, elle, pèse de tout son poids sur mon bras, je me demande si elle s'est endormie.

– Patrick Moore a expliqué aux spectateurs qu'ils pourraient sentir ce phénomène en sautant en l'air au moment exact où les planètes seraient alignées. Ils auraient ainsi l'impression de ne plus rien peser, de flotter dans les airs.

Elle remue légèrement.

– À 9h47, il a ordonné : « Sautez ! » Puis il a attendu. Une minute s'est écoulée. Le standard de la BBC a été submergé d'appels de spectateurs prétendant avoir ressenti ce fameux effet. Une dame a téléphoné des Pays-Bas pour raconter qu'avec son mari, ils avaient dansé dans les airs ensemble. Un Italien a dit qu'avec ses amis, ils étaient assis à table et qu'ils s'étaient tous envolés – table comprise. Un Américain a dit que ses enfants avaient plané dans leur jardin comme des cerfs-volants.

Violet s'est redressée, elle me dévisage.

– Et c'était vrai ?

– Bien sûr que non, c'était un poisson d'avril.

Elle me donne une tape avant de se rallonger.

– Tu m'as bien eue !

– Non, je t'ai raconté ça pour t'expliquer ce que je ressens en ce moment. Comme si Pluton et Jupiter étaient alignés avec la Terre. Je flotte.

Une minute plus tard, elle murmure :

– T'es vraiment bizarre, Finch. Mais c'est le truc le plus mignon qu'on m'ait jamais dit.

VIOLET

LE MATIN D'APRÈS

Je me réveille la première. La couverture nous abrite comme une tente. Je reste allongée ainsi un instant, blottie au creux de ses bras, à écouter sa respiration. Il est si calme, tranquille, méconnaissable. Ses paupières frémissent au rythme de ses rêves, je me demande s'il rêve de moi.

Comme s'il avait senti mon regard sur lui, il ouvre les yeux.

– Tu es réelle, remarque-t-il.

– Oui, c'est bien moi.

– Pas un effet gravitationnel jovien-plutonien ?

– Non.

– Dans ce cas...

Il sourit malicieusement.

– ... j'ai entendu dire que Pluton, Jupiter et la Terre seraient bientôt parfaitement alignés. Je me demande si tu voudrais te joindre à moi pour une expérience de flottaison.

Il me serre plus fort contre lui, entraînant la couverture. Je cligne des yeux, saisie par la lumière et le froid.

Et soudain je réalise.

C'est le matin.

Genre le soleil se lève.

Ce qui veut dire qu'il s'est couché à un moment et que je ne suis pas rentrée à la maison et que je n'ai pas appelé mes parents pour leur dire où j'étais.

Genre nous avons passé la nuit en haut de la Purina Tower.

– C'est le matin, je constate, prise d'une soudaine nausée.

Finch s'assied, livide.

– Merde.

– Putain-putain-putain.

– Merde-merde-merde.

J'ai l'impression qu'il nous faut des années pour redescendre les vingt-cinq mille barreaux de l'échelle et rejoindre la terre ferme. J'appelle mes parents alors que nous quittons le parking sur les chapeaux de roues.

– Maman ? C'est moi.

Elle éclate en sanglots à l'autre bout du fil. Puis c'est mon père qui prend l'appareil.

– Ça va ? Tout va bien ?

– Oui, oui. J'arrive. Je suis là dans cinq minutes.

Finch bat des records de vitesse pour me ramener à la maison, sans dire un mot – peut-être parce qu'il est concentré sur la route. Je ne dis rien non plus jusqu'à ce qu'on soit dans ma rue. Puis là, je réalise à nouveau ce que j'ai fait. La tête enfouie dans mes mains, je gémis :

– Punaise.

Finch freine brutalement, on se rue hors de la voiture, on se rue vers la porte. Elle est ouverte, j'entends des éclats de voix à l'intérieur.

– Tu ferais mieux d'y aller, dis-je. Laisse, je vais leur parler.

Mais juste à ce moment-là, mon père surgit sur le perron. On dirait qu'il a pris vingt ans en une nuit. Il scrute mon visage pour s'assurer que je vais bien. Puis il m'attire contre lui et me serre dans ses bras, presque à m'étouffer. Et il ordonne sans me lâcher :

– Rentre à l'intérieur, Violet. Dis au revoir à Finch.

C'est sans réplique, définitif. Genre : « Dis au revoir à Finch parce que tu ne le reverras plus jamais. »

Dans mon dos, j'entends Finch répondre :

– On a perdu la notion du temps. Ce n'est pas la faute de Violet. C'est moi. Elle n'y est pour rien.

Ma mère arrive aussi. J'interviens :

– Non, ce n'est pas sa faute.

Mais mon père ne m'écoute pas. Il fixe Finch par-dessus ma tête.

– Je ficherais le camp si j'étais toi, fiston.

Comme il ne bouge pas, mon père s'avance. Je m'interpose.

– James !

Ma mère le tire par le bras pour l'empêcher de m'écarter du passage et de se jeter sur Finch. Nous le repoussons à l'intérieur de la maison. Ma mère m'étrangle en me serrant contre elle, pleurant dans mes cheveux. Je ne vois plus rien, elle m'étouffe. Puis j'entends la voiture de Finch qui repart.

Une fois à l'intérieur, mes parents se calment (un peu). Je m'assieds face à eux. C'est mon père qui mène la conversation tandis que ma mère fixe le sol, les mains gisant mollement sur ses genoux.

– Ce garçon a des problèmes, Violet. Il est imprévisible. Il a des accès de violence depuis l'enfance. Ce n'est pas le genre de personne que tu devrais fréquenter.

– Comment… ?

Je me souviens alors des numéros de téléphone que Finch leur a donnés, d'une écriture nette et soignée.

– Vous avez appelé sa mère ?

– Qu'est-ce que tu voulais qu'on fasse ? demande ma mère.

Mon père secoue la tête.

– Il nous a menti au sujet de son père. Ses parents ont divorcé l'an dernier. Il le voit une fois par semaine.

J'essaie de me rappeler la phrase de Finch… Quelque chose comme ce qu'on ressent est parfois plus vrai que la réalité.

– Elle a appelé son père, ajoute ma mère.

– Qui ça ?

– Mme Finch. Elle a dit qu'il saurait quoi faire. Qu'il saurait peut-être même où il était.

J'essaie d'emmagasiner toutes ces informations, de trouver un moyen de faire comprendre à mes parents que Finch n'est pas le menteur, l'embrouilleur qu'il semble être. Que ça, justement, c'est un mensonge, une façade.

Mais mon père reprend :

– Pourquoi nous as-tu caché que c'était lui, en haut du clocher du lycée ?

– Qui… ? C'est son père qui vous a raconté ça ?

Le moment est sans doute mal choisi, je ne suis peut-être pas dans mon droit, mais je sens mes joues s'empourprer et mes paumes chauffer, signe que la colère monte.

– Comme tu n'étais toujours pas rentrée à une heure du matin et que tu ne répondais pas sur ton portable, nous avons appelé Amanda pour savoir si tu étais chez elle ou si elle t'avait vue. Elle a dit que tu étais sans doute chez Finch, le gars que tu avais sauvé du suicide.

Maman a le visage ruisselant de larmes, les yeux rouges.

– Violet, nous ne sommes pas les méchants dans cette histoire. Nous essayons de faire pour le mieux.

Mieux pour qui? ai-je envie de répliquer.

– Vous n'avez pas confiance en moi, je constate.

– Tu sais très bien que si.

Elle semble blessée, en colère.

– Nous avons été plutôt cool, dans toute cette histoire. Mais réfléchis une minute pour comprendre d'où nous revenons. Nous ne te surprotégeons pas, nous ne voulons pas t'étouffer, nous voulons juste être sûrs que tout va bien pour toi.

– Et que rien ne m'arrive, comme c'est arrivé à Eleanor. Alors, pourquoi ne pas me garder cloîtrée à la maison, comme ça vous n'aurez plus à vous inquiéter?

Maman secoue la tête. Mon père répète :

– Maintenant, tu ne le vois plus. Plus de balades en voiture. J'irai voir ton prof lundi si besoin. Tu n'auras qu'à rédiger un autre devoir. Compris?

– Circonstances atténuantes.

Je suis à nouveau d'attaque.

– Pardon?

– Oui, compris.

De ma chambre, je scrute la rue dans l'espoir de voir Finch réapparaître. S'il vient, je passerai par la fenêtre et on filera, filera, le plus loin possible en voiture. Je reste assise là longtemps, sans qu'il se montre. Les voix de mes parents grondent au rez-de-chaussée. Je sais qu'ils ne me feront plus jamais confiance.

FINCH

CE QUI SUIT

J'ai repéré son 4x4 avant même de le voir. J'hésite à passer devant la maison sans m'arrêter, à continuer droit devant pour aller je ne sais où. Mais quelque chose me pousse à m'arrêter et à entrer. Je braille :

– Je suis là ! Viens me chercher !

Mon père surgit du salon comme un boulet de canon, avec ma mère et Rosemarie qui papillonnent autour de lui. Maman balbutie des excuses – adressées à qui ? Lui ou moi ? Difficile à dire.

– Qu'est-ce que tu voulais que je fasse ?… Le téléphone sonne à deux heures du matin, c'est forcément une urgence… Kate n'était pas là… Je n'avais pas le choix…

Sans dire un mot, mon père m'envoie valser à travers la cuisine, contre la porte. Je me relève, je m'ébroue et, comme il prend de nouveau son élan, je ris. Ça le surprend tellement que son bras reste figé dans les airs. Et je vois qu'il pense : *Il est encore plus dingue que je ne le croyais.*

– Tu peux passer les cinq prochaines heures ou même les cinq prochains jours à me cogner, je ne sens plus rien, dis-je. C'est fini.

Je le laisse tenter de me flanquer une nouvelle beigne, mais au moment où sa main va s'abattre sur moi, je le saisis par le poignet.

– Je préfère te prévenir, ne recommence jamais ça.

C'est inespéré, ça fonctionne; ce doit être mon ton, ma voix, parce qu'il laisse brusquement retomber son bras.

Je me tourne vers ma mère.

– Je suis désolé qu'on vous ait causé tant de soucis. Violet va bien, elle est chez elle. Moi, je monte dans ma chambre.

Je m'attends à ce que mon père me suive. Mais au lieu de verrouiller la porte et de pousser la commode devant, je la laisse ouverte. Je m'attends à ce que ma mère passe me voir. Mais personne ne monte et ça ne devrait pas m'étonner, parce que, chez nous, on ne se mouille pas.

J'envoie un message d'excuse à Violet : J'espère que ça va, qu'ils ne sont pas trop durs avec toi. J'aurais préféré que ça se passe autrement, mais je ne regrette rien de tout ce qui est arrivé avant.

Elle me répond : Ça va. Et toi? Ton père est là? Je ne regrette rien non plus, même si je préférerais pouvoir revenir en arrière pour rentrer à la maison à temps. Mes parents ne veulent plus qu'on se voie.

Je réponds : Il faudra juste se débrouiller pour les faire changer d'avis. Et au fait, tu m'as prouvé quelque chose, Ultraviolet : désormais, je sais qu'un jour parfait, ça existe.

Dès le lendemain matin, je sonne chez Violet. Mme Markey vient ouvrir, mais au lieu de me laisser entrer, elle reste dans l'entrebâillement, cramponnée à la porte. Elle m'adresse un petit sourire navré.

– Je suis désolée, Theodore.

Elle secoue la tête. Et ce geste veut tout dire : « Désolée, mais tu n'approcheras plus jamais notre fille parce que tu es différent, bizarre, pas digne de confiance. »

J'entends son mari crier :

– C'est lui ?

Elle ne répond pas. À la place, elle scrute mon visage, comme si on lui avait dit de vérifier si j'ai des bleus ou même des traces de blessures plus profondes. C'est gentil, mais en même temps, ça me donne l'impression de ne pas être vraiment là, devant elle.

– Ça va ? me demande-t-elle.

– Oui, oui. Très bien. Pas de problème. Mais ça irait encore mieux si vous me laissiez vous parler, m'expliquer, vous présenter mes excuses et voir Violet. Juste cinq minutes, pas plus. Si je pouvais juste entrer...

Si seulement ils me laissaient m'asseoir, discuter, leur montrer que ce n'est pas si grave, que ça ne se reproduira plus et qu'ils n'ont pas eu tort de me faire confiance.

Par-dessus l'épaule de sa femme, M. Markey me dévisage, sourcils froncés.

– Va-t'en.

Et ils me ferment la porte au nez. Je reste sur le perron, seul, rejeté.

À la maison, quand je tape *eleanorandviolet.com* dans le navigateur Internet, j'obtiens le message serveur introuvable. Je recommence, mais c'est toujours pareil. Elle a disparu, disparu, disparu.

Je lui envoie un message *via* Facebook : Tu es là ?

Violet : Oui, je suis là.

Moi : Je suis venu te voir.

Violet : Je sais. Ils sont furieux après moi.

Moi : Je t'avais dit que je gâchais toujours tout.

Violet : Ce n'est pas toi, c'est nous deux. C'est ma faute, je n'ai pas réfléchi.

Moi : J'aimerais tellement pouvoir revenir en arrière, jusqu'à hier matin. J'aimerais que les planètes s'alignent à nouveau.

Violet : Laisse-leur un peu de temps.

Je tape : C'est la seule chose que je n'ai pas. Mais j'efface sans envoyer.

FINCH

COMMENT SURVIVRE DANS LES SABLES MOUVANTS

Ce soir-là, j'emménage dans mon dressing, qui est chaud et douillet, comme une grotte. Je pousse les vêtements pendus sur des cintres dans un coin et j'étale ma couette par terre. Je pose la bouteille d'eau thermale de Mudlavia au bout et je dépose une photo de Violet contre l'un des murs – prise au Blue Flash – à côté de la plaque d'immatriculation que j'ai ramassée sur les lieux de l'accident. Je prends mon ordinateur portable sur mes genoux et je glisse une cigarette entre mes lèvres – sans l'allumer parce qu'il n'y a déjà pas beaucoup d'air là-dedans.

Bienvenue au camp de survie Finch. J'y suis déjà allé et je connais le rituel comme ma poche. J'y resterai le temps qu'il faudra.

Les spécialistes de MythBusters *affirment qu'on ne peut pas vraiment se noyer dans les sables mouvants, mais allez dire ça à cette jeune mère qui était venue à Antigua assister au mariage de son père (avec sa seconde femme) et s'est fait aspirer par la plage alors qu'elle admirait le soleil couchant. Ou aux ados qui ont été engloutis vivants par une fosse de sables mouvants artificiels sur la propriété d'un homme d'affaires de l'Illinois.*

Apparemment, pour réchapper des sables mouvants, il faut demeurer parfaitement immobile. C'est seulement quand on panique qu'on s'enfonce et qu'on coule. Alors, peut-être que si je reste parfaitement immobile et que je suis scrupuleusement les huit étapes pour réchapper des sables mouvants, je m'en tirerai vivant.

1) *Évitez les sables mouvants.* Trop tard. OK, on passe à l'étape suivante.

2) *Munissez-vous d'un gros bâton si vous vous aventurez dans une zone de sables mouvants.* Théoriquement, le bâton doit permettre de tester le sol avant d'y poser les pieds puis de s'extirper des sables mouvants si jamais on s'enfonce. Le problème, c'est qu'on ne sait jamais à l'avance qu'on va s'aventurer dans une zone de sables mouvants… et quand on le sait, c'est trop tard. Mais j'aime l'idée d'être préparé à toute éventualité. Il me semble que je viens de quitter cette étape pour passer à :

3) *Si vous vous retrouvez dans les sables mouvants, lâchez tout. Car le moindre gramme supplémentaire vous entraînera plus vite vers le fond.* Il faut jeter ses chaussures et tout ce qu'on a entre les mains. Mieux vaut prévoir quand on sait qu'on va se retrouver dans les sables mouvants (voir étape 2). Donc, si vous traversez une zone abritant potentiellement des sables mouvants, allez-y tout nu. Ma retraite dans ce dressing est ma manière de tout lâcher.

4) *Détendez-vous.* Ce qui nous ramène à la consigne « restez parfaitement immobile pour ne pas couler ». La petite info en plus : si vous vous détendez, la flottabilité naturelle de votre corps vous portera. En d'autres termes, c'est le moment de se calmer et de s'en remettre à l'effet gravitationnel jovien-plutonien.

5) *Respirez profondément.* Cela va avec le point n° 4. Le truc,

visiblement, c'est d'emprisonner un maximum d'air dans ses poumons – plus on a d'air, plus on flotte.

6) *Allongez-vous sur le dos*. Si vous commencez à vous enfoncer, laissez-vous simplement tomber sur le dos en vous étendant au maximum pour dégager vos jambes. Une fois qu'elles sont libres, rapprochez-vous millimètre par millimètre de la terre ferme pour vous sortir de là.

7) *Prenez votre temps*. Des mouvements trop vifs ne pourront que desservir votre cause, mouvez-vous avec lenteur et précaution jusqu'à ce que vous soyez libéré.

8) *Faites des pauses fréquentes*. S'extirper des sables mouvants peut être assez long, alors reposez-vous pour éviter de vous essouffler et de vous épuiser inutilement. Gardez la tête haute afin de gagner du temps.

VIOLET

LA SEMAINE D'APRÈS

Quand je reviens au lycée, j'ai l'impression que tout le monde va être au courant. Je traverse le hall, j'ouvre mon casier, je m'assieds en cours, persuadée que mes profs ou mes camarades vont me jeter un regard entendu, du style « ça y est, elle n'est plus vierge ». Je suis un peu déçue qu'il n'en soit rien, finalement.

La seule qui se doute d'un truc, c'est Brenda. Nous sommes à la cafétéria en train de mâchonner les burritos qu'un des employés de la cantine a tant bien que mal essayé de confectionner quand elle me demande ce que j'ai fait ce week-end. La bouche pleine, j'hésite entre avaler ou recracher, bref, je ne réponds pas tout de suite, du coup, elle s'écrie :

– Oh, ça y est ! Tu as couché avec lui !

Lara et les trois Briana arrêtent de manger. Une quinzaine de personnes se tournent dans notre direction parce que Brenda a une voix qui porte.

– Il ne le dira à personne, tu sais. Franchement, c'est un *gentleman*. Au cas où tu te poserais la question.

Elle ouvre sa canette de soda et en descend la moitié.

J'avoue, je me demandais. Après tout, c'était ma première fois, mais pas lui. C'est Finch, j'ai confiance en lui, mais on ne sait jamais – les mecs discutent entre eux – et même si Un Jour n'était pas du tout sale, je me sens un peu sale... et curieusement adulte en même temps.

En ressortant de la cafet', pour changer de sujet, je parle de mon site *Germ* et je lui propose de participer.

Elle plisse les yeux, croyant à une plaisanterie.

– Non, je suis sérieuse. Il reste beaucoup à faire, mais je veux que ce soit un site pas comme les autres.

Brenda laisse échapper un rire tonitruant, presque démoniaque.

– Ça marche ! J'en suis !

Quand je retrouve Finch en géographie, il a l'air épuisé, à croire qu'il n'a pas dormi de la nuit. Je m'assieds à côté de lui, laissant Amanda, Gabe et Ryan à l'autre bout de la salle. Après le cours, il m'attire sous l'escalier et m'embrasse comme s'il avait peur que je me volatilise. L'interdit renforce encore la décharge électrique ; j'aimerais que l'année soit finie pour qu'on n'ait plus jamais à revenir ici. On prendrait Little Bastard pour foncer droit devant, vers l'est, l'ouest, le nord ou le sud, peu importe du moment qu'on laisse l'Indiana loin derrière nous. On parcourrait le pays puis le monde, rien que tous les deux, Theodore Finch et moi.

Mais pour l'instant, on se voit seulement au lycée et on passe la semaine à s'embrasser dans les recoins sombres ou sous les escaliers. Puis on passe l'après-midi chacun de son côté et on discute en ligne le soir.

Finch : Du changement ?

Moi : Si tu veux parler de mes parents, non.

Finch : Y a une chance qu'ils finissent par me pardonner et oublier ?

En vérité, il n'y a pas grande chance, mais je ne veux pas le lui avouer parce qu'il s'inquiète assez et que, depuis l'autre soir, il paraît en retrait, comme s'il était derrière un rideau.

Moi : Faut leur laisser le temps.

Finch : Je ne voudrais pas faire mon Roméo, mais j'aimerais bien te voir seule. C'est-à-dire pas au milieu des deux mille élèves du lycée.

Moi : Si tu venais ou que je filais en douce, ils risqueraient de m'enfermer pour de bon.

Pendant des heures, nous échafaudons les plans les plus délirants pour essayer de se voir, du genre simuler un enlèvement par les extraterrestres, déclencher l'alarme ouragan de la ville ou creuser un tunnel reliant nos deux maisons.

Vers une heure du matin, je lui dis qu'il faut que je dorme, mais finalement je reste dans le noir, les yeux grands ouverts. Mon cerveau est parfaitement éveillé, lancé à plein régime, comme avant. J'allume la lumière afin de prendre des notes pour *Germ* – Questions à un parent, Sélection de livres, Playlist mensuelle, Liste des associations où des filles comme moi peuvent se rendre utiles. J'aimerais aussi créer un onglet « Balades » où les internautes pourraient poster des photos ou des vidéos de leurs endroits préférés, leurs adresses secrètes, bizarres ou poétiques.

J'envoie un mail à Brenda et un message à Finch, au cas où il ne dormirait pas encore. Et même si c'est un peu prématuré, j'écris à Jordan Gripenwaldt, Shelby Padgett, Ahsley Dunston, les trois Briana et Leticia Lopez, qui écrit pour le journal du lycée, afin de leur proposer de contribuer au site. Et aussi à Lara, la copine de Brenda, et à d'autres filles qui écrivent bien, qui ont un talent d'artiste ou quelque chose à dire : Chameli, Brittany, Rebekah, Emily, Sa'iyda, Priscilla, Annalise... *eleanorandviolet.com*, c'était Eleanor et moi, mais pour *Germ*, plus on sera, mieux ce sera.

J'hésite à proposer à Amanda. Je rédige un mail que je laisse dans « brouillons ». Mais le lendemain matin, en me réveillant, je l'efface.

Le samedi, après le petit déjeuner avec mes parents, je leur annonce que je vais chez Amanda à vélo. Ils ne me demandent pas pourquoi je traîne avec cette fille que je n'apprécie même pas, ni ce qu'on a prévu de faire ni quand je reviens. Bizarrement, ils ont confiance en elle.

Mais je passe devant chez les Monk sans m'arrêter et je continue jusque chez Finch. C'est si simple... pourtant, j'ai un pincement de culpabilité d'avoir menti à mes parents. Finch me fait grimper par l'escalier de secours et passer par la fenêtre afin de m'éviter de croiser sa mère ou ses sœurs.

– Tu crois qu'elles m'ont vue ? je demande en époussetant mon jean.

– Ça m'étonnerait. Elles ne sont pas là.

Il explose de rire alors que je lui donne une tape sur le bras, puis il prend mon visage entre ses mains, m'embrasse et mon cœur pincé se détend.

Comme son lit est encombré de vêtements et de livres, il tire sa couette de son dressing et nous nous installons par terre, emmitouflés dedans. Sous les couvertures, nous nous déshabillons et ça devient tout de suite plus chaud ; puis après, nous discutons comme des enfants, avec la couverture sur la tête. Nous chuchotons comme si quelqu'un risquait de nous entendre. Pour la première fois, je lui parle de *Germ*.

– Ce projet, ça pourrait marcher, je crois... et c'est grâce à toi. Quand je t'ai rencontré, je pensais que tout ça, c'était fini pour moi. Que je m'en fichais.

– *Primo*, tu as toujours peur que tout ne soit que du remplissage, mais ce que tu écris, ça restera même quand tu seras partie.

Et *secundo*, tu en avais fini de beaucoup de choses, mais tu y serais revenue, avec ou sans moi.

Je n'aime pas sa manière de formuler les choses. Je n'aime pas imaginer un univers sans Finch. Mais la tension se dissipe, et cinq minutes plus tard, nous sommes en train de discuter des endroits du monde où nous aimerions nous balader, et bientôt cela devient la liste de tous les endroits où nous aimerions LE faire.

– OK, on va prendre la route, alors, murmure Finch en traçant distraitement des cercles sur mon épaule, le long de mon bras, sur ma hanche. Nous nous baladerons à travers tous les États, l'un après l'autre, puis nous traverserons l'océan pour nous balader de l'autre côté. Ce sera un baladathon.

– Une baladamania

– Un baladarama.

Sans allumer l'ordi, nous énumérons tour à tour les endroits que nous aimerions voir. Puis soudain, j'ai à nouveau cette impression qu'il est absent, qu'il passe derrière un rideau, le pincement au cœur revient et je pense à tout ce que j'ai fait pour venir ici… filer de la maison en douce, mentir à mes parents…

Je soupire :

– Il est sûrement temps que j'y aille.

Il m'embrasse.

– Ou que tu restes encore un peu.

Alors je reste.

VIOLET

LES VACANCES DE PRINTEMPS

Midi. Campus de l'université de New York, à New York, dans l'État de New York.

Ma mère dit :

– Ton père et moi, on est contents de passer du temps avec toi, ma puce. C'est bien de prendre un peu l'air.

Elle veut dire de quitter la maison, mais aussi de s'éloigner de Finch.

J'ai emporté notre carnet de balades pour pouvoir prendre des notes sur les endroits qu'on visite, marquer tout ce que j'ai envie de partager avec lui. Mes parents aimeraient que je postule ici pour le deuxième semestre. Il suffirait de demander un transfert de la fac où je vais entrer à l'automne.

Moi, ce qui me tracasse, c'est que Finch n'ait pas répondu à mes trois derniers textos. Je me demande si ce sera comme ça l'an prochain, si je vais étudier à New York ou n'importe où, d'ailleurs – si je devrai m'efforcer de me concentrer sur mes cours, ma vie, alors qu'il occupe toutes mes pensées. Je me demande s'il pourrait venir avec moi ou si notre histoire est programmée pour finir en même temps que le lycée.

Ma mère reprend :

– Ça va arriver tellement vite, et je ne suis pas prête. Je crois bien que je ne serai jamais prête.

– Ne commence pas à pleurer, maman. Tu avais promis. Il nous reste encore des mois et je ne sais toujours pas où je vais aller.

Mon père intervient :

– Ce sera une bonne excuse : on viendra la voir et on en profitera pour passer un peu de temps ici.

Mais il a les larmes aux yeux aussi.

Même s'ils ne le disent pas tout haut, je sens le poids de leurs espoirs, une pression énorme… Parce qu'ils n'ont pas pu vivre ça avec leur fille aînée. Ils n'ont pas pu l'accompagner pour sa première rentrée à l'université, lui souhaiter une bonne année, sois prudente, reviens nous voir quand tu veux, n'hésite pas à nous appeler si besoin. Ce n'est qu'un des moments dont ils ont été privés et ils comptent sur moi parce qu'il ne leur reste plus que moi.

Avant que ça ne tourne au mélodrame, là, au beau milieu du campus, je lance :

– Papa, tu sais quand a été fondée l'université de New York?

J'ai ma chambre à moi à l'hôtel. Elle est minuscule, avec deux fenêtres, une commode et un énorme meuble télé qui menace de s'écrouler sur moi quand je suis couchée.

Même fenêtres fermées, j'entends les bruits de la ville, si différents de ceux de Bartlett – sirènes, cris, musique, vacarme incessant des camions-poubelles.

– Alors, tu as quelqu'un, à Bartlett? m'a demandé l'agent de ma mère au restaurant.

– Non, personne pour l'instant, ai-je répondu.

Mes parents ont échangé un regard soulagé, comme si je leur confirmais que oui, ils avaient fait le bon choix en chassant Finch.

La seule lueur dans la chambre vient de mon ordinateur portable. Je feuillette notre carnet de balades, bien rempli, puis je parcours nos échanges sur Facebook, si nombreux désormais, et j'en ajoute un autre, citant Virginia Woolf :

« *Eh bien, maintenant, dirigeons-nous en virevoltant vers les chaises dorées. (…) Lune, ne sommes-nous pas convenables ? Ne sommes-nous pas charmants, assis là, tous les deux ?*[1] »

1. Extrait de *Les Vagues* de Virginia Woolf, traduction de Michel Cusin, 2012, Gallimard (*NdT*).

FINCH

64e JOUR D'ÉVEIL

Le dernier week-end des vacances de printemps, il neige à nouveau et, pendant environ une heure, tout est blanc. Nous passons la matinée avec maman, j'aide Decca à faire un bonhomme mi-neige mi-boue dans le jardin, puis nous allons derrière mon ancienne école primaire dévaler la colline en luge. On fait la course et Decca gagne à chaque fois, ça lui fait tellement plaisir.

Sur le chemin du retour, elle me dit :

– J'espère que t'as pas fait exprès de me laisser gagner.

– Pas du tout.

Je lui passe un bras autour des épaules, elle ne me repousse pas.

– J'ai pas envie d'aller chez papa, soupire-t-elle.

– Moi non plus. Mais tu sais que, dans le fond, c'est très important pour lui, même s'il ne le montre pas.

Je ressors un des arguments que notre mère nous répète souvent. Je ne sais pas si j'y crois, mais peut-être que Decca, oui. Elle a beau être costaud, elle veut croire en quelque chose.

En fin d'après-midi, nous allons donc chez lui. Nous nous

installons dans le salon devant le match de hockey qui braille sur le nouvel immense écran incrusté dans le mur.

Papa invective la télé, tout en écoutant d'une oreille distraite Kate qui lui parle du Colorado. Josh Raymond est assis à côté de lui, il regarde le match en mastiquant chaque bouchée quarante-cinq fois. Je le sais parce que je m'ennuie tellement que j'ai compté.

À un moment, je m'ennuie à un tel point que je vais aux toilettes, surtout pour m'occuper et envoyer un texto à Violet qui rentre aujourd'hui. J'attends qu'elle me réponde, assis au petit coin, en ouvrant et fermant les robinets de temps à autre. Je me lave les mains, le visage, je fouille dans l'armoire à pharmacie. Je suis en train d'inspecter les gels douche quand mon téléphone vibre.

Rentrée ! Tu veux que je vienne ?

Je réponds : Pas tout de suite, je suis en enfer, mais je vais me débrouiller pour en sortir le plus vite possible.

Nous échangeons encore quelques messages, puis je ressors de la salle de bains pour rejoindre le bruit et le monde. En passant devant la chambre de Josh Raymond, je vois la porte entrouverte. Il est là. Je frappe, il couine :

– Entrez.

Il détient sans doute le record du monde de la plus grande chambre pour un enfant de sept ans. Elle est tellement vaste qu'il doit avoir besoin d'une carte pour s'y retrouver. Il y a tous les jouets possibles et imaginables, la plupart à piles et qui font du bruit. Je siffle :

– Waouh ! Pas mal, ta chambre, Josh Raymond.

J'essaie de ne pas en prendre ombrage parce que la jalousie n'est qu'un sentiment vil et bas qui vous ronge de l'intérieur. Et franchement, un gars comme moi, de presque dix-huit ans, avec une petite amie super sexy, même si elle a interdiction de me voir, ne va quand même pas bouder parce que son demi-frère a des millions de Lego, hein ?

– Ouais, ça va, marmonne-t-il.

Il est en train de fouiller dans un coffre où sont rangés davantage de jouets encore lorsque je les aperçois, abandonnés dans un coin – deux chevaux sur manche à balai, l'un noir, l'autre gris. Mes chevaux, ceux sur lesquels j'ai galopé pendant des heures, quand j'étais plus petit que Josh Raymond, en me prenant pour Clint Eastwood dans l'un des vieux films que mon père regardait alors sur notre petite télé à écran pas plat. Celle qui est restée à la maison et qui nous sert toujours.

– Ils sont cool, ces chevaux, dis-je.

Je les avais baptisés Midnight et Scout.

Il tourne la tête, cligne des yeux et marmonne :

– Ouais, ça va.

– Ils s'appellent comment ?

– Ils n'ont pas de nom.

Soudain, j'ai une folle envie de prendre mes deux chevaux et de foncer dans le salon pour assommer mon père avec. Puis de les ramener à la maison avec moi. Je m'en occuperais, moi. Je les chevaucherais à travers toute la ville.

– Tu les as eus où ?

– C'est mon père qui me les a donnés.

J'aimerais corriger : *Pas ton père.* Mon *père. Que ce soit bien clair, tu as déjà un père quelque part, et même si le mien n'est pas franchement formidable, c'est le seul que j'ai.*

Mais quand je regarde ce gamin, avec sa petite mine, son cou tout maigre, ses épaules frêles, sept ans et si petit pour son âge, je me rappelle comment c'était. Et je me rappelle la vie avec mon père. Alors je dis :

– Tu sais, j'en avais moi aussi. Pas aussi cool que ceux-là, mais pas mal. Je les avais baptisés Midnight et Scout.

– Midnight et Scout ? répète-t-il en les contemplant. C'est de chouettes noms.

– Si tu veux, tu peux les prendre.

– C'est vrai ?

Il ouvre des yeux ronds de hibou.

– Oui.

Il a enfin trouvé ce qu'il cherchait, une sorte de voiture-robot. En sortant de la chambre, il me prend la main.

De retour dans le salon, mon père m'adresse le sourire qu'il réserve d'habitude aux clients et aux flashs.

– Tu devrais inviter ta copine ici, un jour.

Il dit ça comme si rien ne s'était passé, comme si on était les meilleurs potes du monde.

– Ouais, mais elle a toujours des trucs à faire le dimanche.

J'imagine la conversation entre mon père et Mme Markey :

– Ma fille est entre les mains de votre délinquant de fils. À l'heure qu'il est, elle gît sûrement au fond d'un fossé grâce à lui.

– Non, mais qu'est-ce que vous imaginiez ? Comme vous le dites, c'est un délinquant, un criminel, un détraqué du cerveau, un pauvre raté minable ! Estimez-vous heureuse avec votre fille parce que, croyez-moi, vous ne voudriez pas de mon fils. D'ailleurs, personne n'en veut.

Là, mon père cherche ce qu'il peut bien me répondre.

– Eh bien, un autre jour, alors. Hein, Rosemarie ? Amène-la quand tu veux.

Il est d'excellente humeur. Rosemarie hoche la tête, tout sourire. Il donne une tape sur l'accoudoir.

– Tu passes avec elle, on fera griller un steak et un truc aux pousses de verdure pour toi.

Je m'efforce de ne pas exploser. Je me retiens. Je compte dans ma tête.

Heureusement, le match reprend, happant de nouveau son attention. Je reste quelques minutes, puis je remercie Rosemarie pour le repas, je demande à Kate si elle peut ramener Decca, je les rejoindrai plus tard.

Je rentre à pied à la maison pour prendre Little Bastard et rouler. Droit devant, sans but, sans carte. Je roule pendant des heures, traversant les champs tout blancs. Je vais vers le nord, vers l'ouest, vers le sud et vers l'est, poussant la voiture à cent cinquante. Alors que le soleil se couche, je reprends la direction de Bartlett, je coupe à travers Indianapolis, fumant ma quatrième American Spirit de suite. Je vais trop vite et pourtant ce n'est pas encore assez. Je maudis Little Bastard de me ralentir alors que je veux filer filer filer.

La nicotine me pique la gorge, qui est déjà irritée, et j'ai soudain envie de vomir. Je m'arrête donc sur le bas-côté pour faire quelques pas. Je me penche, les mains sur les genoux, et j'attends. Comme ça ne vient pas, je regarde la route qui s'étend à perte de vue devant moi, et je me mets à courir. Je cours, je cours, abandonnant Little Bastard derrière moi. Je cours si vite que j'ai l'impression que mes poumons vont exploser, alors j'accélère encore. Je défie mes poumons et mes jambes de me lâcher. Je ne sais plus si j'ai fermé la voiture, oh putain, je ne supporte pas quand mon cerveau bloque sur un truc, je ne pense plus qu'à cette portière, à cette voiture, alors je cours encore plus vite. Je ne me rappelle plus où est passé mon blouson ni même si j'en avais un.

Ça va aller.

Ça va aller.

Tout ne va pas s'écrouler.

Ça va aller.

Ça va aller.

Je vais bien. Bien. Bien.

Soudain, il y a des fermes autour de moi. Je passe devant toute une série de pépinières et de serres. Même s'il y a peu de chances que ce soit ouvert le dimanche, j'en choisis une qui a l'air d'une entreprise familiale. J'aperçois une belle bâtisse blanche au fond du terrain.

Il y a des tas de voitures et de camions dans l'allée, j'entends des rires qui s'échappent de la maison. Je me demande ce qui se passerait si j'entrais et que je m'installais parmi eux, comme si j'étais chez moi. Je frappe à la porte. Je suis hors d'haleine. J'aurais dû attendre d'avoir repris mon souffle avant de frapper, mais je pense : *Non, je suis trop pressé.* Je frappe encore, plus fort cette fois.

Une femme aux cheveux blancs, au visage rond et doux comme un beignet, vient à la porte, riant encore de la conversation qu'elle vient de quitter. Elle me toise à travers la moustiquaire, puis ouvre, parce que nous sommes en pleine campagne, dans l'Indiana, et que nous n'avons rien à craindre de nos voisins. C'est l'une des choses que j'aime ici, et son sourire chaleureux et perplexe, tandis qu'elle essaie de me situer, me donne envie de la serrer dans mes bras.

– Bonjour, dis-je.

– Bonjour, répond-elle.

J'imagine de quoi j'ai l'air, écarlate, sans manteau, en sueur et haletant.

Je m'efforce de reprendre une contenance avant de dire :

– Excusez-moi de vous déranger, mais je suis passé devant votre jardinerie en rentrant chez moi. Je sais que vous êtes fermés et que vous recevez du monde, mais je me demandais si je pourrais cueillir quelques fleurs pour ma petite amie. C'est une urgence.

Elle plisse le front, préoccupée.

– Une urgence ? Misère.

– C'est un mot un peu fort, je ne veux pas vous alarmer. Mais nous sommes en plein hiver et je ne sais pas où je serai quand le printemps reviendra. Elle porte un nom de fleur, son père me déteste et j'aimerais lui montrer que je pense à elle et que ce n'est pas la saison de la mort mais une saison pour vivre.

Un homme arrive derrière elle, la serviette coincée dans le col de sa chemise.

– Ah, te voilà, je me demandais où tu étais passée.

Il me désigne du menton, interrogateur.

– Ce jeune homme a une urgence, annonce-t-elle.

Je m'explique à nouveau devant lui. Elle le regarde, il me regarde, puis hèle quelqu'un à l'intérieur en lui demandant de remuer le cidre. Puis le voilà qui sort de la maison, serviette volant au vent, je le suis, les mains dans les poches, jusqu'à la serre. Il tire un trousseau de clés accroché à sa ceinture.

Je parle à cent mille kilomètres à l'heure, je le remercie, je lui promets de payer le double, je lui propose de lui envoyer une photo de Violet avec les fleurs – peut-être des violettes, quand je lui aurai offert le bouquet.

Il me pose la main sur l'épaule en disant :

– Ne t'inquiète pas pour ça, fiston. Je veux que tu prennes ce qu'il te faut.

À l'intérieur, j'inspire le parfum sucré, plein de vie, des fleurs. J'ai envie de rester là où il fait chaud et clair, entouré de créatures vivantes et non mortes. J'ai envie d'emménager avec ce couple au grand cœur et qu'ils m'appellent « fiston » et Violet pourrait venir aussi parce qu'il y a de la place pour deux.

Il m'aide à choisir les plus belles fleurs, pas seulement des violettes, mais des marguerites, des roses, des lys et d'autres dont j'ai oublié le nom. Puis avec sa femme, qui s'appelle Margaret, ils les mettent dans un emballage d'expédition spécial avec un seau réfrigéré pour les garder bien fraîches. Quand je veux les payer, ils refusent, alors je leur promets de leur rapporter le seau dès que possible.

Lorsqu'on ressort, leurs invités se sont attroupés dehors pour voir ce garçon qui veut des fleurs à offrir à la fille qu'il aime.

L'homme, qui s'appelle Henry, me reconduit à ma voiture. Bizarrement, je m'attendais à ce que ça prenne des heures, mais il ne faut que quelques minutes. Alors que nous faisons demi-tour pour passer de l'autre côté de la route, où Little Bastard m'attend patiemment, l'air abandonné, il s'étonne :

– Dix kilomètres. Fiston, tu as fait tout ça en courant ?

– Oui, monsieur. Faut croire. Désolé de vous avoir dérangé à table.

– Pas de problème, jeune homme. Aucun problème. Ta voiture est en panne ?

– Non, monsieur. Mais elle n'allait pas assez vite.

Il hoche la tête, comme si c'était la chose la plus évidente du monde, alors que sans doute pas, et répond :

– Tu passeras le bonjour de notre part à ta petite amie, mais tu rentres en voiture, compris ?

Il est onze heures passées quand j'arrive chez elle. Je reste quelques minutes au volant de Little Bastard, la vitre baissée, le moteur coupé, à fumer ma dernière cigarette parce que, maintenant que je suis là, je n'ose pas la déranger. Il y a de la lumière, je sais qu'elle est là, avec ses parents qui l'aiment mais me détestent, et je ne veux pas m'imposer.

Mais justement, elle m'envoie un texto comme si elle savait que je suis là :

Contente d'être rentrée. Quand est-ce qu'on se voit ?

Je réponds : Sors de chez toi.

Elle arrive une minute plus tard, en pyjama à petits singes et chaussons à tête de Freud, sous une longue robe de chambre violette, les cheveux en queue-de-cheval. Je m'avance vers elle, mon seau réfrigéré entre les mains.

– Finch ! Qu'est-ce que c'est que ce truc ? Et pourquoi tu sens la cigarette comme ça ?

Elle jette un regard par-dessus son épaule comme si elle craignait qu'ils me voient.

Il fait un froid glacial, quelques flocons se remettent à tomber. Mais moi, j'ai chaud. Elle remarque :

– Tu grelottes.

– Ah bon ? Je ne m'en suis pas aperçu, je ne sens plus rien.

– Depuis quand tu es là ?

– Je ne sais pas.

C'est vrai, je ne me rappelle plus.

– Il a neigé aujourd'hui. Et ça recommence.

Elle a les yeux rouges. On dirait qu'elle a pleuré, soit parce qu'elle déteste l'hiver ou, plus vraisemblablement, parce que la date anniversaire de l'accident approche.

Je lui tends mon paquet en disant :

– Voilà pourquoi je voulais te donner ça.

– Qu'est-ce que c'est ?

– Ouvre.

Elle pose le seau par terre et soulève le couvercle. Elle inspire longuement le parfum des fleurs, puis se tourne vers moi et, sans un mot, elle m'embrasse.

– L'hiver est fini, Finch. Tu m'as apporté le printemps.

Je reste longtemps dans la voiture, devant chez moi, craignant de rompre le charme. Ici, à l'intérieur, je suis chaud, encore tout contre Violet, enveloppé dans ma journée. J'aime : comme ses yeux étincellent quand on discute ou qu'elle me dit quelque chose qu'elle veut vraiment que je sache; la manière dont elle articule sans bruit quand elle lit, hyper-concentrée; sa façon de me regarder comme s'il n'y avait que moi sur cette terre, qu'elle voyait à travers la chair, les os, jusqu'au plus profond de moi, le vrai moi que je ne connais pas moi-même.

FINCH

65e ET 66e JOURS

En cours, je me surprends à regarder par la fenêtre et je me demande : *Ça fait combien de temps que j'ai décroché?* Je regarde autour de moi pour voir si les autres ont remarqué, m'attendant presque à ce qu'ils me fixent, mais non, rien. Ça m'arrive à chaque cours, même en sport.

En anglais, j'ouvre mon livre parce que le prof lit et que les élèves suivent dans leur bouquin. Mais même si j'entends les mots, je les oublie aussitôt. Je ne capte que des bribes, pas une phrase complète.

Détends-toi.

Inspire profondément.

Compte.

À la fin du cours, je monte dans le clocher, tant pis si quelqu'un me voit. La porte d'accès aux escaliers s'ouvre facilement, je me demande si Violet est passée avant moi. Une fois là-haut, à l'air libre, je rouvre mon livre. Je lis et relis le même passage. Peut-être que, tout seul dans mon coin, je réussirai davantage à me concentrer, mais dès que j'arrive au bout d'une ligne et que je passe à la suivante, j'ai oublié celle que je viens de déchiffrer.

À midi, je déjeune avec Charlie, entouré de centaines de personnes, mais seul. Ils me parlent, ils parlent entre eux, mais je ne les entends pas. Je fais semblant d'être captivé par mon bouquin sauf que les mots dansent sur la page. Je commande à mes lèvres de sourire pour que personne ne remarque mon absence et je souris, je hoche la tête, j'ai l'impression de bien me débrouiller jusqu'à ce que Charlie s'exclame :

– Hé, *man*, qu'est-ce qui t'arrive ? Tu me fous sérieusement les jetons, là.

En géo, M. Black reste debout pour nous rappeler une fois de plus que ce n'est pas parce qu'on est en terminale, au dernier trimestre, qu'il faut qu'on se relâche. J'écris pendant qu'il parle, mais c'est la même chose que quand j'essaie de lire – les mots sont là… et, une seconde plus tard, ils ont disparu. Violet est à côté de moi, je vois bien qu'elle regarde ma feuille, alors je la cache sous ma main.

C'est difficile à décrire… Ce que je vis, c'est un peu comme être aspiré par un vortex, j'imagine. Tout tourne, plongé dans l'obscurité, mais au ralenti, et puis il y a ce poids énorme qui m'entraîne vers le fond, comme s'il était accroché à mes pieds, invisible. *Ça doit faire pareil de se retrouver piégé par des sables mouvants.*

J'écris pour faire une sorte d'inventaire de ma vie, une sorte de liste à cocher : super petite amie – fait ; amis convenables – fait ; toit au-dessus de la tête – fait ; de quoi manger – fait.

Je ne serai pas petit et sans doute jamais chauve si je me réfère à mon père et à mes grands-pères. Les bons jours, je suis plutôt plus malin que les autres. Je me débrouille à la guitare et j'ai une voix un peu au-dessus de la moyenne. Je compose des chansons. Qui vont changer le monde.

Tout paraît en ordre, mais je vérifie, et je revérifie ma liste, de peur d'avoir oublié quelque chose. Je m'oblige à creuser, il y a forcément un truc. Franchement, côté famille, ça pourrait être mieux, mais je ne suis pas le seul ado à penser ça. Au moins, ils ne m'ont pas jeté à la rue. Le lycée, ça va, je pourrais travailler plus, sauf que ce n'est pas vraiment la peine. Mon avenir est incertain, mais c'est peut-être une bonne chose.

Si je vais dans le détail, j'aime mes yeux, mais je déteste mon nez. Sauf que je ne crois pas que ce soit mon nez, le problème. J'ai de bonnes dents. J'apprécie plutôt ma bouche surtout quand elle est collée à celle de Violette. J'ai de grands pieds, mais ça vaut mieux que des pieds trop petits sinon je risquerais de tomber sans arrêt. J'aime ma guitare, mon lit et mes livres, surtout ceux qui sont passés au découpage.

Je passe tout en revue, et à la fin, j'ai l'impression d'être encore plus lourd, mon corps remonte tandis que moi, je suis aspiré vers le bas.

Quand la sonnerie retentit, je sursaute, ce qui fait rire tout le monde, sauf Violet qui m'observe attentivement. J'ai rendez-vous avec Embryon et j'ai peur qu'il se doute de quelque chose. J'accompagne Violet à son prochain cours, en lui tenant la main, je l'embrasse, je lui adresse mon plus beau sourire pour qu'elle arrête de me regarder comme ça. Puis comme sa salle est à l'autre bout du lycée et que je ne me presse pas vraiment, j'arrive avec cinq minutes de retard à mon rendez-vous.

Embryon veut savoir ce qui ne va pas, pourquoi j'ai cette tête-là et si ça a un rapport avec mes dix-huit ans qui approchent.

– Ce n'est pas ça, je réponds. Franchement, qui n'aurait pas envie d'avoir dix-huit ans ? Demandez à ma mère qui donnerait tout pour ne pas avoir quarante et un ans.

– Alors, qu'est-ce qu'il y a ? Qu'est-ce qui vous arrive, Finch ?

Il faut que je lui donne un os à ronger, alors je lui dis que c'est à cause de mon père, ce qui n'est pas complètement faux, juste un demi-mensonge parce que mon père n'est qu'un détail d'un ensemble beaucoup plus grand.

– Il voudrait ne pas être mon père, je déclare.

Embryon m'écoute avec une telle attention, un tel sérieux, ses gros bras croisés sur sa poitrine, que je culpabilise. Alors je lui dévoile un peu plus de vérité.

– Il n'était pas satisfait de la famille qu'il avait, il a donc décidé de nous échanger contre un nouveau modèle qui lui convenait mieux. Et il le préfère. Sa nouvelle femme est agréable, toujours souriante, et son nouveau fils, qui est ou n'est pas de lui, est petit, discret, ne prend pas trop de place. Putain, même moi, je les préfère à nous.

J'ai l'impression d'en avoir trop dit, mais au lieu de me dire de grandir un peu et de prendre du recul, Embryon répond :

– Je croyais que votre père avait été tué dans un accident de chasse.

L'espace d'une seconde, je ne comprends pas ce qu'il raconte. Puis, trop tard, je hoche la tête.

– Oui, tout à fait. Il est mort. Je voulais dire avant. Avant qu'il meure.

Il fronce les sourcils, mais il ne me traite pas de menteur, à la place, il reprend :

– Je suis désolé que vous ayez eu à traverser ces épreuves.

J'ai envie de hurler, mais je me répète : *Étouffe la douleur. N'attire pas l'attention. Ne te fais pas remarquer.* Alors, avec le peu d'énergie qu'il me reste – une semaine d'énergie, peut-être plus –, je réponds :

– Il fait de son mieux. Je veux dire, il faisait. Quand il était en vie. Et son mieux, c'est nul, mais au final, c'est davantage son problème que le mien. Car, honnêtement, il faudrait être fou pour ne pas m'apprécier, non ?

Alors que je suis assis en face de lui, ordonnant à mes lèvres de sourire, je me récite la note de suicide de Vladimir Maïakovski, poète de la révolution russe de 1917, qui s'est tiré une balle à l'âge de trente-six ans :

Mon bateau d'amour s'est brisé sur l'écueil de la vie quotidienne
J'ai payé mes dettes
Et ne tiens pas à énumérer
les souffrances que m'ont fait subir les autres
les malheurs
et les insultes.
Bonne chance à ceux qui restent.

Et soudain, je vois Embryon penché par-dessus son bureau qui m'observe avec ce qu'on ne peut qualifier autrement qu'un regard paniqué. Ce qui signifie que j'ai dû parler tout haut sans le vouloir.

Il adopte le ton lent et posé de quelqu'un qui s'adresse à un homme perché au bord d'un précipice :

– Vous êtes monté dans le clocher, aujourd'hui ?

– Bon sang, vous avez installé une caméra ou quoi ?

– Répondez-moi.

– Oui, monsieur. Pour lire. J'avais besoin d'être au calme, je n'arrivais pas à me concentrer en bas, à cause du bruit.

– Finch, j'espère que vous savez que je suis votre ami et que je veux vous aider. Mais c'est également une question juridique, j'ai des obligations.

– Ça va. Je vous assure. Si je décide de me suicider, vous serez le premier au courant. Je vous garderai une place au premier rang, ou tout du moins, j'attendrai que vous ayez assez d'argent pour les poursuites judiciaires.

Note à moi-même : le suicide n'est pas un sujet de plaisanterie, surtout pour des figures d'autorité qui ont une quelconque responsabilité envers moi.

Je me reprends :

– Désolé. C'était de mauvais goût. Mais ça va. Je vous jure.

– Vous avez déjà entendu parler des troubles bipolaires ? Vous savez ce que c'est ?

J'ai presque envie de répliquer : « Et vous ? Vous savez ce que c'est ? » Mais je me force à inspirer profondément et à sourire.

– Le truc style Dr Jekyll et Mr Hyde ?

J'ai pris une voix détachée, peut-être même un peu distraite, alors que mon esprit et mon corps sont en alerte maximale.

– On appelle également cela « troubles maniaco-dépressifs ». C'est un dysfonctionnement cérébral qui génère une grande fluctuation de l'humeur et de l'énergie. Généralement, c'est de famille, mais cela se traite.

Je continue à respirer, même si je ne souris plus, voilà ce qui se passe à l'intérieur de moi : mon cerveau et mon cœur ne battent plus au même rythme ; j'ai les mains froides et la nuque en sueur, la gorge complètement sèche. Ce que je sais des troubles bipolaires, c'est qu'il s'agit d'une étiquette. Qu'on colle sur les dingues. Je le sais parce que j'ai pris option « initiation à la psychologie » l'an dernier, que j'ai vu des films et que j'ai pu admirer mon père à l'œuvre pendant près de dix-huit ans, sauf qu'il tuerait quiconque essaierait de lui coller une étiquette. Une étiquette du genre « bipolaire », c'est : « Voilà ce que tu es. Voilà qui tu es ». C'est une manière d'expliquer la personnalité par la maladie.

Embryon parle de symptômes, d'hypomanie et d'épisodes psychotiques lorsque la sonnerie retentit. Je me lève plus brusquement que je ne l'aurais voulu, renversant ma chaise qui se cogne contre le mur et le sol. Si je flottais près du plafond, du dessus, je prendrais cela pour de la violence, surtout vu ma taille. Avant que je puisse m'excuser, dire que je n'ai pas fait exprès, il est debout.

J'écarte les bras en signe de reddition, et je lui tends la main – un rameau d'olivier. Il lui faut quelques instants, mais il la serre. Et au lieu de la lâcher, il m'attire vers lui, si bien que nous nous retrouvons nez à nez – ou plutôt, vu la différence de taille, nez à menton – et il affirme :

– Vous n'êtes pas seul.

Avant que je puisse rétorquer : *Si, et c'est bien le problème : nous sommes tous seuls, pris au piège de nos corps, de nos esprits, la seule compagnie que nous puissions avoir dans cette vie n'est que brève et superficielle,* il m'agrippe le poignet si fort que j'ai peur qu'il se brise.

– Et nous n'avons pas fini d'en discuter.

Le lendemain matin, après le sport, Gabe passe devant moi en marmonnant « fêlé » entre ses dents. Il reste pas mal de monde aux alentours, mais je m'en fiche. Pour être plus précis, je ne réfléchis même pas, j'agis.

En un clin d'œil, je le plaque contre les vestiaires, mes doigts se referment sur son cou et je serre jusqu'à ce qu'il devienne violet. Charlie me tire par-derrière, puis Kappel arrive avec sa batte de baseball. Je continue pourtant, fasciné par les veines de Gabe qui gonflent, sa tête qui ressemble à une ampoule, tout éclairée, trop brillante.

Ils doivent se mettre à quatre pour me faire lâcher prise parce que j'ai une poigne de fer. Je pense : *C'est toi qui m'as mis dans ce pétrin. Toi. Tout est ta faute, ta faute, ta faute.*

Gabe s'écroule par terre et on m'écarte de lui, mais je le regarde dans les yeux en menaçant :

– Ne m'appelle plus jamais comme ça.

VIOLET

10 MARS

Mon téléphone se met à vibrer après ma troisième heure de cours. C'est Finch. Il me dit qu'il m'attend dehors, au bord de la rivière. Il veut aller à Evansville voir les « maisons-nids », ces huttes de branchages créées par un artiste local. Ce sont comme des nids, mais pour les humains, avec des fenêtres et une porte. Finch veut voir ce qu'il en reste. Et pendant qu'on y est, il propose de pousser jusqu'à la frontière de l'État pour se prendre en photo, un pied en Indiana, un pied dans le Kentucky.

– Je croyais que la frontière suivait le cours de l'Ohio, je remarque. Dans ce cas, il faudrait qu'on soit sur un pont…

Mais il poursuit comme s'il ne m'avait pas entendue :

– On devrait faire de même pour tous les États voisins : l'Illinois, le Michigan et l'Ohio.

– Pourquoi tu n'es pas en cours ? je demande.

J'ai une de ses fleurs dans les cheveux.

– J'ai été exclu. Allez, viens.

– Exclu ?

– Allons-y. Je gaspille de l'essence et du temps.

– Il y a quatre heures de route jusqu'à Evansville. Le temps qu'on arrive, il fera nuit.

– Pas si on part tout de suite. Allez, allez, sors de là. On pourra dormir sur place.

Il parle trop vite, comme si notre vie dépendait de cette visite aux maisons-nids. Quand je lui demande ce qui s'est passé, il dit qu'il me racontera plus tard, qu'il faut y aller, maintenant, vite.

– On est mardi, en plein hiver. On ne va pas dormir dans une hutte de branchages. On ira samedi, si tu veux. Tu viens me chercher à la sortie des cours, et on pourra aller voir un site un peu moins loin que la frontière de l'État.

– Tu sais quoi ? Laisse tomber. Je n'ai qu'à y aller tout seul. En fait, je préfère y aller tout seul.

Soudain, sa voix est distante, sèche, et il me raccroche au nez.

Je suis encore en train de contempler mon téléphone quand Ryan passe dans le couloir, main dans la main avec Suze Haines.

– Ça va ? s'inquiète-t-il.

– Oui, oui, tout va bien, dis-je sans bien comprendre ce qui vient de se passer.

FINCH

66ᵉ ET 67ᵉ JOURS

Il n'y a plus de maisons-nids. Il fait nuit quand je pénètre dans le centre-ville de New Harmony, avec ses façades aux couleurs vives. Je demande aux passants où sont passées ces fameuses huttes. La plupart n'en ont jamais entendu parler, mais un vieil homme me répond :

– C'est dommage d'avoir fait toute cette route, j'ai bien peur qu'elles aient été dévorées par le temps et les éléments.

Comme nous tous. Les maisons-nids ont atteint leur date limite. Je repense au nid de boue que nous avions construit pour le cardinal, il y a si longtemps, est-il encore dans le jardin ? J'imagine ses petits os dans sa petite tombe, et c'est triste à mourir.

Lorsque je rentre à la maison, tout le monde dort. Je monte à l'étage et, alors que je me regarde longuement dans le miroir de la salle de bains, je me volatilise sous mes propres yeux.

Je disparais. Peut-être que je suis déjà parti.

Je devrais paniquer, mais je suis fasciné, comme si j'étais un singe en cage dans un labo. Comment se fait-il que ce singe soit devenu invisible ? On ne peut pas le voir, mais peut-on le sentir en tendant la main à l'endroit où il était ? Je pose ma main sur mon torse, sur mon cœur, je sens la chair, les os et les battements brusques, erratiques de l'organe qui me maintient en vie.

Je m'enferme dans mon placard. À l'intérieur, j'essaie de ne pas prendre trop de place, de ne faire aucun bruit, parce que, sinon, je risque de réveiller l'obscurité, or je veux qu'elle continue à dormir. Si je respire trop fort, qui sait ce qu'elle pourrait me faire à moi, à Violet ou à ceux que j'aime.

Le lendemain matin, j'écoute les messages du répondeur, sur notre ligne téléphonique familiale. Il y en a un d'Embryon, datant d'hier après-midi : « Mme Finch, ici, Robert Embry, du lycée de Bartlett. Comme vous le savez, je suis le dossier de votre fils. J'aimerais vous parler de Theodore, c'est urgent, j'en ai bien peur. Merci de me rappeler au plus vite. »

Et il laisse son numéro.

Je me repasse le message deux fois avant de l'effacer.

Au lieu d'aller en cours, je retourne là-haut, dans mon placard, parce que si je sors, je vais mourir. Puis je me rappelle que j'ai été exclu, alors de toute façon, je n'ai pas le choix.

L'avantage de ce placard : pas d'espace ouvert. Je reste assis, parfaitement immobile, en contrôlant ma respiration.

Une ribambelle de pensées défile dans mon esprit comme un refrain que j'aurais dans la tête, dont je n'arrive pas à me débarrasser : *Je suis détraqué. Je suis un imposteur. Je suis impossible à aimer.* Violet finira par s'en apercevoir, ce n'est qu'une question de temps. *Tu l'as prévenue. Qu'est-ce qu'elle attend de toi ? Tu lui as dit ce qu'il en était.*

Troubles bipolaires, décrète mon esprit, s'auto-diagnostiquant. *Bipolaire, bipolaire, bipolaire.*

Et puis ça recommence du début : *Je suis détraqué. Je suis un imposteur. Je suis impossible à aimer…*

Je n'ouvre pas la bouche au dîner, mais après le rituel « Alors qu'est-ce que tu as appris aujourd'hui, Decca ? Qu'est-ce que tu as appris, Theodore ? », ma mère et ma sœur n'ouvrent pas la bouche non plus. Personne ne remarque que je suis perdu dans mes pensées. Nous mangeons en silence et ensuite je monte prendre les somnifères de ma mère dans l'armoire à pharmacie. J'emporte le flacon entier dans ma chambre, j'en verse la moitié au fond de mon gosier, puis je retourne dans la salle de bains boire un coup d'eau au lavabo pour les avaler. *Voyons ce qu'a ressenti Cesare Pavese. Voyons s'il y a quoi que ce soit de valeureux, quelque éclat là-dedans.* Je m'allonge par terre dans mon placard, le flacon à la main. J'essaie d'imaginer mon corps qui s'éteint petit à petit, qui s'engourdit. Je sens presque cette lourdeur me gagner, même si je sais que les médicaments n'ont pas eu le temps de faire effet.

Je peux à peine relever la tête, mes pieds semblent à des kilomètres. *Reste là,* disent les comprimés. *Ne bouge pas. Laisse-nous faire notre boulot.*

Je suis envahi par un flou ténébreux, comme du brouillard en plus sombre. Cette brume noire pèse sur moi, me plaque au sol. Il n'y a aucun éclat là-dedans. C'est exactement pareil que de sombrer dans le Grand Sommeil.

Je me force à me lever, je me traîne jusqu'à la salle de bains où je m'enfonce les doigts dans la gorge pour me faire vomir. Je ne rends pas grand-chose alors que je viens de manger. Je réessaie encore et encore, puis finalement je mets mes baskets et je sors courir. J'ai les jambes lourdes, l'impression de courir dans les sables mouvants, mais je lutte, de toute ma volonté.

Je suis mon parcours nocturne habituel, je descends la nationale, jusqu'à l'hôpital mais, au lieu de le dépasser, je traverse le parking, je soulève mes bras lourds pour pousser la porte des urgences et je lance à la première personne que je croise :

– J'ai avalé des cachets et je n'arrive pas à les faire ressortir. Faites-les ressortir.

Elle me pose la main sur le bras et hèle un homme derrière elle. Sa voix est calme, posée, à croire que c'est la routine, que tous les jours, des gens font irruption comme ça en réclamant un lavage d'estomac. Un homme et une autre femme me conduisent dans une salle.

Là, je m'évanouis. Je reprends conscience quelque temps plus tard, je me sens vide, mais bien éveillé. Une femme entre et déclare, comme si elle lisait dans mes pensées :

– Tu es réveillé. Bien. Il faudrait que tu nous remplisses un peu de paperasse. On a cherché tes papiers, mais tu ne les avais pas sur toi.

Elle me tend un dossier que je prends d'une main tremblante.

Le formulaire est vierge, mis à part l'âge et le nom. Josh Raymond, dix-sept ans. Je me mets à trembler plus fort quand je réalise que je ris. Bien joué, Finch. Tu n'es pas encore mort.

Info : La plupart des suicides se produisent entre midi et six heures du soir.

Les gars tatoués sont davantage susceptibles de se tirer une balle.

Les gens aux yeux marron sont plus susceptibles de choisir la pendaison ou le poison.

Ceux qui boivent du café sont moins à risque que ceux qui n'en boivent pas.

J'attends que l'infirmière soit partie pour me rhabiller, sortir de la chambre, descendre l'escalier et quitter l'hôpital. Pas la peine de traîner dans les parages. Ils vont m'envoyer quelqu'un qui va me poser des questions et fourrer son nez dans mes affaires. Ils vont sûrement retrouver mes parents et sinon, ils vont me faire remplir une pile de paperasse, passer des coups de fil et, avant que j'aie pu dire ouf, je ne pourrai plus ressortir de là. Ils ont failli m'avoir, mais je suis plus rapide.

Je n'ai pas la force de courir, je rentre à pied à la maison, en marchant.

FINCH

71e JOUR

L'association C'est la Vie se réunit au sein d'un arboretum dans une ville de l'Ohio qui restera anonyme. Il ne s'agit pas d'un club de défense de la nature, mais d'un groupe de soutien pour les ados qui ont envisagé, ont essayé ou ont survécu au suicide. J'ai trouvé leurs coordonnées sur Internet.

Je prends Little Bastard pour aller dans l'Ohio. Je suis fatigué. J'évite de voir Violet. C'est épuisant de m'efforcer de lisser mon humeur, de faire attention en permanence, comme si je marchais en terrain miné, avec des soldats ennemis des deux côtés. *Faut pas qu'elle voie.* Je lui ai dit que j'avais chopé un virus et que je ne voulais pas le lui passer.

La réunion de C'est la Vie se tient dans une grande salle lambrissée de bois, avec de gros radiateurs qui dépassent des murs. Nous sommes assis autour de deux longues tables mises bout à bout, comme pour faire nos devoirs ou passer un examen. Il y a un pichet d'eau à chaque extrémité, avec une pile de gobelets en plastique et quatre assiettes de cookies.

Celui qui conduit la séance s'appelle Demetrius, il est métis aux yeux verts. Pour ceux qui viennent pour la première fois, il explique qu'il est en train de passer son doctorat à la fac du coin, que l'association existe depuis douze ans, même s'il n'y travaille que depuis un an. J'aimerais demander ce qu'est devenu son prédécesseur, mais je n'ose pas au cas où ce serait une triste histoire.

Les ados arrivent un à un, en tous points identiques aux élèves de Bartlett. Je ne reconnais personne – c'est justement pour ça que j'ai préféré faire quarante kilomètres de route. Avant que je m'asseye, une fille s'approche de moi en remarquant :

– T'es vraiment immense.

– Je suis plus âgé que j'en ai l'air.

Elle m'adresse un sourire qu'elle doit penser charmeur, tandis que j'ajoute :

– On a des problèmes de gigantisme dans la famille. Après le lycée, j'irai vivre dans un cirque parce que les médecins ont prédit que d'ici mes vingt ans, j'aurai dépassé les deux mètres quinze.

J'ai envie qu'elle me laisse tranquille, je ne suis pas là pour me faire des amis. Enfin, elle s'éloigne. Je m'assieds et j'attends, en regrettant d'être venu. Tout le monde prend un cookie, moi, je n'y touche pas car je sais qu'il y a de grandes chances pour qu'ils contiennent un ingrédient répugnant, le charbon d'os, obtenu en brûlant des squelettes d'animaux. Je ne peux même plus regarder les cookies ni ceux qui en mangent. Je me tourne vers la fenêtre mais les arbres de l'arboretum sont chétifs, marron, et morts, alors je garde les yeux rivés sur Demetrius, assis bien au milieu pour qu'on puisse tous le voir.

Il nous donne des informations que je connais déjà sur le suicide et l'adolescence, puis nous faisons un tour de table pour dire notre nom, notre âge, le diagnostic qu'on nous a collé et si on a déjà de l'expérience en matière de suicide. Puis nous devons compléter la phrase « la vie, c'est », en ajoutant ce qui selon nous donne un sens à la vie, du genre « la vie, c'est le basket », « la vie, c'est le lycée », « la vie, c'est les amis », « la vie, c'est peloter sa petite amie ». Tout ce qui nous semble valoir la peine d'être vécu.

Certains jeunes ont le regard vide, un peu éteint, des gens sous médicaments. Je me demande ce qu'ils sont obligés de prendre pour continuer à fonctionner et à respirer. Une fille lance « La vie, c'est *Vampire Diaries* », ce qui en fait pouffer deux ou trois. Une autre enchaîne : « La vie, c'est mon chien même s'il dévore mes chaussures. »

Lorsque vient mon tour, je me présente comme Josh Raymond, dix-sept ans, pas d'autre expérience que ma récente et hésitante ingestion de somnifères. Je conclus : « La vie, c'est l'effet gravitationnel jovien-plutonien », même si personne ne sait de quoi je parle.

À cet instant, la porte s'ouvre et quelqu'un fait irruption, laissant entrer une grosse bouffée d'air froid. Une fille bonnetée, écharpée, gantée, emmitouflée comme une momie, vient s'asseoir à la table. Nous nous tournons tous vers elle, tandis que Demetrius lui adresse un sourire rassurant.

– Bienvenue, ne t'en fais pas, on vient juste de commencer.

La momie s'assied, ôtant écharpe, gants et bonnet, mais conservant son manteau. Elle est de dos, sa queue-de-cheval blonde danse dans son cou tandis qu'elle accroche son sac au dossier de sa chaise. Puis elle se retourne et écarte les mèches volantes de son visage rougi par le froid.

– Désolée, murmure Amanda Monk à l'adresse de Demetrius et de l'assemblée.

Dès que son regard tombe sur moi, son expression se ferme instantanément.

Demetrius lui fait signe.

– Et si tu te présentais, Rachel ?

Amanda, alias Rachel, évite de croiser mon regard. D'une voix creuse, elle récite :

– Je m'appelle Rachel, j'ai dix-sept ans, je suis boulimique, j'ai fait deux tentatives de suicide, les deux fois en prenant des cachets. Je me cache derrière les sourires et les ragots, mais je ne suis pas heureuse du tout. Ma mère me force à venir ici. La vie, c'est le secret.

Elle prononce cette dernière phrase en me regardant dans les yeux avant de se détourner.

Les autres continuent, un à un, et à la fin du tour de table, il est évident que je suis le seul qui n'ait pas franchement et complètement essayé d'attenter à ses jours. Même s'il n'y a pas de quoi, j'en tire une certaine fierté, et je ne peux m'empêcher de penser : *Quand je passerai vraiment à l'acte, je ne me raterai pas*. Même Demetrius a une histoire. Ces gens sont venus pour se faire aider et ils sont en vie, en fin de compte.

Mais c'est tout de même bouleversant. Entre cette question de charbon animal qui me travaille, les histoires de lame pour se taillader les veines et de corde pour se pendre, et Amanda Monk qui lève son petit menton pointu, si vulnérable et apeurée, j'ai envie de me cacher sous la table et de faire le grand saut. J'ai envie de fuir ces gamins qui n'ont rien fait à personne et qui n'ont que le tort d'être nés avec un cerveau et des connexions neuronales différents, mais aussi ceux qui ne sont plus là pour bouffer des cookies au charbon d'os et raconter leurs anecdotes, ceux qui ne sont pas venus, qui n'ont pas survécu. Je ne supporte pas cette proximité qu'ils ressentent simplement parce qu'ils ont une maladie mentale, par opposition avec, disons, une affection des poumons ou du sang. Je ne supporte pas ces étiquettes. Ils annoncent « je suis anorexique », « je suis dépressif », « je me mutile », « j'ai fait cinq TS » comme si ça suffisait à les définir. Un pauvre mec cumule des troubles de l'attention, des troubles du comportement alimentaire, des troubles de l'humeur, des troubles bipolaires et en plus, il a des troubles anxieux. Je ne sais même pas ce que veulent dire la moitié de ces termes, mais je comprends qu'il est sacrément troublé, le gars. Je suis le seul à être simplement Theodore Finch.

Une fille brune avec une grosse natte et des lunettes explique :

– Ma sœur est morte d'une leucémie. Vous auriez dû voir les fleurs, la compassion des gens…

Elle poursuit en levant les poignets et, même de loin, je distingue les cicatrices.

– Mais quand j'ai failli mourir, on ne nous a pas apporté une seule fleur, pas un gâteau au chocolat. À leurs yeux, je n'étais qu'une dingue, égoïste au point de vouloir se tuer alors que la maladie avait emporté ma sœur sans qu'elle ait rien demandé.

Ça me fait penser à Eleanor Markey. Demetrius intervient pour parler des médicaments, qui sont là pour nous aider à aller mieux. Tout le monde s'empresse de donner le nom de la molécule qui lui permet de supporter tout ça. Un garçon à l'autre bout de la table dit que le problème, c'est que ça le rend comme tout le monde :

– Attention, je suis content d'être encore là plutôt que mort, mais parfois j'ai l'impression que tout ce qui faisait que j'étais moi a disparu.

C'est le moment où je décide d'arrêter d'écouter.

À la fin de la réunion, Demetrius me demande ce que j'en ai pensé. Je lui réponds que c'était très formateur, instructif, utile et d'autres trucs du genre pour lui faire plaisir et lui donner l'impression qu'il fait bien son boulot. Puis je rattrape Amanda, alias Rachel, sur le parking avant qu'elle file.

– Je ne dirai rien à personne.

– T'as pas intérêt. Je t'assure.

Elle est écarlate, les yeux étincelants.

– Bah, de toute façon, si je parlais, tu n'aurais qu'à leur dire que je suis taré. Ils te croiront. Ils penseront que j'invente. Et puis de toute façon, je suis exclu, tu sais ?

Elle détourne les yeux.

– Alors, tu y penses toujours ? je demande.

– À ton avis ? Sinon pourquoi je viendrais ici, hein ?

Elle relève la tête.

– Et toi ? Tu voulais vraiment sauter du clocher avant que Violet t'en dissuade ?

– Oui et non.

– Pourquoi tu fais ça ? Tu n'en as pas marre que les gens racontent des trucs sur toi ?

– Ces gens... tu te comptes dedans ?

Elle ne répond rien. Alors, je reprends :

– Je fais tout ça parce que ça me rappelle que je suis bien là, encore en vie, et que j'ai mon mot à dire.

Elle ouvre la portière et commence à monter en voiture avant de répliquer :

– Maintenant au moins, tu sais que tu n'es pas le seul fêlé.

C'est le truc le plus gentil qu'elle m'ait jamais dit.

VIOLET

18 MARS

Je n'ai pas de nouvelles de Finch pendant vingt-quatre heures, puis deux jours, puis trois. Quand je rentre de cours le mercredi, il neige. Les routes sont gelées et Leroy a dérapé une bonne demi-douzaine de fois. Je monte voir ma mère dans son bureau pour lui demander si je peux lui emprunter sa voiture.

Il lui faut un instant avant de trouver ses mots :

– Pour aller où ?

– Chez Shelby.

Shelby Padgett habite à l'autre bout de la ville. Je suis stupéfaite que les mensonges me viennent avec une telle facilité. J'ai beau prendre l'air détaché, alors que je n'ai pas conduit depuis un an, ma mère me dévisage. Elle ne me quitte pas des yeux en me tendant ses clés et m'escorte jusqu'à la porte et même sur le trottoir. Je remarque alors qu'elle pleure.

– Désolée, bafouille-t-elle en s'essuyant les yeux. On ne savait pas… on se demandait si tu reprendrais le volant un jour. L'accident a changé tellement de choses, nous a arraché tellement de choses. Non que conduire soit essentiel dans la vie, mais à ton âge, ça ne devrait pas poser problème, du moment que tu es prudente…

Elle parle un peu pour ne rien dire, mais elle a l'air tellement heureuse que je culpabilise encore plus de lui mentir. Je la serre dans mes bras avant de m'installer au volant.

– D'accord !

Je lui souris, je lui fais un petit signe avant de démarrer, puis je m'éloigne lentement, en agitant toujours la main, sourire aux lèvres, alors que dans le fond, je me demande ce que je suis en train de fabriquer.

Je suis un peu stressée au début, après tout ce temps, alors que je ne pensais pas reconduire un jour, en effet. Je me donne mal au cœur à force de freiner toutes les cinq secondes. Mais je revois Eleanor, à côté de moi, quand elle m'a laissée la ramener à la maison alors que je venais d'avoir mon permis. « Tu pourras me conduire partout, maintenant, p'tite sœur. Tu seras mon chauffeur personnel. Je m'installerai à l'arrière, les pieds sur la banquette, pour admirer le paysage. »

Je jette un bref coup d'œil au siège passager, je la revois presque, qui me sourit, sans même regarder la route, parce qu'elle me fait entièrement confiance. Je la vois appuyée contre la portière, les genoux repliés sous le menton, en train de rigoler, ou de fredonner en rythme avec la musique. Je l'entends presque.

Le temps que j'arrive chez Finch, j'ai retrouvé des gestes plus assurés et fluides, comme un conducteur expérimenté. Une femme vient m'ouvrir la porte, ce doit être sa mère, car elle a les mêmes yeux bleu de bleu que Finch. Ça fait bizarre de penser que je ne la rencontre que maintenant.

Je lui tends la main en me présentant :

– Bonjour, je m'appelle Violet. Ravie de faire votre connaissance. Je viens voir Finch.

Réalisant qu'elle n'a peut-être jamais entendu parler de moi, je précise :

– Violet Markey.

Elle me serre la main en répondant :

– Bien sûr. Violet. Oui. Il doit être rentré du lycée, à cette heure.

Elle n'est pas au courant qu'il a été exclu. Elle est en tailleur et chaussettes. Un peu éteinte, une beauté légèrement fanée.

– Entre, entre. Je viens juste d'arriver.

Je la suis dans la cuisine. Son sac est posé sur la table, à côté de ses clés de voiture. Ses chaussures sont en dessous. J'entends une télé résonner dans la pièce voisine. Elle appelle :

– Decca ?

J'entends un lointain :

– Quoi ?

– Rien, je vérifiais que tu étais là.

Mme Finch me sourit en me proposant quelque chose à boire – eau, jus de fruits, soda – tandis qu'elle se sert un verre de vin d'une bouteille stockée au frigo. Je lui réponds que de l'eau, ça ira, elle me demande avec ou sans glace et je réponds sans glace, alors que je préfère boire frais.

Kate entre alors dans la cuisine.

– Salut.

– Salut. Je viens voir Finch.

On discute comme si tout allait bien, comme s'il n'avait pas été exclu, ni rien. Kate sort un plat du congélateur et allume le four. Elle rappelle à sa mère que le minuteur sonnera quand ce sera cuit, puis prend son manteau.

– Il doit être dans sa chambre. Tu peux monter.

Je frappe à sa porte, mais personne ne répond. Alors, je frappe encore.

– Finch ? C'est moi.

J'entends remuer, la porte s'ouvre. Finch a son bas de pyjama et des lunettes, mais il est torse nu. Il a les cheveux en pétard. *Finch le Nerd,* je pense. Il m'adresse un sourire en coin en disant :

– La seule personne que j'ai envie de voir. Mon effet gravitationnel jovien-plutonien personnel.

Il s'écarte pour me laisser passer.

La chambre a été dépouillée, jusqu'aux draps du lit. Comme une chambre d'hôpital bleue et vide, attendant d'être préparée pour le prochain patient. Deux cartons de taille moyenne sont stockés près de la porte.

Mon cœur fait un bond dans ma poitrine.

– On dirait presque que… Tu déménages ?

– Non, j'ai fait un peu de tri. Je donne quelques trucs à Emmaüs.

– Ça va ?

J'essaie de ne pas prendre un ton plaintif de petite amie pleine de reproches. *Pourquoi tu ne passes pas plus de temps avec moi ? Pourquoi tu ne me rappelles pas ? Tu ne m'aimes plus ?*

– Désolé, Ultraviolet. Je suis encore un peu patraque. C'est étrange d'ailleurs, cette expression. Tu savais que ça venait de *patraca,* un vieux mot occitan désignant une pièce usée ?

– Mais ça va mieux ?

– Oui, oui, j'ai été vraiment à plat quelques jours, mais maintenant c'est bon.

Il sourit en enfilant un T-shirt.

– Tu veux voir mon repaire secret ?

– C'est une question piège ?

– Tout homme a besoin d'un repaire secret, Ultraviolet. Un endroit où il peut laisser libre cours à son imagination. Un espace préservé, genre « Privé », « Interdit aux filles ».

– Si c'est interdit aux filles, pourquoi tu me laisses entrer alors ?

– Parce que tu n'es pas n'importe quelle fille.

Il ouvre la porte de son placard, et j'avoue que c'est plutôt cool. Il s'est aménagé une sorte de grotte, avec sa guitare, son ordi, une bouteille d'eau, des ramettes de papier, des stylos et des blocs entiers de Post-it. Ma photo est accrochée au mur à côté d'une plaque d'immatriculation.

– On pourrait croire qu'il s'agit d'un bureau, mais je préfère dire que c'est mon refuge.

Il m'invite à m'asseoir sur sa couette bleue et nous nous installons côte à côte, adossés au mur. Il désigne alors celui d'en face. Je découvre toutes les notes qu'il y a collées, un peu comme son mur d'idées mais en moins fourni.

– Je trouve que j'arrive mieux à réfléchir ici. Parfois, il y a beaucoup de bruit, entre la musique de Decca et ma mère qui crie après mon père au téléphone. Tu as de la chance de vivre dans une maison sans cris.

Il écrit *maison sans cris* sur un Post-it qu'il colle au mur, puis il me tend le bloc avec un stylo.

– Tu veux essayer ?

– N'importe quoi ?

– N'importe quoi. Les pensées positives sont affichées au mur, les négatives jetées direct.

Il désigne un tas de Post-it froissés dans un coin.

– C'est important de les coucher sur le papier… puis de s'en débarrasser pour ne pas les laisser t'embêter. Les mots peuvent causer de réelles blessures, tu sais ? Tu te souviens de Paula Cleary ?

Je secoue la tête.

– Elle avait quinze ans quand elle est arrivée d'Irlande. Elle est sortie avec un crétin dont toutes les autres filles étaient dingues. Elles l'ont traitée de traînée, de pute et même pire, elles l'ont harcelée jusqu'à ce qu'elle se pende dans une cage d'escalier.

J'écris *harceler* puis je tends le Post-it à Finch, qui le déchire en mille morceaux puis le jette sur le tas. Alors j'écris *sales pestes* et je le déchiquette. J'écris *accidents, hiver, glace* et *pont* avant de réduire le papier en miettes.

Finch griffonne quelque chose qu'il colle sur le mur. *Bienvenue.* Il écrit encore. *Fêlé.* Il me le montre avant de le détruire. Il écrit *ma place* qui va sur le mur et *étiquette* qui n'y va pas. *Chaleur, samedi, se balader, toi, meilleure amie* sont affichés tandis que *froid, dimanche, ne pas bouger, tous les autre*s finissent à la poubelle.

Nécessaire, aimé, compris, pardonné sont affichés, puis j'écris *Toi, Finch, Theodore, Theo, Theodore Finch* et je les colle au mur.

Nous continuons ainsi un long moment, et ensuite il me montre comment composer une chanson à partir de ces mots. D'abord, il les arrange dans un ordre qui a du sens, puis il prend la guitare, grattouille un air et, direct, se met à chanter. Il arrive à y glisser chaque mot. À la fin, j'applaudis et il salue en inclinant le torse, vu qu'il est assis par terre.

– Il faut que tu la notes, pour ne pas l'oublier.

– Je ne note jamais les chansons.

– Alors c'est quoi, toute cette paperasse, là ?

– Des idées de chansons. Des notes. Qui pourraient un jour devenir des chansons. Ou bien des sujets que j'aimerais aborder ou que j'ai abordés puis laissés tomber parce que finalement, je n'avais pas assez à dire dessus. Une chanson qui doit exister, tu la gardes en toi. Toujours.

Il écrit : *Je, veux, faire, l'amour, avec, Ultraviolet, Re-Mark-able.*

J'écris *Pourquoi pas*, qu'il déchire immédiatement.

Alors j'écris *D'accord.*

Il le déchire aussi.

OUI !

Il le colle au mur et m'embrasse, m'enlace. Sans savoir comment, je me retrouve allongée, il est au-dessus de moi, je lui retire son T-shirt. Sa peau contre la mienne, et je suis au-dessus de lui, et pendant un instant, j'oublie que nous sommes par terre, au fond d'un placard, parce que je ne pense plus qu'à lui, à nous, à lui et moi, Finch et Violet, Violet et Finch, et tout va bien à nouveau.

Après, je fixe le plafond. Quand je me tourne vers lui, il a un drôle d'air.

– Finch ?

Ses yeux sont rivés sur quelque chose au-dessus de nous. Je lui donne un coup de coude.

– Finch !

Finalement, il dirige son regard vers moi en faisant « Ah ! », comme s'il venait brusquement de se rappeler que j'étais là. Il s'assied, se passe la main sur le visage, puis prend les Post-it. Il écrit *Détends-toi.* Puis *Respire profondément.* Puis *La vie, c'est Violet.*

Il les colle au mur avant de reprendre sa guitare. J'appuie ma tête contre la sienne, pendant qu'il joue, changeant légèrement les accords. Mais je ne peux chasser l'impression qu'il s'est passé un truc, comme s'il était parti un instant et que seule une partie de lui était revenue.

– Tu ne parleras à personne de mon repaire secret, hein, Ultraviolet ?

– Comme tu n'as pas dit à ta mère que tu avais été exclu ?

Il écrit *Coupable* et le brandit avant d'en faire des confettis.

– D'accord.

Puis j'écris *Confiance, Promesse, Secret, Bien gardé* et je les colle au mur.

– Aaah, voilà maintenant je dois tout recommencer.

Il ferme les yeux et rejoue la chanson en ajoutant ces mots. Elle paraît plus triste, cette fois, comme s'il était passé en mode mineur.

– J'adore ton repaire secret, Theodore Finch.

J'appuie ma tête sur son épaule, contemplant nos mots écrits au mur, les mots de notre chanson, et à nouveau cette plaque d'immatriculation. J'ai un étrange besoin de me serrer contre lui, comme s'il risquait de m'échapper. Je lui pose la main sur le genou.

Il prend alors la parole :

– Parfois, je plonge dans une sorte de mélancolie… et je n'arrive pas à en sortir…

Il gratte toujours sa guitare, mais son ton est grave.

– Une humeur sombre, pesante. Comme si j'étais dans l'œil du cyclone, immobile et étourdissant à la fois. J'ai horreur de ça.

Je croise mes doigts avec les siens si bien qu'il doit arrêter de jouer.

– Moi aussi, j'ai des sautes d'humeur. C'est normal lorsqu'on est ado !

Pour le lui prouver j'écris *mauvaise humeur* avant de déchirer le Post-it.

– Quand j'étais petit, plus jeune que Decca, on avait un cardinal dans le jardin, qui n'arrêtait pas de se cogner dans la porte-fenêtre du salon, sans arrêt, il s'assommait. Chaque fois, je croyais qu'il était mort, mais finalement, il se remettait et s'envolait. Une petite femelle cardinal le regardait de loin, perchée sur une branche, j'ai toujours pensé que c'était sa femme. Enfin bref, j'ai supplié mes parents de faire quelque chose pour éviter qu'il se cogne. J'ai proposé qu'il vienne vivre avec nous à l'intérieur. Kate a appelé la société ornithologique et l'homme qui lui a répondu lui a expliqué que l'oiseau essayait certainement de retrouver son arbre. Celui qui se dressait là avant qu'un promoteur arrive et l'abatte pour construire une maison à la place.

Il me raconte le jour où le cardinal est mort, quand il a trouvé son petit corps gisant sur la terrasse, et qu'il l'a enterré dans un nid de boue.

Il en a voulu à ses parents parce qu'il pensait qu'il aurait vécu plus longtemps s'ils l'avaient laissé entrer comme il le leur avait demandé.

– Ça a été le premier épisode de mélancolie. Je ne me rappelle plus rien de ce qui est arrivé dans les jours qui ont suivi.

L'angoisse me reprend.

– Tu en as déjà parlé à quelqu'un ? À tes parents, à Kate… ou peut-être à un psy… ?

– Mes parents, non. Kate, pas vraiment. Mais je vois le conseiller psy du lycée.

Je regarde autour de moi, le placard, la couette sous nos fesses, les oreillers, la bouteille d'eau, les barres chocolatées et, soudain, je réalise.

– Finch, tu vis ici ?

– Oui, mais ce n'est pas la première fois. Ça finit toujours par marcher. Je vais me réveiller un matin et j'aurai envie de ressortir.

Il me sourit, mais son sourire est creux.

– J'ai gardé ton secret, tu gardes le mien.

En rentrant à la maison, j'ouvre mon placard et j'entre à l'intérieur. Il est plus grand que celui de Finch, mais plein à craquer de vêtements, chaussures, sacs, manteaux. J'essaie d'imaginer que j'y vis et que je n'arrive plus à en sortir. Je m'allonge et je fixe le plafond. Le sol est froid et dur. Dans ma tête, j'écris : *Il était une fois un garçon qui vivait dans un placard…* Je ne vais pas plus loin.

Je ne suis pas claustrophobe, mais quand j'ouvre la porte pour ressortir dans ma chambre, j'ai l'impression de pouvoir respirer à nouveau.

À table, maman me demande :

– Tu t'es bien amusée avec Shelby ?

Elle regarde mon père en haussant les sourcils.

– Violet est allée chez Shelby après les cours. *En voiture.*

Mon père trinque avec moi.

– Je suis fier de toi, Vi. Il est peut-être temps que tu aies ta propre voiture.

Ils sont tellement contents que je culpabilise d'autant plus de leur avoir menti. Je me demande comment ils réagiraient si je leur disais où j'étais vraiment – en train de faire l'amour au fond du placard du garçon qu'ils m'ont interdit de voir.

FINCH

75e JOUR

« *La cadence de la souffrance a commencé*[1]. »
Cesare Pavese

Je
suis
en
vrac.

1. *Le Métier de vivre*, cité plus haut (*NdT*).

VIOLET

20 MARS

En sortant du cours de géo, Amanda dit à Gabe d'y aller, qu'elle le rattrapera. Je n'ai pas échangé un mot avec lui depuis que Finch a été exclu.

– J'ai un truc à te dire, m'annonce-t-elle.

– Quoi ?

Je ne lui ai pas beaucoup adressé la parole à elle non plus.

– Il ne faut le répéter à personne.

– Amanda, je vais être en retard en cours.

– Promets-moi, d'abord.

– OK, c'est promis.

Elle parle si bas que je l'entends à peine :

– J'ai croisé Finch dans cette association où je vais depuis un moment, alors que je n'en ai pas vraiment besoin, mais c'est ma mère qui m'y oblige.

Elle soupire.

– Quel genre de groupe ?

– Ça s'appelle C'est la Vie. C'est… un groupe de soutien pour les ados qui ont des pensées suicidaires ou ont fait une tentative.

– Et tu as vu Finch là-bas ? Quand ça ?

– Dimanche. D'après lui, il était là parce qu'il s'est retrouvé à l'hôpital après avoir pris des cachets. Je me suis dit qu'il valait mieux que tu le saches.

Je vais à mon dernier cours parce que j'ai une interro. Mais après, j'enfourche Leroy et je file chez Finch. Je ne l'ai pas prévenu, personne ne répond à la porte. Alors je ramasse des petits cailloux dans l'allée et je les jette contre sa fenêtre. À chaque *ping, ping, ping* contre le verre, mon cœur fait un bond. Puis je m'assieds sur le perron, en espérant que sa mère ou sa sœur vont arriver et me laisser entrer. Je suis encore assise là une demi-heure plus tard, la maison est toujours fermée et aussi silencieuse qu'à mon arrivée, alors je décide de rentrer chez moi.

Dans ma chambre, je ne prends même pas le temps d'enlever mon manteau et mon écharpe. J'allume mon ordinateur portable et j'envoie un message à Finch *via* Facebook. Il répond immédiatement, comme s'il m'attendait.

Demain, c'est mon anniversaire.

J'ai envie de lui demander où il était passé et s'il a vu que j'étais devant chez lui. J'ai envie de lui parler de l'hôpital, mais j'ai peur qu'à la moindre question, il se referme et se déconnecte, alors à la place, j'écris : Comment tu veux fêter ça ?

Finch : C'est une surprise.

Moi : Mais c'est ton anniversaire, pas le mien.

Finch : Peu importe. Viens à six heures. Sans avoir dîné, bien sûr.

VIOLET

21 MARS ET APRÈS

Quand je frappe à la porte de sa chambre, personne ne répond. J'insiste.

– Finch ?

Je frappe encore et encore. Au bout d'un moment j'entends remuer, un truc qui tombe, un juron et la porte s'ouvre. Finch est en costume. Il s'est coupé les cheveux tout court, la nuque rasée. Avec sa barbe naissante, ça lui donne une autre allure… il a l'air plus âgé et… hum, très sexy.

Avec un sourire en coin, il s'écrie :

– Ultraviolet, la seule personne que j'ai envie de voir.

La chambre est toujours aussi dénudée, on se croirait dans un hôpital. J'ai la gorge qui se serre parce qu'il est vraiment allé à l'hôpital et qu'il ne me l'a pas dit, et en plus, tout ce bleu, c'est étouffant.

– Il faut qu'on parle.

Finch m'embrasse. Ses yeux sont plus vifs que l'autre soir, ou c'est peut-être juste qu'il n'a pas de lunettes. Chaque fois qu'il change d'apparence, il me faut un peu de temps pour m'y habituer. Il m'embrasse encore et s'adosse contre la porte dans une pose sexy, comme s'il avait bien conscience d'être beau.

– Commençons par le commencement. J'aimerais d'abord savoir ce que tu penses des voyages dans l'espace et de la cuisine chinoise.

– Dans cet ordre précis ?

– Pas forcément.

– Captivant et délicieux.

– Alors ça ira. Enlève tes chaussures.

J'obéis, perdant instantanément cinq centimètres.

– Et tes vêtements aussi, naine.

Je lui donne une tape.

– Plus tard, alors, mais n'espère pas que j'oublie. OK. Ferme les yeux, s'il te plaît.

Je ferme les yeux. Dans ma tête, je cherche comment lui parler de C'est la Vie. Mais il a beau avoir changé de look, il a l'air redevenu lui-même, à tel point que j'imagine que, lorsque je vais rouvrir les paupières, la chambre sera de nouveau peinte en rouge, les meubles auront repris leur place et le lit sera fait parce qu'il y dort.

J'entends la porte du placard s'ouvrir, il me fait avancer de quelques pas.

– Garde les yeux fermés.

Instinctivement, je tends les bras, mais Finch m'oblige à les baisser. Il a mis Slow Club, un groupe que j'aime bien, toujours à contre-courant, doux amer, un peu excentrique. *Comme Finch,* je note, *comme nous.*

Il m'aide à m'asseoir sur un tas de coussins. Je l'entends s'affairer autour de moi, fermer la porte, puis soudain, ses genoux sont tout contre les miens. J'ai à nouveau dix ans, je suis revenue à ma grande époque de construction de cabanes.

– Ouvre les yeux.

Je m'exécute.

Et je me retrouve dans l'espace, tout scintille autour de moi comme dans la cité d'Émeraude. Il a peint des planètes et des étoiles sur les murs et au plafond. Nos Post-it sont restés à leur place. La couette bleue luit à nos pieds, avec son tissu soyeux. Assiettes, couverts et serviettes sont alignés à côté du repas. Une bouteille de vodka repose dans la glace.

– Comment… ?

Finch désigne une ampoule de lumière noire au plafond.

– Regarde, ce soir, Jupiter et Pluton sont parfaitement alignés avec la Terre. Nous sommes dans la chambre de gravitation jovienne-plutonienne, où tout flotte indéfiniment.

Tout ce que j'arrive à articuler, c'est :

– Waouh !

Je me suis fait tellement de souci pour lui, ce garçon que j'aime, je m'en aperçois seulement maintenant, en contemplant le système solaire tout entier recomposé dans son placard. C'est la chose la plus belle qu'on ait jamais faite pour moi. Comme dans un film. C'est romantique, c'est émouvant, j'aimerais que cette soirée ne finisse jamais et savoir que c'est impossible me rend déjà triste.

Les plats chinois viennent de chez Happy Family. Je ne sais pas comment il s'est débrouillé pour les faire venir jusqu'ici, s'il est sorti les chercher lui-même en voiture ou s'il a demandé à Kate, mais je me dis que ce doit être lui parce que, tout de même, il n'est pas obligé de rester dans ce placard s'il n'en a pas envie.

Il ouvre la vodka, nous buvons à la bouteille à tour de rôle. C'est amer, sec, comme les feuilles mortes d'automne. Ça me brûle le nez, la gorge, jusqu'à l'estomac, et j'aime ça.

– Où tu l'as eue ? je demande en brandissant la bouteille.

– J'ai mes fournisseurs.

– C'est parfait. Tout est parfait. Mais c'est ton anniversaire, pas le mien. C'est moi qui aurais dû organiser quelque chose pour toi.

Il m'embrasse.

Je l'embrasse.

Tout ce qu'on ne se dit pas reste en suspens dans les airs, je me demande s'il s'en rend compte. Il est tellement cool, tellement Finch que j'essaie de me laisser aller, d'arrêter de réfléchir. Après tout, peut-être qu'Amanda se trompe. Peut-être qu'elle m'a raconté ça pour me faire du mal. Peut-être qu'elle a tout inventé.

Il nous sert à manger et pendant le repas, nous parlons de tout sauf de son état. Je lui raconte ce qu'il a manqué en géo, nous discutons des balades qu'il nous reste à faire. Je lui offre son cadeau, la première édition des *Vagues*, que j'ai dénichée chez un bouquiniste à New York. Je l'ai dédicacée : *Avec toi, je me sens fluide comme de l'or. Je t'aime. Ultraviolet Re-Mark-able.*

– Je l'ai cherché partout ! Chez Bookmarks, au Bibliomobile et dans toutes les librairies.

Il m'embrasse.

Je l'embrasse.

Je sens mes angoisses s'évaporer. Je suis détendue, heureuse – je n'ai pas été aussi heureuse depuis longtemps. Je profite de l'instant présent. Ici et maintenant.

Après le dîner, Finch ôte sa veste et nous nous allongeons côte à côte. Pendant qu'il feuillette son livre, en me lisant des passages, j'admire le ciel. Puis il pose le bouquin sur son torse en demandant :

– Tu te rappelles sir Patrick Moore ?

– L'astronome anglais qui animait une émission de télé…

Je tends les bras vers les étoiles.

– L'homme à qui nous devons l'effet gravitationnel jovien-plutonien.

– Sans nous, il n'y aurait pas d'effet, mais oui, c'est ça. Dans une de ses émissions, il a développé l'idée qu'il y aurait un gigantesque trou noir au centre de notre galaxie. C'est assez difficile à saisir. C'est le premier à réussir à expliquer les trous noirs de manière à ce que le téléspectateur lambda puisse comprendre. Sincèrement, même Gabe pigerait.

Il me sourit. Je lui souris. Puis il s'exclame :

– Merde, où j'en étais ?

– À sir Patrick Moore.

– Oui. Sir Patrick Moore a demandé qu'on peigne la Voie lactée sur le sol du studio. Devant la caméra, il se dirige vers le centre du plateau de télé tout en exposant la théorie de la relativité d'Einstein, et en donnant certaines infos : les trous noirs sont les restes d'anciennes étoiles ; ils sont si denses que même la lumière ne peut s'en échapper ; il y en a dans toutes les galaxies ; ils constituent la force la plus destructrice du cosmos ; les trous noirs engloutissent tout ce qui s'approche trop près, étoiles, comètes, planètes. Franchement, tout. Quand les planètes, la lumière, les étoiles ou quoi que ce soit franchit le point de non-retour, c'est ce qu'on appelle l'horizon des événements, le point passé lequel on ne peut plus en réchapper.

– C'est un peu comme le Blue Hole.

– Ouais, un peu. Et tout en expliquant ça, sir Patrick Moore fait une démonstration complètement hallucinante : il met les pieds dans le trou noir et disparaît !

– C'était un trucage.

– Non, c'est ça le plus dingue. Le cameraman et tous ceux qui étaient sur le plateau ont dit qu'il s'était volatilisé.

Il me prend la main.

– Mais comment a-t-il fait, alors ?

– Magie.

Il me sourit.

Je lui souris.

– Être aspiré par un trou noir, ce serait cool comme mort, non ? Personne n'a expérimenté la chose, et les scientifiques ne savent même pas si on passerait des semaines à flotter dans le néant avant d'être pulvérisé ou si on serait aspiré direct dans un tourbillon de particules et carbonisé. Je préfère m'imaginer que c'est comme être englouti. Tout à coup, plus rien n'aurait d'importance. Plus d'angoisses, plus de questions, plus de Qu'est-ce que je vais devenir, plus de risque de décevoir quiconque. Brusquement, *pouf*... plus rien !

– Alors, il n'y a rien.

– Peut-être. Ou alors, il y a un autre monde, qu'on ne peut même pas imaginer.

Je sens sa main, ferme et chaude, parfaitement emboîtée dans la mienne. Il peut changer tant qu'il veut, il ne change jamais vraiment. Je déclare :

– Tu es le meilleur ami que j'aie jamais eu, Theodore Finch.

Et c'est vrai, plus qu'Eleanor, même.

Et soudain me voilà en larmes. Je me sens bête, je déteste pleurer. Toutes les angoisses remontent d'un coup et débordent au milieu de son placard.

Finch roule sur le côté pour me serrer contre lui.

– Hé, qu'est-ce qui se passe ?

– Amanda m'a dit.

– Dit quoi ?

– L'hôpital, les cachets. C'est la Vie.

Il ne me lâche pas, mais je sens qu'il se raidit.

– Elle t'a dit ?

– Je m'inquiète pour toi, je veux que tu ailles mieux, mais je ne sais pas quoi faire pour t'aider.

– Il n'y a rien à faire.

Il me lâche, s'écarte, s'assied face au mur.

– Mais je veux faire quelque chose. Tu as besoin d'aide. Je ne connais personne qui vive en permanence dans un placard. Il faut que tu en parles à Embry, et peut-être à Kate. Ou à mes parents si tu veux.

– C'est ça… bah, ça ne risque pas.

Dans la lumière noire, ses dents et ses yeux luisent d'un étrange éclat.

– J'essaie de t'aider.

– Je n'ai pas besoin d'aide. Je ne suis pas Eleanor. Ce n'est pas parce que tu n'as pas pu la sauver que tu dois essayer de me sauver.

Je commence à m'énerver.

– C'est injuste de dire ça.

– Non, mais… c'est seulement que… ça va.

– Vraiment ? je m'écrie en désignant le placard autour de nous.

Il me dévisage avec un sourire horrible et dur.

– Tu sais ce que je donnerais pour être toi, juste une journée ? Pour vivre, vivre tranquille, sans angoisse, et être content de ce que j'ai ?

– Parce que tu crois que je n'ai aucune angoisse ?

Il me regarde sans rien dire.

– Parce que pour quelle raison Violet pourrait-elle bien s'angoisser, hein ? Après tout, c'est Eleanor qui est morte, Violet est toujours là. Elle a été épargnée. Elle a de la chance, Violet, elle a toute la vie devant elle. Quelle veinarde, cette Violet.

– Écoute, je suis un fêlé, un cinglé. Je fous la merde. Je me bats. Je déçois tout le monde. Ouh là, ne contrariez pas Finch. Ça y est, il recommence, il va piquer une crise. Finch et ses humeurs. Finch en colère. Imprévisible. Incontrôlable. Fou. Mais je ne suis pas une liste de symptômes. Je ne suis pas le résultat de parents de merde combinés avec des médocs encore plus merdeux. Je ne suis pas un problème. Je ne suis pas un diagnostic. Je ne suis pas une maladie. Je ne suis pas une victime à secourir. Je suis une personne.

Il m'adresse à nouveau cet horrible sourire.

– Je parie que tu regrettes d'être allée te percher en haut de cette fameuse tour ce jour précis, maintenant.

– Arrête. Ne sois pas comme ça.

Le sourire s'évanouit aussitôt.

– Je ne peux pas m'en empêcher. Je suis comme ça. Je t'avais prévenue.

Sa voix devient glaciale, la colère s'est évaporée, et c'est encore pire, parce qu'on dirait qu'il n'éprouve plus rien.

– Tu as raison, ce placard est trop exigu, il n'y a pas autant de place que je le pensais, décrète-t-il.

Je me lève.

– Tant mieux, parce que ça, je peux facilement y remédier.

Et je claque la porte, sachant parfaitement qu'il ne peut pas me suivre, même si en mon for intérieur, je me dis : *S'il t'aime vraiment, il trouvera bien un moyen.*

À la maison, mes parents sont devant la télé.

– Tu rentres de bonne heure, remarque ma mère.

Elle se lève du canapé pour me faire une place.

– J'ai quelque chose à vous dire.

Elle se rassied exactement au même endroit tandis que mon père éteint la télévision. Je me sens coupable d'interrompre leur soirée tranquille. Maintenant, ils sont inquiets car ils sentent à ma voix que ce que j'ai à leur annoncer n'est pas une bonne nouvelle.

– Le premier jour en rentrant des vacances de Noël, je suis montée en haut du clocher du lycée. C'est là que j'ai rencontré

Finch. Il était perché sur le rebord, comme moi, mais c'est lui qui m'a convaincue de descendre, parce que, brusquement, j'avais réalisé où je me trouvais et que j'étais paralysée par la peur. J'aurais pu tomber s'il n'avait pas été là. Mais je ne suis pas tombée, grâce à lui. Et maintenant, c'est lui qui est au bord du gouffre. C'est une image, bien sûr (je préfère préciser avant que mon père ne se rue sur le téléphone). Et il faut qu'on l'aide.

– Alors tu l'as revu, remarque ma mère.

– Oui, je suis désolée, je sais que vous êtes furieux et déçus, mais je l'aime et il m'a sauvé la vie. Vous pourrez me dire plus tard à quel point vous m'en voulez, à quel point je vous ai déçus, mais d'abord, j'aimerais faire ce qu'il faut pour qu'il aille mieux.

Une fois que je leur ai tout raconté, ma mère appelle celle de Finch. Elle laisse un message. En raccrochant, elle promet :

– Ton père et moi, on va chercher. Il y a un psychiatre à la fac, un ami de ton père. Il est en ligne avec lui en ce moment même. Oui, tu nous as déçus, mais je suis contente que tu nous en aies parlé. Tu as fait le bon choix.

Je reste une demi-heure les yeux grands ouverts, dans mon lit, trop angoissée pour m'endormir. Quand je finis par m'assoupir, je me tourne, me retourne, mes rêves sont agités et sombres. À un moment, je me réveille, je me retourne, puis je me rendors, mais dans mon sommeil, j'entends des cailloux qui cognent à la vitre.

Je ne sors pas du lit, parce qu'il fait froid, que je dors et que je ne suis même pas sûre de ce que j'entends. *Pas maintenant, Finch,* je réponds en rêve. *Va-t'en.*

Puis je me réveille complètement et je panique : *Et s'il est vraiment là? Et s'il est sorti de son placard pour venir me voir?* Mais quand je regarde par la fenêtre, la rue est déserte.

Je passe la journée avec mes parents, à vérifier compulsivement si je n'ai pas reçu un message sur Facebook, tout en faisant mine de me concentrer sur mes devoirs et sur mon nouveau site. Les réponses des filles à qui j'ai demandé de participer arrivent de partout – oui, oui, oui. Elles restent dans ma messagerie, en attente.

Ma mère essaie plusieurs fois de joindre Mme Finch. Comme elle n'a toujours pas réussi, à midi, papa et maman vont carrément sonner chez les Finch. Personne ne répond, ils laissent donc un message sous le paillasson. Le psychiatre a un peu plus de chance. Il arrive à parler à Decca. Il reste en ligne pendant qu'elle va voir dans la chambre et le placard de Finch, mais lorsqu'elle reprend le téléphone, c'est pour lui annoncer qu'il n'est pas là. Je me demande s'il se cache quelque part. Je lui envoie un texto pour lui dire pardon. À minuit, il ne m'a toujours pas répondu.

Le lundi, Ryan vient à ma rencontre dans le hall et m'accompagne en littérature russe.

– Tu as eu des réponses des facs ? me demande-t-il.

– Juste une ou deux.

– Et Finch ? Tu crois que vous irez au même endroit ?

Il essaie d'être sympa, mais il y a autre chose – peut-être l'espoir que je lui réponde que non, Finch et moi, on a rompu.

– Je ne sais pas ce qu'il va faire. À mon avis, il l'ignore lui-même.

Il acquiesce en changeant ses livres de main pour libérer celle qui est de mon côté. À chaque pas, elle effleure la mienne. Tous les deux mètres, cinq ou six personnes le hèlent ou lui font signe. Puis leurs yeux se posent sur moi – je me demande ce qu'ils voient.

Eli Cross organise une soirée. Tu devrais venir avec moi.

Se rappelle-t-il que c'est en sortant de la soirée de son frère qu'Eleanor et moi, on a eu l'accident ? Pendant une minute, j'imagine comment ça serait de me remettre avec lui… Est-ce que je pourrais retourner avec un garçon stable et gentil après avoir été avec Theodore Finch ? Personne ne traitera jamais Ryan Cross de fêlé, personne ne dira jamais du mal de lui dans son dos. Il s'habille comme il faut, il dit ce qu'il faut, il ira dans la fac qu'il faut, quoi qu'il arrive.

Finch n'est pas en cours de géo, évidemment, puisqu'il est exclu. Je ne parviens pas à me concentrer sur ce que raconte le prof. Charlie et Brenda n'ont pas de nouvelles de Finch depuis deux ou trois jours, mais ils ne s'en font pas, parce qu'il est comme ça, c'est bien son genre, il a toujours été comme ça.

M. Black nous appelle un à un pour demander où en est notre dossier. Lorsqu'il m'interroge, je réponds :

– Finch n'est pas là.

– Je suis au courant… il n'est pas là… et il ne reviendra pas… Comment… vous en sortez-vous… de votre travail… Mlle Markey?

Je pense à tout ce que je pourrais dire : Theodore Finch vit dans son placard. Il ne va pas bien du tout. Nous n'avons pas pu repartir en balade, il nous reste quatre ou cinq sites à visiter sur notre carte.

Mais je réponds :

– Nous avons beaucoup appris sur notre État. Je n'avais jamais vraiment exploré l'Indiana avant, désormais, je pense mieux le connaître.

M. Black a l'air satisfait, il passe au suivant. Sous mon bureau, j'envoie un texto à Finch : Je t'en prie, dis-moi que ça va.

N'ayant toujours pas de nouvelles le mardi, je retourne chez lui à vélo. Cette fois, une petite fille vient m'ouvrir. Elle a un carré court, brun, et les mêmes yeux bleus que Finch et Kate.

– Tu dois être Decca, dis-je, reprenant cette expression d'adulte que je déteste.

– Et vous, vous êtes ?

– Violet. Je suis une amie de ton frère. Il est là ?

Elle ouvre la porte plus grand et s'écarte pour me laisser entrer.

À l'étage, je passe devant la galerie des Finch, je frappe à sa porte, mais je n'attends pas de réponse, je pénètre directement dans sa chambre. Et je le sens tout de suite : il n'y a personne. Non seulement la chambre est nue, mais l'atmosphère est figée, comme une coquille vide, abandonnée par l'animal qui y vivait.

– Finch ?

Mon cœur bat à tout rompre.

Je frappe à la porte du placard, puis j'entre à l'intérieur, mais il n'y est pas. Sa couette a disparu ainsi que sa guitare et son ampli, sa paperasse, ses blocs de Post-it vierges, l'eau, son ordi, le livre que je lui ai offert, la plaque d'immatriculation et ma photo. Nos petits mots sont toujours là, au milieu des étoiles et des planètes, mais ils paraissent morts, éteints, ils ne brillent plus.

Je ne peux rien faire d'autre que tourner en rond, encore et encore, à la recherche d'un indice, quelque chose qu'il aurait laissé pour me dire où il est parti. Je sors mon téléphone pour l'appeler mais je tombe directement sur la boîte vocale.

– Finch, c'est moi. Je suis dans ton placard, mais tu n'y es pas. Rappelle-moi, je t'en prie. Je m'inquiète. Je suis désolée. Je t'aime. Mais pas désolée de t'aimer parce que ça ne me désolera jamais.

Dans sa chambre, j'ouvre les tiroirs. Dans la salle de bains, j'ouvre la petite armoire. Il a laissé certaines de ses affaires, mais je ne sais pas si ça signifie qu'il a l'intention de revenir ou simplement qu'il n'en a plus besoin.

Dans le couloir, je passe devant ses photos de classe, ses yeux me suivent dans l'escalier, tandis que je dévale les marches, manquant tomber. Mon cœur bat si fort que je n'entends plus rien que ces coups sourds, qui résonnent dans ma tête. Dans le salon, Decca regarde la télé, je demande :

– Ta mère est rentrée ?

– Pas encore.

– Tu sais si elle a eu les messages de la mienne ?

– Elle n'écoute pas souvent le répondeur. C'est Kate qui a dû les avoir.

– Kate est là ?

– Pas encore. Vous avez trouvé Theo ?

– Non, il n'est pas dans sa chambre.

– Ça lui arrive, parfois.

– Quoi ? De partir ?

– Il reviendra. Il revient toujours.

C'est bien son genre. Il est comme ça.

J'ai envie hurler, de leur dire à elle, à Charlie, à Brenda, à Kate, à sa mère : *Alors tout le monde s'en fout, personne ne se demande où il est? Personne n'a jamais pris le temps de réfléchir, de se dire qu'il y a un truc qui cloche ?*

Je vais dans la cuisine, je regarde sur le frigo, sur le plan de travail, au cas où il aurait laissé un message, parce que c'est bien le genre d'endroit où on laisse des messages. Puis j'ouvre le garage, il est vide : Little Bastard a disparu également.

Je retourne voir Decca pour lui demander de me prévenir si elle a des nouvelles de son frère, je lui donne mon numéro. Une fois dans la rue, je regarde à droite et à gauche, cherchant sa voiture des yeux, en vain.

Je sors mon téléphone. Je tombe à nouveau sur la boîte vocale.

– Finch, où es-tu ?

FINCH

80e JOUR
(UN PUT@*N DE RECORD)

Dans son poème *Épilogue,* Robert Lowell demande :

« Pourtant pourquoi ne pas dire ce qui s'est passé ? »

Pour répondre à votre question, monsieur Lowell : je l'ignore. Tout ce que je sais, c'est ce qui m'interroge : de tous mes sentiments, lesquels sont réels ? Lequel de mes « moi » est vraiment moi ? Il n'y a qu'un seul moi que j'aie vraiment aimé, il est resté bien et éveillé aussi longtemps que possible.

Je n'ai pas pu empêcher le cardinal de mourir, et ça m'a fait culpabiliser. D'une certaine façon, j'étais, nous étions – ma famille et moi – responsables de sa mort, parce que notre maison avait été construite à la place de son arbre, celui qu'il essayait de retrouver. Mais peut-être que rien n'aurait pu le faire durer.

« *Tu as été en toutes choses tout ce qu'un être humain pouvait représenter. (...) Si quelqu'un avait pu me sauver, cela aurait été toi.*[1] »

Avant de mourir, Cesare Pavese, en fidèle de la Grande Affirmation, a écrit :

---

1. Dernière lettre de Virginia Woolf à son mari, Leonard – cité plus haut (*NdT*).

« On ne se souvient pas du jour, juste de l'instant. »

Je me souviens avoir couru le long d'une route menant à une serre pleine de fleurs.

Je me souviens de son sourire et de son rire quand j'étais au mieux, quand elle me regardait comme si je ne pouvais pas mal faire et que j'étais entier. Je me souviens qu'elle me regardait de la même façon même quand ce n'était pas le cas.

Je me souviens de sa main dans la mienne, de la sensation que quelqu'un, que quelque chose m'appartenait.

VIOLET

RESTE DU MOIS DE MARS

Le premier texto arrive le jeudi. Le truc, c'est qu'on n'a eu que des jours parfaits.

Dès que je l'ai lu, j'appelle Finch, mais il a déjà éteint son téléphone et je tombe sur la boîte vocale. Au lieu de laisser un message, je lui renvoie un texto : Nous sommes tous très inquiets. Je m'inquiète. Mon petit ami a disparu. Appelle-moi.

Quelques heures plus tard, je reçois des nouvelles : Pas disparu, retrouvé.

J'écris aussitôt : Où es-tu ? Cette fois, il ne répond pas.

Mon père m'adresse à peine la parole, mais ma mère a eu Mme Finch, qui lui a dit que son fils l'avait contactée pour lui dire que tout allait bien, qu'elle ne s'en fasse pas. Il a promis de la joindre toutes les semaines, ce qui signifie qu'il a prévu de partir pour longtemps. Pas la peine d'appeler un psychiatre (mais merci d'avoir proposé). Pas la peine de prévenir la police. Après tout, ça lui arrive parfois. En fin de compte, apparemment, mon petit ami n'a pas disparu.

Sauf que si.

– Il a dit où il allait ?

Tout en posant la question, je remarque à quel point ma mère a l'air angoissée, éreintée. J'essaie d'imaginer ce qui se passerait si c'était moi et non Finch qui manquait à l'appel. Mes parents auraient lancé les flics des cinq États à la ronde à mes trousses.

– Elle ne me l'a pas précisé en tout cas. Je ne vois pas ce qu'on peut faire d'autre. Si ses propres parents ne s'inquiètent pas… eh bien, j'imagine qu'il n'y a qu'à lui faire confiance et à espérer qu'il va bien.

Mais derrière son petit discours, j'entends ce qu'elle ne dit pas : *Si c'était mon fils, je serais sur la route, je remuerais ciel et terre pour le ramener à la maison.*

Au lycée, je suis la seule qui semble avoir remarqué son absence. Après tout, ce n'est qu'un fauteur de troubles parmi d'autres, qui a été exclu. Les profs et les autres élèves l'ont déjà oublié.

Voilà. Donc tout le monde fait comme si de rien n'était, comme si tout allait bien. Je vais en cours, je joue en concert avec l'orchestre. J'organise la première réunion de travail de *Germ*. On est vingt-deux, rien que des filles, à part le petit ami de Briana Boudreau, Adam, et le frère de Lizzy Meade, Max. Je reçois des réponses de deux autres facs : Stanford – non – et UCLA – oui. Je sors mon téléphone pour prévenir Finch, mais sa boîte vocale est pleine. Je ne prends même pas la peine de lui envoyer un texto parce que, chaque fois, il met une éternité à réagir et ce n'est jamais en réponse à mes messages.

Je commence à lui en vouloir.

Deux jours plus tard, il m'écrit : Je suis sur la plus haute branche.

Le lendemain matin : Nous sommes écrits à la peinture.

Plus tard dans la journée : Je ne suis pas tombé dans le panneau.

Le lendemain après-midi : La lueur d'Ultraviolet.

Le surlendemain : Un lac. Une prière. C'est si joli d'être en Privé.

Puis plus rien.

VIOLET

AVRIL

Le 5 avril, c'est le dimanche de Pâques. Avec mes parents, nous nous rendons sur le pont de A Street et nous descendons dans le lit asséché de la rivière pour déposer des fleurs à l'endroit où Eleanor a été tuée. Nous trouvons fichée dans le sol une plaque d'immatriculation qui me paraît soudain familière, entourée d'un petit jardin où on a planté des fleurs. Finch.

Je suis brusquement glacée et ce n'est pas à cause du temps. Cela fait un an. Et même si là, sur les lieux du drame, mes parents ne disent pas grand-chose, nous avons survécu.

Pendant le trajet de retour, je me demande quand Finch est venu – quand il a trouvé la plaque, quand il est revenu l'installer. J'aurais pensé que mes parents me poseraient des questions sur ce fameux jardin, ou me parleraient d'Eleanor, prononceraient son prénom aujourd'hui, pour une fois. Mais comme ils ne disent rien, je me lance :

– C'est moi qui ai voulu aller voir Boy Parade pendant les vacances de printemps. Eleanor n'était pas une grande fan, mais elle a dit : « Si tu veux voir Boy Parade, autant y aller à fond. On va suivre leur tournée dans tout le Midwest. » C'était son truc de toujours monter d'un cran pour rendre tout plus excitant, plus original.

Comme quelqu'un que je connais.

J'entonne ma chanson préférée des Boy Parade, celle qui me rappelle le plus Eleanor. Ma mère jette un regard à mon père, qui garde les yeux rivés sur la route, puis elle se joint à moi.

Une fois à la maison, je m'installe à mon bureau en réfléchissant à la question de ma mère *: Pourquoi ai-je envie de faire un nouveau site?*

Je contemple le panneau au-dessus de mon bureau. Les notes ont envahi le mur et menacent de déborder sur la porte du placard. J'ouvre le carnet de balades et je le feuillette. Sur la première page blanche, j'écris : *Germe : /ʒɛʁm/ origine de quelque chose, pousse qui peut servir de base de développement ou de croissance.*

Je relis avant d'ajouter : *Germ est pour tout le monde…*

Je raye.

Je recommence : *Germ est là pour vous distraire, vous informer, vous protéger…*

Je raye ça aussi.

Je pense à Finch et Amanda, puis je contemple ma porte de placard, où on voit encore l'endroit où était accroché mon calendrier. Je repense à la manière dont je barrais les jours, tant j'étais pressée qu'ils soient derrière moi.

Sur une nouvelle page, j'écris : *Germ Magazine. Tu commences ici…*

Je la déchire pour la punaiser sur la porte.

Je n'ai pas eu de nouvelles de Finch depuis le mois de mars. Je ne suis plus inquiète. Je suis en colère. En colère après lui d'être parti sans un mot, en colère après moi d'avoir été trop facile à quitter, et pas assez facile à vivre pour qu'il ait envie de rester. Je sacrifie aux rituels habituels post-rupture : je mange de la glace à même le pot, j'écoute des chansons claironnant je-suis-bien-mieux-sans-lui, je choisis une nouvelle photo de profil pour ma page Facebook. Ma frange a enfin repoussé et je commence à redevenir moi-même, tout du moins physiquement. Le 8 avril, je rassemble le peu d'affaires que j'ai de lui, je les range au fond d'un carton que je stocke au fond de mon placard. Adieu Ultraviolet Re-Mark-able. Revoilà Violet Markey.

Où qu'il soit, Finch a emporté notre carte. Le 10 avril, j'en achète une autre pour finir le dossier, que je vais devoir rendre, qu'il soit là ou pas. Pour l'instant, je n'ai que des souvenirs des sites où nous sommes allés. Rien de construit, juste quelques photos et notre carnet. Je ne sais pas comment mettre en forme tout ça pour que cela soit accessible à d'autres. Car pour l'instant, je ne comprends pas vraiment moi-même notre démarche.

Le 11 avril, je prends la voiture de ma mère, elle ne me demande pas où je vais, mais en me tendant les clés, elle me rappelle :

– Téléphone ou envoie un texto quand tu arrives et quand tu pars, d'accord ?

Je me rends à Crawfordsville où je visite le musée de la prison sans grande conviction. J'ai l'impression de jouer les touristes. J'appelle ma mère et je reprends la route. C'est un beau samedi. Le soleil brille. Ça sent le printemps... normal puisque, en fait, c'est déjà le printemps. Tout en conduisant, je cherche des yeux un 4x4 Saturn et, chaque fois que j'en aperçois un, mon cœur fait un grand bond dans ma poitrine, même si je me répète : *Lui et moi, c'est fini. Je suis passée à autre chose.*

Il m'a dit qu'il adorait conduire, cette sensation d'aller de l'avant, de pouvoir aller n'importe où. J'imagine sa tête s'il me voyait derrière le volant en ce moment même. Il dirait : « Ultraviolet, j'ai toujours su que tu étais faite pour ça. »

Quand Ryan rompt avec Suze, il me propose de sortir avec lui. J'accepte mais seulement en amis. Le 17 avril, nous dînons au Gaslight, l'un des restos les plus chics de Bartlett.

Je picore tout en m'efforçant de me concentrer sur Ryan. Nous discutons de nos projets pour la rentrée, de nos dix-huit ans (son anniv' est à la fin du mois, le mien en mai). Ce n'est pas la conversation la plus passionnante que j'aie jamais eue, mais c'est un dîner normal, sympa, avec un mec normal, sympa. J'avoue que j'ai collé une étiquette à Ryan comme tous les autres l'avaient fait pour Finch. Tout à coup, j'apprécie sa stabilité, son côté prévisible (dans le sens, on a ce qu'on voit). Il sera toujours là où on l'attend et fera toujours ce qu'on attend de lui. À part quand il pique des trucs, bien sûr.

Lorsqu'il me raccompagne, je le laisse m'embrasser et lorsqu'il m'appelle le lendemain matin, je réponds.

Le samedi après-midi, Amanda passe chez moi me proposer d'aller faire un tour. Finalement, on joue au tennis devant la maison, comme quand j'ai emménagé dans le quartier, et après, on va manger une glace. Le soir, on va au Quarry toutes les deux, puis j'envoie un texto à Brenda, Shelby, et les trois Briana. Une heure plus tard, Jordan Gripenwaldt et d'autres filles de *Germ* nous ont rejointes. On danse jusqu'à la fermeture.

Le vendredi 24 avril, je vais au ciné avec Brenda et quand elle me propose de dormir chez elle, j'accepte. Elle veut parler de Finch, mais je lui explique que j'essaie de passer à autre chose. Elle n'a pas eu de nouvelles de lui, mais avant de changer de sujet, elle me dit :

– Ce n'est pas toi, tu sais. Il devait avoir une bonne raison de partir.

Nous bossons jusqu'à quatre heures du matin sur le site. Brenda est allongée par terre, les jambes appuyées contre le mur pendant que je tape sur mon ordinateur portable.

– Nous guiderons nos lecteurs jusqu'à l'âge adulte tels des sherpas sur le mont Everest. Nous leur dirons toute la vérité sur le sexe, la fac, l'amour.

Elle soupire.

– Enfin, tout du moins, on leur expliquera quoi faire quand les mecs se comportent en parfaits abrutis.

– Parce que tu sais quoi faire dans ce cas-là ?

– Je n'en ai pas la moindre idée.

J'ai reçu une quinzaine de mails de filles du lycée qui veulent écrire pour le site, parce que *Violet Markey, la superhéroïne du haut du clocher et fondatrice de* eleanorandviolet.com *(le blog préféré de Gemma Starling) a lancé un nouveau site.* Je les lis à haute voix tandis que Brenda s'exclame :

– Ah, c'est ça, être une star !

On peut maintenant dire que c'est ma meilleure amie.

VIOLET

26 AVRIL

Le dimanche, vers dix heures et demie du matin, Kate Finch se présente chez nous. On dirait qu'elle n'a pas dormi depuis des semaines. Quand je lui propose d'entrer, elle décline en demandant :

– Tu as une idée d'où pourrait être Theo ?

– Je n'ai plus aucune nouvelle de lui.

Elle se met à acquiescer.

– OK...

Elle hoche la tête, encore et encore.

– OK. OK... C'est juste qu'il nous contactait tous les samedis, soit maman soit moi, par mail ou en laissant un message sur le répondeur quand il n'avait aucun risque de tomber sur nous en direct. Vraiment tous les samedis. Mais on ne l'a pas eu hier, et ce matin on a reçu un mail bizarre.

J'essaie de ne pas être jalouse qu'il ait été en contact avec elles, et pas avec moi. Après tout, c'est sa famille. Et moi, je ne suis que moi, la personne la plus importante de sa vie, du moins temporairement. Mais bon, j'ai compris. Il est passé à autre chose. Moi aussi.

Elle me tend une feuille, elle a imprimé le mail envoyé à 9h43. Je me souviens du jour où on est allés manger une pizza à Indianapolis, dans ce resto avec un orgue énorme. Kate devait avoir onze ans, moi dix, Decca était bébé. Maman était là, papa aussi. Quand l'orgue s'est mis à jouer – si fort que les tables en tremblaient –, il y a eu un genre de spectacle son et lumière dans le restaurant. Vous vous rappelez ? On aurait dit une aurore boréale. Mais ce qui m'a le plus marqué, c'est qu'on était ensemble, heureux, tous heureux. Ensuite, on a eu une petite baisse de régime, mais les jours heureux reviennent. Maman, quarante et un ans, ce n'est pas vieux. Decca, parfois, il y a du beau dans les mots les plus durs – tout dépend de la manière dont tu les lis. Kate, fais bien attention à ton petit cœur, et rappelle-toi que tu vaux mieux qu'un certain type. Tu es ce qui se fait de mieux, tu sais. Et vous, les autres, aussi.

– Je me disais que tu saurais pourquoi il nous avait écrit ça ou que tu aurais peut-être eu des nouvelles.

– Non, désolée.

Je lui rends le mail en lui promettant de la prévenir si par miracle il me contactait. Une fois qu'elle est partie, je m'adosse contre la porte fermée, le souffle court.

Ma mère accourt, le front plissé.

– Ça va ?

Par automatisme, je vais répondre *oui, oui, ça va, pas de problème,* mais soudain je m'effondre sur elle, je la serre dans mes bras, j'enfouis mon visage dans son cou, laissant son parfum rassurant de maman m'envelopper quelques minutes. Puis je monte dans ma chambre me connecter à Facebook.

J'ai reçu un message à 9h47, quatre minutes après celui qu'il a envoyé à sa famille.

Les mots sont écrits dans *Les Vagues* : « *Si ce bleu pouvait durer toujours, si cette trouée pouvait rester toujours ; si cet instant pouvait durer toujours… (…) Je me sens briller dans l'obscurité. (…) Je suis parée, je suis prête. Voici l'arrêt momentané ; le moment obscur. Les violonistes ont levé leur archet. (…) Voici ma vocation. Voici mon univers. Tout est organisé et préparé. (…) Je suis enracinée, mais je m'écoule. (…) "Viens, dis-je. Viens."*»

J'écris la première chose qui me traverse l'esprit : « Reste, dis-je. Reste. »

Je vérifie toutes les cinq minutes, mais il ne répond pas. J'essaie sur son portable, la boîte vocale est toujours pleine. Alors, j'appelle Brenda. Elle décroche dès la première sonnerie.

– J'allais justement t'appeler. J'ai reçu un mail bizarre de Finch ce matin.

Le sien a été envoyé à 9 h 41 et dit simplement :

Un jour, un garçon t'aimera pour ce que tu es vraiment. Ne te contente pas de moins.

Celui de Charlie date de 9 h 45 :

Paix à toi, branleur.

Ça ne va pas.

Je me dis que c'est juste le choc de l'abandon, le fait qu'il soit parti sans me dire au revoir.

Quand je prends mon téléphone pour appeler Kate, je m'aperçois que je n'ai pas son numéro. Je dis à ma mère que je reviens tout de suite et je file chez Finch en voiture.

Kate, Decca et leur mère sont là. En me voyant, Mme Finch fond en larmes et, avant que j'aie pu réagir, elle me serre à m'étouffer en sanglotant :

– Violet, je suis si contente que tu sois là. Peut-être que tu comprendras, toi. J'ai dit à Kate que tu saurais sûrement où il est.

À travers le rideau de ses cheveux, je jette un regard paniqué à Kate : *Au secours.*

Elle lui pose la main sur l'épaule.

– Maman…

Mme Finch me relâche, en se tamponnant les yeux et en s'excusant d'être dans cet état.

Je demande à Kate si je peux lui parler en privé. Elle me conduit de l'autre côté, par la porte-fenêtre, sur la terrasse, où elle allume une cigarette. Est-ce là que Finch avait trouvé le cardinal ?

Elle fronce les sourcils.

– Qu'est-ce qui se passe ?

– Il m'a envoyé un message. Aujourd'hui, quelques minutes après votre mail, il a aussi écrit à Brenda Shank-Kravitz et à Charlie Donahue.

Même si je n'ai pas très envie de lui montrer ce que j'ai reçu, je suis bien obligée. J'affiche le message sur l'écran de mon téléphone, à l'ombre d'un arbre.

– Je ne savais même pas qu'il était sur Facebook, soupire-t-elle.

Elle se tait le temps de lire, puis elle me dévisage, complètement perdue.

– OK… Qu'est-ce que ça veut dire, tout ça ?

– C'est un livre que nous avons découvert. De Virginia Woolf. On s'en citait souvent des passages.

– Tu l'as, ce livre ? Il y a peut-être un indice dans ce qui vient avant, ou après…

– Je l'ai apporté.

Je le sors de mon sac, j'ai déjà souligné les mots qu'il a cités, je les lui montre. Il a pris des bribes de phrases ici et là pour les assembler à sa manière, comme lorsqu'il compose une chanson à partir des Post-it.

Kate a oublié sa cigarette dont la cendre pend, longue comme un doigt.

– Je ne comprends pas ce que ça signifie, fait-elle en désignant le livre, et encore moins comment ça peut nous indiquer où il est.

Elle se rappelle soudain l'existence de sa cigarette et en tire une longue bouffée. En recrachant la fumée, elle reprend :

– Il est censé aller à NYU, tu sais.

– Qui ?

– Theo.

Elle jette sa cigarette sur la terrasse et l'écrase sous son talon.

– Il avait fait les préinscriptions.

NYU. Évidemment. On était censés y aller tous les deux, et au final, peut-être qu'aucun de nous n'ira jamais.

– Je l'ignorais. Il ne m'a jamais parlé de la fac.

– Il ne nous l'avait pas dit non plus, ni à maman ni à moi. On l'a seulement su parce que le secrétariat de l'université a cherché à le contacter cet automne et que c'est moi qui ai intercepté le message.

Elle se force à sourire.

– Si ça se trouve, il est déjà à New York.

– Tu sais si ta mère a écouté les messages que lui ont laissés ma mère et le psy ?

– Decca m'a bien parlé d'un médecin, mais maman n'écoute jamais le répondeur. C'est moi qui les aurais eus si jamais...

– Mais il n'y en avait pas ?

– Non.

Parce qu'il les a effacés.

Lorsque nous rentrons à l'intérieur, Mme Finch est allongée sur le canapé, les yeux fermés, tandis que Decca bricole, assemblant des morceaux de papier par terre. Je ne peux m'empêcher de la regarder, tant elle me fait penser à Finch avec ses Post-it. Kate soupire :

– Ne me demande pas ce qu'elle fabrique. Ce doit encore être une de ses œuvres d'art !

– Ça t'ennuie si j'en profite pour aller jeter un coup d'œil dans sa chambre ?

– Vas-y. On a tout laissé en l'état... pour quand il reviendra.

Si jamais il revient.

Là-haut, je m'enferme dans sa chambre. Je reste un instant debout, au milieu. J'ouvre la fenêtre pour aérer un peu, ça sent le renfermé, puis je la referme aussitôt de peur de laisser échapper son odeur – un mélange de savon et de cigarette... une note entêtante, épicée, si particulière à Theodore Finch. Je me demande si ses sœurs ou sa mère ont mis un pied dans cette pièce depuis qu'il est parti. On ne dirait pas, les tiroirs sont restés ouverts, tels que je les avais laissés.

Je fouille à nouveau la commode, le bureau, puis la salle de bains, en vain. Mon téléphone vibre, je sursaute. Voyant que c'est Ryan, je ne réponds pas. J'entre dans le placard, où la lumière noire a été remplacée par une ampoule banale. J'examine les étagères, les vêtements qui restent, ceux qu'il n'a pas emportés avec lui. Je prends son T-shirt noir sur un cintre et j'enfouis mon nez dedans, avant de le glisser dans mon sac. Je ferme la porte et je m'assieds par terre en déclarant tout haut :

– Allez, Finch. Donne-moi un coup de main. Tu as bien dû laisser un indice.

L'exiguïté du placard m'oppresse, je pense à sir Patrick Moore et à son coup du trou noir, quand il s'est volatilisé dans les airs. Je réalise alors que c'est exactement ce dont il s'agit : le placard de Finch est un trou noir. Il s'est enfermé à l'intérieur et a disparu.

Je lève les yeux vers le plafond. J'étudie le ciel nocturne qu'il a créé, mais c'est un ciel étoilé, rien de plus. Je contemple notre mur de Post-it, je les relis un à un pour vérifier qu'il n'a rien ajouté.

Le mur face à la porte est occupé par un meuble à chaussures, où il accrochait sa guitare. Je me relève pour examiner celui contre lequel j'étais appuyée. Il y a également des Post-it que, bizarrement, je n'avais pas remarqués la dernière fois.

Seulement deux rangées, avec un mot sur chaque.

Sur la première ligne : *longtemps, n'aurait, rien, pu, durer, plus, le, faire*

Sur la seconde : *si, l'eau, te, rejoins, c'est, convient, ce, qui*

Je prends le mot « rien ». Assise en tailleur, je réfléchis. Je sais que j'ai déjà entendu ces mots dans sa bouche. Mais pas dans cet ordre.

Je prends les mots de la première ligne et je les réarrange :

Rien faire n'aurait pu durer le plus longtemps.

Le plus rien n'aurait pu faire durer longtemps.

Rien n'aurait pu le faire durer plus longtemps.

Puis je m'occupe de la seconde ligne, je prends « rejoins » et je le mets en premier puis « à » et ainsi de suite jusqu'à ce que ça donne : *Rejoins l'eau si c'est ce qui te convient.*

Quand je redescends, Decca est seule avec sa mère. Elle me dit que Kate est partie à la recherche de Theo et qu'on ne sait pas quand elle reviendra. Je n'ai pas le choix : c'est à sa mère que je dois parler. Je lui demande si elle veut bien venir au premier. Elle monte l'escalier comme une personne âgée, je l'attends.

Sur le palier, elle hésite.

– Qu'est-ce qu'il y a, Violet ? Je ne suis pas vraiment en état d'apprécier les surprises.

– C'est un indice…

Elle me suit dans sa chambre et reste plantée là, à regarder autour d'elle comme si elle la voyait pour la première fois.

– Quand a-t-il tout peint en bleu ?

Au lieu de répondre, je désigne le placard.

– Par ici.

Une fois entrée dans le placard, elle plaque la main sur sa bouche en découvrant à quel point il est vide, en voyant tout ce qui a disparu. Je m'accroupis devant les deux rangées de Post-it pour lui montrer.

Elle s'écrie aussitôt :

– La première ligne, c'est ce qu'il a dit quand le cardinal est mort.

– Je pense qu'il est retourné sur l'un des sites qu'on a visités au cours de nos balades. Un endroit où il y a de l'eau…

Les mots sont écrits dans *Les Vagues*. Son message sur Facebook, il l'a envoyé à 9 h 47, l'heure exacte du canular de l'effet jovien-plutonien. L'eau, ce pourrait être aux Sept Piliers, à la carrière de l'Empire State Building ou juste la rivière qui passe devant le lycée ou des dizaines d'autres endroits. Mme Finch fixe le mur, le regard vide, je me demande même si elle m'écoute.

– Je peux vous indiquer où le chercher. Il y a pas mal d'endroits où il pourrait être, mais je crois que je sais…

Elle se tourne brusquement vers moi et me serre le bras si fort que je sens un hématome se former.

– Je suis désolée de te demander ça, mais peux-tu y aller, toi ? Je suis tellement… inquiète… je ne crois pas que je pourrais… je veux dire si jamais… ou s'il était…

Elle se remet à pleurer, à gros sanglots, cette fois. Je suis prête à lui promettre tout ce qu'elle veut pour qu'elle arrête.

– Je veux juste que tu le ramènes à la maison.

VIOLET

26 AVRIL (SUITE)

Je n'y vais pas pour elle ni pour son père, ni pour Kate ni pour Decca. J'y vais pour moi. Peut-être parce que je sais, au fond de moi, ce que je vais trouver. Et peut-être parce que je sais que ce que je vais trouver sera de ma faute. Après tout, c'est à cause de moi qu'il a dû quitter son placard. C'est moi qui l'ai obligé à sortir en en parlant à mes parents, en trahissant sa confiance. Il ne serait jamais parti, sinon. Et puis, je me dis qu'il voudrait que ce soit moi qui vienne.

J'appelle mes parents pour leur dire que je rentrerai plus tard, que j'ai un truc à faire puis je raccroche au nez de mon père alors qu'il est en train de me poser une question, et je démarre. Je roule plus vite que d'habitude, je n'ai même pas besoin de consulter une carte, je me rappelle le chemin. Je n'ai pas mis la musique. Je suis concentrée sur la route pour arriver là-bas.

«*Si ce bleu pouvait durer toujours, si cette trouée pouvait rester toujours.*»

Rien n'aurait pu le faire durer.

La première chose que j'aperçois, c'est Little Bastard, au bord de la route, les roues de droite, avant et arrière, sur le talus. Je me gare derrière et coupe le moteur. Je marque un temps d'arrêt, assise derrière mon volant.

Je pourrais repartir maintenant. Si je repars, Theodore Finch est encore en vie, quelque part dans ce monde, en balade, même si c'est sans moi. Je saisis la clé de contact.

Pars.

Je sors de la voiture. Le soleil est trop chaud pour un mois d'avril en Indiana. Le ciel est bleu, après des mois de grisaille, sauf en ce premier jour de chaleur. Je laisse mon blouson à l'intérieur.

Je dépasse les panneaux PRIVÉ et la maison qui se tient à l'écart de la route, au bout d'une allée. Je grimpe le talus et je redescends vers le bassin rond et bleu, entouré d'arbres. Je ne sais pas comment j'ai pu manquer ça la première fois : l'eau est aussi bleue que ses yeux.

L'endroit est désert, paisible. Tellement désert et paisible que j'ai presque envie de tourner les talons pour regagner ma voiture.

Mais c'est à ce moment-là que mon regard tombe dessus.

Ses vêtements, sur le bord, soigneusement pliés, sa chemise posée sur son jean posé sur mon blouson en cuir posé sur ses boots noires. Sa tenue préférée. Posée là. Au bord de l'eau.

Je demeure un long moment figée, pétrifiée. Parce que tant que je reste là, Finch est encore quelque part.

Puis, je m'agenouille à côté des vêtements et je pose ma main dessus, comme si ce geste pouvait m'apprendre où il est et depuis quand il est parti. Les vêtements sont chauds de soleil. Je découvre son portable glissé dans l'une de ses boots, mais il n'a plus de batterie. Dans l'autre, il y a ses lunettes de nerd et les clés de sa voiture. Dans le blouson de cuir, je trouve notre carte, pliée tout aussi soigneusement. Sans réfléchir, je la glisse dans mon sac.

– Marco, je murmure.

Puis je me lève.

– Marco, je répète plus fort.

J'enlève mes chaussures et mon manteau, je pose mes clés et mon téléphone à côté des affaires de Finch. Je me perche sur un rocher et je plonge. Le froid me coupe le souffle. Je reste sur place, le temps de reprendre ma respiration. Puis j'inspire et je mets la tête sous l'eau, qui est étrangement claire.

Je vais aussi profond que possible. À mesure que je m'enfonce, l'eau devient de plus en plus sombre. Bientôt, je dois remonter à la surface pour emplir mes poumons. Je plonge encore et encore, toujours plus profond, jusqu'à manquer d'air. Je parcours le bassin d'un bord à l'autre, je remonte, je replonge. Chaque fois, je reste un peu plus longtemps mais pas autant que Finch, qui peut tenir plusieurs minutes.

Qui *pouvait* tenir.

Parce que, au bout d'un moment, cela s'impose à moi : il a disparu. Il est parti. Il n'est nulle part.

Pourtant je continue, je plonge, je nage, je plonge, je nage, d'un bout à l'autre, je descends, je remonte jusqu'à ne plus en pouvoir. Je me hisse alors sur le bord, épuisée, hors d'haleine, les mains tremblantes.

J'appelle le 9-1-1 en pensant : *Il n'est pas nulle part. Il n'est pas mort. Il a simplement trouvé l'autre monde.*

Le shérif du comté arrive avec les pompiers et une ambulance. Je reste sur la rive, enveloppée dans une couverture qu'ils m'ont donnée. Je pense à Finch, à sir Patrick Moore, aux trous noirs, aux trous bleus, aux plans d'eau sans fond, aux étoiles qui explosent, à l'horizon des événements, à un endroit si sombre qu'une fois qu'elle y est entrée, la lumière ne peut plus en ressortir.

Arrivent des gens que je ne connais pas, qui vont et viennent, sûrement les propriétaires de cet endroit, les habitants de la maison. Ils ont des enfants, la femme leur cache les yeux, les entraîne plus loin, leur ordonne de rentrer et de rester à l'intérieur, quoi qu'il arrive, jusqu'à ce qu'elle leur dise qu'ils peuvent ressortir. Son mari soupire :

– Satanés mômes.

Et il ne parle pas des siens, il parle des mômes en général, des mômes comme Finch et moi.

Des hommes plongent et replongent, ils sont trois ou quatre, ils se ressemblent tous. J'ai envie de leur dire de ne pas perdre leur temps, qu'ils ne trouveront rien, qu'il n'est pas là. Si jamais quelqu'un est capable de passer dans un autre monde, c'est bien Theodore Finch.

Même quand ils remontent le corps, tout boursouflé, bouffi et bleu, je pense : *Ce n'est pas lui, c'est quelqu'un d'autre. Cette chose boursouflée, bouffie et bleue à la peau toute morte n'est pas quelqu'un que je connais.* Je le leur dis. Ils me demandent si je me sens assez forte pour l'identifier, et je leur réponds :

– Ce n'est pas lui, c'est une chose morte, morte, boursouflée, bouffie et bleue. Et je ne peux pas l'identifier parce que je ne l'ai jamais vue auparavant.

Et je détourne la tête.

Le shérif s'accroupit à mes côtés.

– On va appeler ses parents, alors.

Il veut leur numéro, alors je lui dis :

– Je vais le faire. C'est elle qui m'a demandé de venir. Elle voulait que je le trouve. Je vais l'appeler.

Mais ce n'est pas lui, ça saute aux yeux. Les gens comme Theodore Finch ne meurent pas. Il est juste parti en balade.

J'appelle ce numéro qui ne leur sert jamais. Sa mère répond dès la première sonnerie, comme si elle attendait à côté du téléphone. Je ne sais pas pourquoi, mais ça me rend dingue, j'ai envie de lui raccrocher au nez et de jeter mon portable dans l'eau.

– Allô ? Allô ? répète-t-elle, d'une voix haut perchée, curieux mélange d'espoir et de terreur. Oh, mon Dieu. Allô ?

– Mme Finch ? C'est Violet. Je l'ai trouvé. Il était bien là où je pensais. Je suis vraiment désolée.

Ma voix est étouffée, comme si j'étais sous l'eau, ou à l'étranger. Je me pince l'intérieur du bras, laissant de petites marques rouges parce que, brusquement, je ne sens plus rien.

Sa mère laisse échapper un cri, tel que je n'en ai jamais entendu, un cri grave, guttural, déchirant. Une fois de plus, j'ai envie de jeter mon téléphone à l'eau pour que ça s'arrête ; mais à la place, je continue à répéter : « désolée », encore et encore, comme une voix enregistrée, jusqu'à ce que le shérif me prenne le portable des mains.

Tandis qu'il lui parle, je m'allonge par terre, enveloppée dans la couverture, et je m'adresse au ciel :

– Que ton œil rejoigne le soleil, ton âme le vent… Tu es toutes les couleurs en une, à leur maximum d'éclat.

VIOLET

3 MAI

Plantée devant le miroir, je me dévisage. Je suis tout de noir vêtue. Jupe noire, sandales noires et le T-shirt noir de Finch serré à la taille par une ceinture. C'est bien moi pourtant, mais j'ai changé. Je n'ai plus la tête d'une adolescente sans souci, reçue dans quatre universités, qui a de gentils parents, de gentils amis et toute la vie devant elle. C'est la tête d'une fille triste et solitaire à qui il est arrivé malheur. Je me demande si je retrouverai un jour ma tête d'autrefois ou si ça se verra toujours sur mon visage – Finch, Eleanor, le chagrin, la culpabilité, la mort.

Moi, je le verrai peut-être dans mon reflet.

Mais les autres, sauront-ils ? Je prends une photo avec mon téléphone, un sourire forcé aux lèvres et quand je la regarde, je la vois : Violet Markey. Je pourrais la poster sur Facebook à l'instant, personne ne saurait que je l'ai prise *après* et non *avant*.

Mes parents voulaient m'accompagner à l'enterrement, mais j'ai refusé. Ils sont tout le temps sur mon dos, à me couver des yeux. Dès que je me retourne, je croise leurs regards inquiets, et ceux qu'ils échangent entre eux, et autre chose aussi – la colère. Ils ne m'en veulent plus parce que, maintenant, leur colère s'est reportée sur Mme Finch, et sans doute sur Finch aussi, même s'ils ne veulent pas l'avouer. Mon père, comme toujours, est plus direct que ma mère et je le surprends à maudire « cette satanée bonne femme » à qui il aimerait bien « dire le fond de sa pensée » avant que maman le fasse taire parce que « Violet pourrait t'entendre ».

Sa famille est au premier rang. Il pleut. C'est la première fois que je vois son père, qui est grand, carré d'épaules, une allure de star de ciné. La femme toute terne à ses côtés doit être la belle-mère de Finch, tenant par les épaules un petit garçon. Puis il y a Decca, Kate, et Mme Finch. Tous en larmes, même le père.

Golden Acres est le plus grand cimetière de la ville. Nous sommes au sommet d'une colline, autour du cercueil. Mon second enterrement en tout juste un an, alors que Finch voulait être incinéré. Le pasteur cite des versets de la Bible, la famille pleure, tout le monde pleure, même Amanda Monk et quelques pom-pom girls. Ryan et Gromerdo sont là, ainsi qu'environ deux cents élèves du lycée. Je repère également le proviseur, M. Wertz, M. Black, Mme Kresney et M. Embry, les conseillers psychologiques. Je me tiens un peu à l'écart, avec mes parents – qui ont insisté pour venir –, Charlie et Brenda. La mère de Brenda est là, la main sur l'épaule de sa fille. Charlie contemple le cercueil, les bras croisés. Brenda regarde Gromerdo et sa bande en pleurs, les yeux secs, étincelants de fureur. Je comprends ce qu'elle ressent. Voilà ceux qui l'ont traité de fêlé, qui ne lui ont jamais prêté la moindre attention sauf pour se moquer ou répandre des rumeurs à son sujet, et voilà qu'ils sanglotent à la manière des pleureuses professionnelles dont on peut louer les services à Taïwan ou au Moyen-Orient – qui pleurent, chantent, rampent par terre. Et sa famille, ce n'est pas mieux. Quand le pasteur a terminé, les gens s'approchent pour leur présenter leurs condoléances, leur serrer la main. Et tous les membres de la famille reçoivent ces témoignages de compassion comme s'ils les avaient mérités. Alors que personne ne vient rien me dire, à moi.

Je reste là, à l'écart, dans le T-shirt noir de Finch, à réfléchir. Le pasteur n'a pas prononcé une seule fois le mot « suicide ». La famille a décrété qu'il s'agissait d'un accident sous prétexte que Finch n'aurait pas laissé de véritable lettre. Le sermon a donc regretté ce jeune homme parti trop tôt, cette vie fauchée, trop courte, cet avenir plein de promesses avortées. Et moi, je me dis qu'il ne s'agissait pas d'un accident du tout. Que Finch n'était pas une victime, parce que le terme victime implique qu'on n'a pas le choix. Mais peut-être qu'il avait l'impression de ne pas avoir le choix ? Peut-être même qu'il n'a pas voulu se tuer, qu'il essayait simplement de toucher le fond. Mais ça, je ne le saurai jamais, n'est-ce pas ?

Et soudain, je me révolte : *Tu ne peux pas me faire ça. Toi qui m'as fait la leçon, toi qui m'as rappelé les raisons qu'on avait de vivre. Toi qui m'as dit qu'il fallait que je sorte de ma coquille, que je profite de ce que j'avais entre les mains au lieu de me perdre en regrets et remords. Toi qui m'as poussée à partir à l'assaut de mon sommet parce que quelque part ma montagne m'attend et que c'est ça qui donne un sens à la vie. Et puis voilà que tu es parti. Tu ne peux pas me faire ça. Surtout que tu sais ce que j'ai enduré après avoir perdu Eleanor.*

J'essaie de me rappeler les derniers mots que je lui ai adressés, en vain. Je sais juste qu'il s'agissait de mots de colère, tout à fait ordinaires. Que lui aurais-je dit si j'avais su que je ne le reverrais plus jamais ?

Alors que la foule commence à s'éclaircir, que les gens repartent, chacun de leur côté, Ryan me rejoint en disant :

– Je peux t'appeler plus tard ?

C'est une question, j'y réponds en hochant la tête. Il fait de même avant de s'éloigner.

Charlie murmure :

– Quelle bande de faux-culs.

J'ignore s'il veut parler de nos camarades de classe, des parents de Finch ou de l'assemblée tout entière.

Bren remarque d'une voix cassante :

– Et dire que Finch regarde tout ça, quelque part, en haussant les épaules, genre : « Vous vous attendiez à quoi ? » J'espère qu'il les fait bien flipper.

C'est M. Finch qui a officiellement identifié le corps. Le rapport indique que, quand il a été retrouvé, Finch était sans doute mort depuis plusieurs heures.

– Tu crois vraiment qu'il est quelque part ? je demande.

Comme Brenda me dévisage, perplexe, je poursuis :

– Je veux dire autre part. Parce que j'aime à penser que, où qu'il soit, il ne nous voit pas, parce qu'il est passé dans un autre monde, bien meilleur que celui-ci. Le genre de monde qu'il aurait créé s'il avait pu. J'aimerais vivre dans un monde créé par Theodore Finch.

Je pense : *Et j'ai eu cette chance, quelque temps.*

Avant que Brenda puisse me répondre, la mère de Finch surgit brusquement à mes côtés, me fixant de ses yeux rougis. Elle me serre contre elle, se cramponne à moi, à croire qu'elle ne va plus jamais me lâcher.

– Oh, Violet… ma pauvre… ça va ?

Je lui tapote le dos comme à un enfant, puis M. Finch nous rejoint et il m'étreint dans ses gros bras, le menton sur le sommet de ma tête. J'étouffe… quand, soudain, je sens que quelqu'un me tire en arrière.

– Nous allons la ramener chez nous, déclare mon père d'une voix sèche et froide.

Je le laisse m'escorter jusqu'à la voiture.

Une fois à la maison, je picore mon dîner en écoutant mes parents parler des Finch d'une voix mesurée, pesant leurs mots pour ne pas me contrarier.

Papa : J'aurais aimé pouvoir leur dire le fond de ma pensée, aujourd'hui.

Maman : Elle n'avait pas le droit d'exiger ça de Violet.

Elle me jette un regard en demandant d'une voix trop enjouée :

– Tu veux encore des légumes, ma chérie ?

Moi : Non, merci.

Avant qu'ils puissent enchaîner sur Finch et à quel point il est égoïste de se suicider, de se donner la mort volontairement alors que le destin a écourté la vie d'Eleanor, *sans qu'on lui demande son avis* – discours complètement inepte, cruel et inutile –, je demande à quitter la table en ayant à peine touché à mon assiette. Comme on ne m'impose pas d'aider à desservir, je monte dans ma chambre m'enfermer dans mon placard. Mon calendrier gît dans un coin. Je le déplie, je le lisse du plat de la main, en regardant toutes ces cases vides, innombrables, que je n'ai pas cochées, ces jours passés en compagnie de Finch.

Mes pensées se bousculent :

Je te déteste.

Si seulement j'avais su.

Si seulement je t'avais suffi.

Je n'ai pas su.

J'aurais voulu pouvoir faire quelque chose.

J'aurais dû faire quelque chose.

C'est ma faute ?

Pourquoi je ne t'ai pas suffi ?

Reviens.

Je t'aime.

Je suis désolée.

VIOLET

MAI – 1re, 2e ET 3e SEMAINES

Tout le lycée semble en deuil. Beaucoup d'élèves sont en noir, et on entend renifler dans toutes les classes. Quelqu'un a installé un autel dédié à Finch dans l'une des grandes vitrines du hall d'entrée. Ils ont affiché un agrandissement de son portrait et ont laissé la porte en verre ouverte pour ceux qui voudraient y déposer un hommage – tous les messages sont du genre : *Cher Finch, tu nous manques. On t'aime* ou *On t'aimait tant, tu vas nous manquer.*

J'ai envie de les déchirer en mille morceaux et de les jeter dans la pile de mots mauvais et hypocrites, parce que c'est tout ce qu'ils méritent.

Nos professeurs nous rappellent qu'il ne reste plus que cinq semaines de cours. Je devrais être heureuse, sauf que ça ne me fait rien. Ces derniers temps, je ne ressens que du rien. J'ai pleuré une ou deux fois, mais la plupart du temps, je me sens vide, comme si une opération chirurgicale m'avait ôté tout ce qui me permettait de m'émouvoir, de rire, de pleurer ou d'aimer, me laissant creuse comme une coquille vide.

Je conseille à Ryan de ne pas espérer plus que mon amitié, et ça tombe bien parce qu'il n'ose plus me toucher. Et ce n'est pas le seul. Comme si j'étais contagieuse. C'est l'un des dommages collatéraux du suicide.

Le mercredi suivant l'enterrement, je suis en train de déjeuner avec Brenda, Lara et les Briana, quand Amanda s'approche et pose son plateau sur la table, sans un regard pour les autres, en me disant :

– Je suis désolée pour Finch.

Sur le coup, j'ai peur que Brenda lui colle son poing dans la figure, parce que moi, j'en ai très envie. Mais comme Bren ne réagit pas, je hoche la tête.

– Merci.

– Je n'aurais pas dû le traiter de fêlé. Et je tenais à te dire que j'ai rompu avec Gromerdo.

– C'est un peu tard, murmure Brenda.

Elle se lève brusquement, ébranlant la table. Elle attrape son plateau et, en marmonnant « à plus », elle tourne les talons.

Le jeudi, j'ai rendez-vous avec M. Embry – le proviseur a décrété que tous les amis et camarades de classe de Theodore Finch devaient avoir un entretien avec l'un des conseillers psychologiques, même si Les Parents – c'est ainsi que mon père et ma mère appellent M. et Mme Finch – affirment que c'était un accident, de sorte, j'imagine, que nous puissions le pleurer normalement, ouvertement, sans honte. Pas de gêne, pas le moindre embarras puisqu'il n'est nullement question de suicide.

J'ai demandé à voir M. Embry plutôt que Mme Kresney car c'est lui qui suivait Finch. Il me dévisage, sourcils froncés, derrière son bureau, et soudain j'ai peur qu'il m'accuse comme je m'accuse moi-même

Je n'aurais jamais dû proposer de prendre le pont de A Street. Si on était passées par l'autre pont, Eleanor serait encore en vie.

M. Embry se racle la gorge.

– Je suis désolé pour Finch. C'était un gentil gamin en vrac qui aurait dû être davantage soutenu.

Là, il a piqué ma curiosité.

Il ajoute :

– Je me sens coupable.

J'ai envie de balancer son ordinateur, ses livres, tous ses dossiers par terre.

Vous n'avez pas le droit de culpabiliser. C'est moi qui suis coupable. Vous ne pouvez pas me voler ma culpabilité.

Il poursuit :

– Sauf que je ne suis pas coupable. J'ai fait ce que je pensais être mon devoir. Aurais-je pu faire plus ? Sans doute. Oui. On peut toujours faire plus. Mais c'est une question à laquelle il est difficile de répondre. Et, en définitive, tout à fait inutile. Il se peut que vous ressentiez la même chose, que vous passiez par le même cheminement de pensée.

– Je sais que j'aurais pu faire plus. J'aurais dû voir venir ce qui est arrivé.

– On ne peut pas voir ce que les autres ne veulent pas nous laisser voir. Surtout quand ils se donnent un mal fou pour le cacher.

M. Embry prend une brochure sur son bureau et lit :

– « Que vous le vouliez ou non, vous êtes une survivante et cela implique que votre survie – votre survie émotionnelle – va dépendre de comment vous encaissez le choc. La mauvaise nouvelle : survivre à cela sera la deuxième pire épreuve de votre vie. La bonne nouvelle : le pire est déjà derrière vous. »

Il me tend la brochure : *Manuel de survie pour l'entourage des suicidés*.

– Lisez-le, et n'hésitez pas à venir me parler, à parler à vos parents, à vos amis. Il ne faut surtout pas refouler tout ça. Vous étiez la plus proche de lui, vous allez passer par la colère, le manque, le déni, le chagrin, comme pour toute mort, sauf que celle-ci est un peu spéciale; ne soyez pas trop dure avec vous-même.

– Ses parents prétendent que c'était un accident.

– Peut-être est-ce le cas. Les gens gèrent les événements comme ils le peuvent. Moi, la personne qui m'intéresse, c'est vous. Vous n'êtes pas responsable de tous ceux qui vous entourent – ni de votre sœur, ni de Finch. Votre sœur n'a pas eu le choix, mais peut-être que Finch avait l'impression de ne pas avoir le choix non plus, même si c'était faux.

Il fronce les sourcils, le regard dans le vide. Je vois bien qu'il se repasse toutes ses conversations, tous ses rendez-vous avec Finch, comme moi.

Mais ce que je ne peux pas, ce que je ne veux pas lui avouer, c'est que je vois Finch partout – dans les couloirs du lycée, dans la rue, dans mon quartier. Un visage, un rire, une façon de marcher, va me le rappeler. Comme si j'étais entourée de mille versions de lui. Je me demande si c'est normal, je n'ose pas le demander.

À la maison, je m'allonge sur mon lit avec la brochure. Elle ne fait que trente-six pages, ce n'est pas bien long. Ce qui me reste gravé dans la tête, ce sont ces deux phrases : « L'issue, pour vous en tirer, est d'accepter votre vie telle qu'elle se présente désormais à vous, changée à jamais. Si vous y parvenez, vous trouverez la paix. »

Changée à jamais.

Je suis changée à jamais.

Au dîner, je montre la brochure à ma mère. Elle la lit tout en mangeant, sans dire un mot tandis que mon père essaie de me brancher sur le sujet de la fac.

– Tu as décidé dans quelle université tu souhaitais aller, Vi ?

– UCLA, peut-être.

J'ai envie de demander à mon père de choisir pour moi. De toute façon, qu'est-ce que ça peut faire ? C'est du pareil au même.

– Il faudrait leur donner une réponse assez vite.

– Oui, oui. Je vais m'en occuper…

Mon père regarde ma mère, l'appelant à la rescousse, mais elle est toujours plongée dans sa lecture, oubliant complètement son assiette.

– Et tu as repensé à ce projet de demander un transfert à NYU au deuxième semestre ?

– Non, mais tiens, je devrais m'y mettre tout de suite. Je peux y aller ?

Je profite de l'occasion pour échapper à la brochure, à mes parents, à cette conversation.

Mon père paraît soulagé.

– Oui, bien sûr, file.

Il est aussi soulagé de me voir quitter la table que je le suis de la quitter. C'est plus simple de ne pas être obligés de se regarder dans le blanc des yeux et inévitablement de parler d'Eleanor, et de ce qui s'est passé avec Finch. Je suis bien contente de ne pas être à la place de mes parents et je me demande si je le serai un jour. Ce doit être terrible de ne pas savoir comment aider quelqu'un qu'on aime.

En fait, c'est un sentiment que j'ai déjà éprouvé.

À une assemblée générale du lycée, dix jours après l'enterrement de Finch, nous avons droit à la démonstration d'un spécialiste en arts martiaux sur les techniques de self-défense – comme si le suicide risquait de nous attaquer au coin de la rue –, puis à un film sur des ados toxicos. Avant d'éteindre les lumières, le proviseur nous prévient que certaines images sont assez dures pour nous permettre de prendre conscience des réalités de la consommation de drogues.

Pendant le générique, Charlie me chuchote qu'ils nous passent ça parce que le bruit court que Finch se droguait et que c'est pour cela qu'il est mort. Charlie, Brenda et moi, nous sommes les seuls à savoir que c'est complètement faux.

Au moment où, sur l'écran, un ado fait une overdose, je quitte la salle précipitamment pour vomir dans l'une des poubelles du couloir.

– Ça va ? s'inquiète Amanda, assise par terre, au pied du mur.

Je m'écarte de la poubelle.

– Tu n'es pas venue voir le film ?

– Je n'ai pas pu supporter plus de cinq minutes.

Je m'assieds à côté d'elle.

– Qu'est-ce qui se passe dans ta tête quand tu fais ça ?

– Fais quoi ?

– Une tentative de suicide. J'aimerais comprendre ce qu'on ressent. J'aimerais comprendre pourquoi.

Amanda fixe le dos de ses mains.

– Je peux juste te dire ce que, moi, j'éprouvais. Je me dégoûtais. Je me sentais nulle. Laide. Inutile. Repoussante. Minuscule. Bonne à rien. Laissée pour compte. Comme si je n'avais plus d'autre choix. Comme si c'était la seule solution… parce qu'il n'y a rien qui te retienne. Tu te dis : « De toute façon, je ne manquerai à personne. Le monde continuera à tourner, avec ou sans moi. Et tout ira sans doute mieux si je ne suis plus là. »

– Mais tu n'es pas comme ça tout le temps. Enfin, tu es Amanda Monk ! Tout le monde t'adore. Tes parents sont super gentils avec toi. Tes frères sont gentils avec toi.

Tout le monde est gentil avec toi de peur que…

Elle me dévisage.

– Dans ces moments-là, ça ne compte plus. C'est comme si ça concernait quelqu'un d'autre, tu te sens tellement mal à l'intérieur que les ténèbres engloutissent tout. Tu ne penses même pas à ce que va devenir ton entourage, parce que tu ne penses plus qu'à toi.

Elle cale ses genoux sous son menton.

– Tu sais si Finch avait déjà vu un psychiatre ?

– Je ne sais pas.

Il y a tant de choses que j'ignore à son sujet. Et que je ne saurai jamais, j'imagine.

– Je crois que ses parents n'ont jamais voulu reconnaître qu'il avait un problème.

– Il essayait de se rétablir pour toi.

Elle veut me réconforter en disant cela mais, bizarrement, c'est encore pire.

Le lendemain en géo, M. Black écrit la date au tableau – 4 juin – et la souligne.

– L'heure approche... vous allez... me rendre... vos dossiers bientôt... alors n'hésitez pas... à venir me voir... si vous avez des questions... sinon, j'attends... vos devoirs... à la date prévue... ou même avant.

Après la sonnerie, il m'interpelle :

– J'aimerais... vous parler... Violet.

Je reste donc à mon bureau, à côté de celui qu'occupait Finch. J'attends. Une fois que le dernier élève a quitté la classe, M. Black va fermer la porte et se rassied à sa place.

– Je voulais... voir avec vous... si vous aviez... besoin d'un coup de main... et vous dire... que vous pouviez me rendre... sans honte... un devoir inachevé... Vous avez bien évidemment... des circonstances... atténuantes.

Circonstances atténuantes. C'est moi. Violet Markey. La pauvre Violet changée à jamais et ses circonstances atténuantes. Il ne faut pas la brusquer parce qu'elle est fragile, elle risque de voler en éclats si l'on exige d'elle la même chose que des autres.

– Merci, mais ça va.

Je vais me débrouiller. Je vais leur montrer que je ne suis pas une poupée de porcelaine à manipuler avec précaution. Je regrette juste que Finch et moi nous n'ayons pas cherché un fil conducteur entre nos balades et fait davantage de recherches sur chaque site. On était tellement dans l'instant que je n'ai pas grand-chose à montrer à part un carnet à moitié rempli, quelques photos et une carte annotée.

Le soir, je m'impose la torture de relire nos messages Facebook depuis le premier. Puis, même si je sais qu'il ne le lira jamais, j'ouvre notre carnet et j'écris :

Lettre à quelqu'un qui s'est suicidé,
Par Violet Markey

Où es-tu ? Pourquoi es-tu parti ? Je ne le saurai jamais, j'imagine. Est-ce parce que je t'ai énervé ? Parce que j'ai essayé de t'aider ? Parce que je n'ai pas répondu quand tu as lancé des cailloux contre ma vitre ? Et si j'avais répondu ? Qu'est-ce que tu m'aurais dit ? Est-ce que j'aurais pu te convaincre de rester, te dissuader de faire ce que tu avais prévu ? Ou cela n'aurait-il rien changé ?

À ce propos, es-tu conscient que ma vie est changée à jamais ? Je pensais que c'était parce que tu étais entré dans ma vie, que tu m'avais fait découvrir l'Indiana, me forçant à sortir de ma chambre, à retourner dans le monde. Même quand nous n'étions pas en balade, même de l'intérieur de ton placard, tu m'as montré tout ce que le monde avait à m'offrir. J'ignorais que ma vie serait changée à jamais parce que tu y es entré et que tu en es sorti aussi brutalement.

Je suppose que la Grande Affirmation n'existe pas, bien que tu m'aies poussée à y croire. Finalement, ce n'était qu'un devoir parmi d'autres pour le lycée.

Je ne te pardonnerai jamais de m'avoir quittée ainsi. J'aimerais juste que toi, tu puisses me pardonner. Tu m'as sauvé la vie.

Et pour finir, j'ajoute :

Pourquoi n'ai-je pas pu sauver la tienne ?

Je m'appuie contre le dossier de ma chaise, contemplant les Post-it qui forment le plan de *Germ*. J'ai ajouté une nouvelle rubrique : L'avis du spécialiste. Je survole les autres et mon regard s'arrête sur la dernière phrase : Tu commences ici.

Je me lève d'un bond et je me mets à retourner toutes mes affaires. Je panique. Je ne sais plus ce que j'ai fait de la carte. J'en tremble car, si je l'ai perdue, ce sera comme si une autre partie de Finch avait disparu.

Je la retrouve finalement dans mon sac. Elle réapparaît comme par magie alors que je vérifie pour la troisième fois. Je l'étale sur mon bureau pour regarder les endroits qu'on avait entourés. Il me reste cinq sites à voir toute seule. Finch les a numérotés, il y a donc un ordre à suivre.

VIOLET

LES BALADES RESTANTES

1 & 2

Milltown, huit cent quinze habitants, est proche de la frontière avec le Kentucky. Je suis obligée de m'arrêter pour demander aux passants où se trouve l'arbre aux chaussures. Une femme prénommée Myra m'indique la direction de Devils Hollow, le vallon des Démons. Bientôt je quitte la route goudronnée pour une piste de terre en pente, gardant le nez en l'air, comme Myra me l'a recommandé. Alors que je crois m'être perdue, j'arrive à un croisement d'où partent quatre sentiers, au milieu des bois.

Je m'arrête et je descends de voiture. Au loin, j'entends des gamins crier et rire. À l'entrée de chaque sentier, un arbre aux branches chargées de chaussures. La plupart pendent au bout de leurs lacets, telles des décorations de Noël géantes. Myra n'a pas su me dire comment ça avait commencé, qui a laissé la première paire, mais des gens viennent de partout pour ajouter la leur. La légende voudrait que Larry Bird, le joueur de basket, en ait perché une tout là-haut.

Ma mission est simple : en laisser une à mon tour. J'ai apporté mes Converse vertes et des Keds jaunes qui étaient à Eleanor. Je penche la tête en arrière pour choisir mon endroit. Je vais les pendre à l'arbre d'origine, celui qui est le plus chargé, et qui a été frappé plus d'une fois par la foudre – ça se voit à son tronc sec et noirci.

Je tire un marqueur de ma poche pour écrire *Ultraviolet Re-Mark-able* et la date sur mes baskets. Je saute en l'air pour que les lacets s'enroulent autour d'une branche brasse. J'accroche celles d'Eleanor à côté.

Et voilà. Il n'y a rien d'autre à voir. Ça fait beaucoup de route pour un simple arbre plein de vieilles godasses, mais il ne faut pas le prendre comme ça. C'est un peu magique quand même. Je recule d'un pas, la main en visière, contemplant la silhouette de l'arbre. C'est juste au moment où je vais tourner les talons que je les remarque, sur la plus haute branche, perchées au sommet. Une paire de baskets aux lacets fluo, avec « TF » écrit dessus. Un paquet bleu de American Spirit dépasse de l'une d'elles.

Il est passé par ici.

Je regarde autour de moi, comme si je pouvais l'apercevoir, mais il n'y a que moi et les gamins qui rigolent et braillent pas loin. Quand est-il venu ? Après son départ ? Ou avant ?

Il y a quelque chose qui me tracasse. *La plus haute branche*... Oui ! *La plus haute branche*. Je veux sortir mon téléphone, mais je l'ai laissé dans la voiture. Je me rue jusqu'à elle, j'ouvre la portière et, à genoux sur le siège, je me repasse les textos de Finch. Il n'y en a pas tant que ça de récents. Je le retrouve facilement. Je suis sur la plus haute branche. Je vérifie la date. Une semaine après son départ.

Il est passé par ici.

Je relis alors les autres messages :

Nous sommes écrits à la peinture.

Je ne suis pas tombé dans le panneau.

La lueur d'Ultraviolet.

Un lac. Une prière.

Je sors la carte et suis du doigt le trajet jusqu'au prochain site. C'est à plusieurs heures de route, au nord-ouest de Muncie. Je regarde l'heure avant de redémarrer et de filer. Je crois savoir où je vais, j'espère qu'il n'est pas trop tard.

La plus grosse boule de peinture du monde appartient à Mike Carmichael. Contrairement à l'arbre à chaussures, c'est une véritable attraction touristique. La boule a son site Web et est citée dans le *Livre Guinness des records*.

J'arrive à Alexandrie peu après seize heures. Mike Carmichael et sa femme m'attendent parce que je les ai appelés en route. Je me gare devant la remise où est exposée la boule et frappe à la porte, le cœur battant.

Comme personne ne répond, j'actionne la poignée, mais la porte est fermée à clé. Je me dirige donc vers la maison, mon pouls s'emballe. Et si un autre visiteur est venu entre-temps ? Et s'il a recouvert le message que Finch avait écrit ? Alors il aura disparu, je ne pourrai pas le lire et ce sera comme s'il n'était jamais passé par ici.

Je frappe plus fort que je n'en avais l'intention à la porte d'entrée. Après un petit temps d'attente, un homme aux cheveux blancs et au sourire chaleureux vient m'ouvrir. Il me serre la main et me demande de l'appeler Mike.

– D'où venez-vous, jeune fille ?

– De Bartlett.

Je passe sous silence le détour par Milltown.

– C'est une jolie ville, Bartlett. On y va parfois pour dîner au Gaslight.

Mon cœur cogne si fort à mes oreilles que je me demande s'il l'entend. Je le suis jusqu'à la remise tandis qu'il m'explique :

– J'ai commencé cette boule de peinture il y a presque quarante ans. L'idée m'est venue parce que je travaillais dans un magasin de peinture quand j'étais au lycée, bien avant ta naissance, peut-être même avant celle de tes parents. Je jouais avec un copain dans la réserve quand notre balle de base-ball a renversé un pot de peinture. Et là, je me suis demandé : « Qu'est-ce qui se passerait si je la recouvrais de cent mille couches de peinture ? » Alors j'ai essayé.

Mike m'apprend qu'il a fait don de cette première boule au musée des enfants de Knightstown, et qu'il en a commencé une nouvelle en 1977.

Il ouvre la porte de la remise et nous entrons dans une pièce spacieuse qui sent la peinture. L'énorme boule est suspendue au milieu, sorte de miniplanète. Il y a des pots de peinture partout par terre et le long des murs. Un mur est couvert de photos de la boule à différents stades. Quand Mike m'explique qu'il s'efforce de lui mettre une couche de peinture quotidienne, je le coupe en demandant :

– Excusez-moi, mais un de mes amis est venu récemment, peut-être que vous vous souvenez de lui ? Il a dû écrire quelque chose sur la boule…

Tandis que je lui décris Finch, Mike se frotte le menton et se met à hocher la tête.

– Oui, oui. Je me souviens de lui. Un gentil garçon. Il n'est pas resté longtemps. Il a utilisé cette peinture-là.

Il me montre un pot dont la couleur est précisée sur le couvercle : *Violet.*

Hélas, la boule n'est pas violette, elle est jaune soleil. Mon cœur se serre. Je baisse les yeux pour ne pas pleurer.

– La boule a été repeinte entre-temps, je constate.

Je suis arrivée trop tard. Trop tard pour Finch. Trop tard une fois de plus.

– De toute façon, ceux qui veulent écrire quelque chose, je leur demande de repeindre par-dessus avant de partir. Pour que la boule soit vierge pour le visiteur suivant. Vous voulez en mettre une couche ?

Je suis sur le point de refuser, mais comme je n'ai rien apporté à laisser sur place, je prends le rouleau qu'il me tend. Quand il me demande quelle couleur je veux, je réponds bleu, bleu comme le ciel. Tandis qu'il cherche la peinture, je reste figée sur place, le souffle coupé. Comme si j'avais à nouveau perdu Finch.

Puis Mike me rejoint avec un pot exactement de la couleur des yeux de Finch, dont il ne peut cependant pas se souvenir, bien sûr. Je trempe le rouleau dedans pour recouvrir le jaune. Je peins. Il y a quelque chose d'apaisant dans ce mouvement simple, qui ne demande aucune réflexion.

Une fois que j'ai fini, nous reculons tous les deux pour contempler mon œuvre.

– Vous voulez écrire quelque chose ? me propose-t-il.

– Non, c'est bon. Après il faudra le recouvrir.

Et personne ne saura que je suis passée par là non plus.

Pendant que je l'aide à ranger et nettoyer, il me donne quelques infos : la boule pèse déjà une tonne huit et est constituée de plus de vingt mille couches de peinture. Puis il me tend un cahier rouge et un stylo.

– Il faut le signer avant de partir.

Je le feuillette pour arriver à l'endroit où écrire mon nom, la date et un commentaire. Je parcours la page des yeux. Il n'y a pas eu beaucoup de visiteurs en avril, je recule d'une page et la voilà. Le voilà. *« Theodore Finch, 3 avril. Aujourd'hui, c'est ton jour à toi ! Tu vas voir de merveilleux endroits ! Allez, vas-y, envole-toi ! »*

J'effleure du bout des doigts les mots qu'il a écrits il y a quelques semaines, quand il était encore là, bien vivant. Je les lis, les relis, puis sur la première ligne vierge, je signe en laissant cette phrase :

« Ta montagne t'attend, allez… en route ! »

Sur la route du retour, je chante les quelques phrases dont je me souviens de la chanson de Finch sur le livre du Dr Seuss. En traversant Indianapolis, je me dis que je pourrais essayer de retrouver la serre où il a déniché des fleurs en plein hiver, mais finalement, je poursuis ma route. Ils ne pourront rien me dire sur Finch, ni pourquoi il est mort, ni ce qu'il avait écrit sur la boule de peinture. La seule chose qui me réconforte, c'est que, quoi qu'il ait écrit, ces mots resteront préservés pour toujours, sous les couches de peinture.

Quand j'arrive, mes parents sont dans le salon, mon père écoute de la musique, son casque sur les oreilles, ma mère corrige des devoirs. Je lance :

– Il faut qu'on parle d'Eleanor, et qu'on n'oublie pas qu'elle a existé.

Mon père ôte son casque tandis que je poursuis :

– Je ne veux plus faire semblant que tout va bien si ce n'est pas vrai, dire que ça va alors que ça ne va pas. Elle me manque. Je n'arrive toujours pas à digérer que je sois encore là et plus elle. Je regrette qu'on soit sorties ce soir-là. Je veux que vous le sachiez. Je regrette de lui avoir dit de prendre ce pont-là. Elle est passée par là à cause de moi.

Quand ils essaient de me couper, je hausse la voix :

– On ne peut pas revenir en arrière. On ne peut pas changer ce qui est arrivé. Je ne peux pas la ressusciter, ni ressusciter Finch. J'ai fait le mur pour aller le voir alors que je vous avais dit que c'était fini entre nous, je ne peux rien y changer. Mais je ne veux plus marcher sur des œufs avec vous, éviter sans cesse de parler de lui, ou d'elle. Le seul résultat, c'est que j'ai davantage de mal à me rappeler ce que je ne voudrais surtout pas oublier. J'ai du mal à me rappeler ma propre sœur. Parfois, j'essaie de me concentrer pour entendre à nouveau sa voix, son « Sa-lut ! » joyeux lorsqu'elle était de bonne humeur ou son « Vi-o-let » rageur quand je l'énervais. Ça, bizarrement, c'est le plus simple. Je me concentre, et quand je tiens le bon ton, je l'écoute et le réécoute dans ma tête parce que je ne veux pas oublier sa voix.

Ma mère s'est mise à pleurer sans bruit. Mon père est livide, d'un blanc grisâtre.

– Que ça nous plaise ou non, elle n'est plus là, mais on n'est pas obligés de l'effacer complètement. Ça ne tient qu'à nous. Et que ça vous plaise ou non, j'aimais Theodore Finch. Il me faisait du bien, même si vous étiez convaincus du contraire, que vous détestez ses parents et que vous le haïssez sans doute aussi. Même s'il est parti et que je lui en veux, et que je ne pourrai jamais le ramener à la vie et que c'est peut-être ma faute. Ça me fait du bien et du mal à la fois, mais j'aime repenser à lui. Car si je pense à lui, il ne disparaîtra pas complètement. Ce n'est pas parce qu'ils sont morts qu'ils n'existent plus. Et nous non plus.

Mon père est pétrifié comme une statue de marbre, mais ma mère se lève et titube jusqu'à moi. Tandis qu'elle m'attire contre elle, je pense : *Je la retrouve comme avant, forte et solide, prête à affronter la tempête.* Elle pleure toujours mais elle est bien là, solide et réelle. Je la pince au cas où et elle fait mine de ne pas le remarquer.

Puis elle soupire :

– Rien de tout ce qui est arrivé n'est de ta faute.

Et maintenant, c'est moi qui pleure, mon père aussi, une larme stoïque à la fois. Puis il enfouit son visage dans ses mains. Ma mère et moi, nous nous ruons sur lui comme un seul homme et nous nous retrouvons tous les trois à nous câliner, nous bercer en disant tour à tour :

– Ça va aller. Ça va. On va tenir le choc.

VIOLET

BALADES RESTANTES

3 & 4

Le drive-in de Pendleton Pike est l'un des derniers en son genre. Ce qu'il en reste gît au milieu d'un terrain vague, dans la banlieue d'Indianapolis. Désormais, ce n'est guère plus qu'un cimetière, mais dans les années 60, ce drive-in était l'une des sorties les plus en vogue dans le coin, car en plus du cinéma, il y avait un parc d'attractions avec de petites montagnes russes pour les enfants et d'autres manèges.

En fait, seul l'écran se dresse encore dans cette friche. Je me gare sur le bas-côté de la route et j'arrive par-derrière. Le temps est couvert, de gros nuages gris cachent le soleil et, malgré la chaleur, je frissonne. Cet endroit me donne la chair de poule. Tout en marchant dans les herbes folles, j'essaie de m'imaginer Finch qui, après avoir garé Little Bastard au même endroit que moi, s'approche de cet écran bloquant l'horizon telle une carcasse géante.

Je ne suis pas tombé dans le panneau, disait son texto.

Et c'est bien à ça que ressemble l'écran, à un gigantesque

panneau d'affichage. L'arrière est couvert de graffitis, et je dois me frayer un chemin entre les tessons de bouteille et les mégots de cigarette.

Soudain, j'ai une brusque montée d'angoisse, le genre qu'on a après avoir perdu quelqu'un – l'impression d'avoir reçu un coup de poing dans le ventre et d'en avoir le souffle coupé à jamais. J'ai envie de me laisser tomber par terre au milieu des détritus pour pleurer tout mon saoul.

Pourtant, je contourne l'écran, tout en me disant bien que je risque de ne rien trouver. Je me concentre sur chacun de mes pas, je compte jusqu'à trente et je lève la tête. L'immense étendue blanche est barrée de grandes lettres rouges : *Je suis passé par ici. TF.*

Ç'est là que mes genoux me lâchent, je m'écroule dans l'herbe sèche et les saletés. Qu'est-ce que j'étais en train de faire quand il est venu ici ? J'étais peut-être en cours ? Avec Amanda ou Ryan ? Ou bien à la maison ? Où étais-je quand il est grimpé là-haut pour peindre ce message, laisser une trace, poursuivre notre projet ?

Je me relève afin de prendre l'écran en photo avec mon téléphone, puis je m'approche, tout près, tout contre, de sorte que les lettres se dressent au-dessus de moi, immenses. Je me demande à combien de kilomètres à la ronde on peut lire ce message.

Il y a une bombe de peinture rouge par terre, soigneusement rebouchée. Je la ramasse, espérant un petit mot, quelque chose qui m'indique qu'il l'a laissée pour moi, mais rien.

Il a dû escalader les poteaux en acier qui maintiennent l'écran de chaque côté. Je pose le pied sur le premier barreau, la bombe sous mon bras et je grimpe. Je monte d'abord à gauche, puis à droite pour terminer ma phrase : *Je suis passée par là aussi. VM.*

Puis je recule de quelques pas. Son écriture est plus assurée que la mienne, mais elles vont bien ensemble. Je me dis : Nous voilà réunis. C'était notre périple. On l'a commencé ensemble, on le termine ensemble. Puis je reprends une photo au cas où il soit démoli un jour.

Munster est à l'extrémité nord-ouest de l'État, mais la ville est une banlieue-dortoir de Chicago, qui n'est qu'à une quarantaine de kilomètres. Elle est bordée de rivières, ce qui a dû plaire à Finch. Le monastère de Notre-Dame-du-Mont-Carmel se dresse au milieu d'un immense terrain ombragé. On dirait une église au milieu des bois.

J'erre aux alentours jusqu'à ce qu'un homme dégarni en robe de bure me demande :

– Puis-je vous aider, mademoiselle ?

Je lui raconte que je suis là pour un dossier de géo, mais que je ne sais pas vraiment ce qu'il y a à voir ici. Il acquiesce, comme s'il comprenait parfaitement, et me conduit non pas vers l'église, mais vers ce qu'il appelle « les sanctuaires ». Nous passons devant la statue d'un prêtre d'Auschwitz et une autre de sainte Thérèse de Lisieux, qui était surnommée « la petite fleur de Jésus ».

Le prêtre m'explique que tout a été créé par d'anciens aumôniers de l'armée polonaise, venus aux États-Unis après la Seconde Guerre mondiale pour réaliser leur rêve de fonder un monastère en Indiana. J'aimerais que Finch soit là pour qu'on puisse murmurer : *Sincèrement, qui peut rêver de fonder un monastère en Indiana ?*

Mais soudain, je le revois au sommet de Hoosier Hill sourire en contemplant ces affreux arbres, ces affreux champs, ces affreux gamins comme s'il découvrait le merveilleux pays d'Oz. *Figure-toi que certaines personnes le trouvent beau, cet État...*

Alors j'essaie de voir à travers ses yeux.

Les sanctuaires sont des sortes de grottes en pierre volcanique et cristaux qui scintillent à la lumière. Cette matière nacrée comme une coquille d'huître donne un petit air à la fois ancien et artistique. Nous franchissons une porte voûtée, surmontée d'une couronne et d'étoiles peintes, et il me laisse là.

À l'intérieur, je me retrouve dans un petit labyrinthe souterrain, toujours dans ce mélange de perlite et de cristaux, éclairé par des centaines de bougies. Les murs sont ornés de statues de marbre, de vitraux, de quartz et de fluorite qui captent la lumière. L'atmosphère est féerique, tout brille de mille feux.

Je ressors à l'air libre avant de m'aventurer dans une autre grotte, une autre série de tunnels, avec le même genre de vitraux et de cristaux incrustés dans les murs, et d'innombrables statues d'anges, tête baissée, les mains jointes en prière.

Je traverse une salle aménagée à la manière d'une église, avec des rangées de bancs face à l'autel où un Jésus de marbre gît sur son lit de mort, perché sur un piédestal de cristaux étincelants. Je passe devant un autre Jésus de marbre, cette fois ligoté à un pilier, avant de pénétrer dans une pièce qui étincelle du sol au plafond, éclairée à la lumière noire.

L'archange Gabriel et Jésus font monter les morts au ciel. Un spectacle difficile à décrire : les deux statues, bras en l'air, tendus vers les dizaines de croix qui s'élèvent jusqu'au plafond, brillant telles des étoiles ou des avions. Les murs sont couverts de plaques gravées par les familles des défunts qui demandent aux anges de ressusciter leurs proches et de leur assurer un bonheur éternel.

Je repère alors dans la paume ouverte de Jésus un objet qui n'a rien à y faire : un caillou tout simple, qui ne brille pas. Je le prends et dépose à la place l'offrande que j'ai apportée : une bague papillon qui appartenait à Eleanor. Je reste un peu, puis je ressors, éblouie par la lumière du jour. Devant moi se dressent deux escaliers, côte à côte, avec un panneau : PAR RESPECT, NE POSEZ PAS LES PIEDS SUR LES MARCHES SACRÉES, S'IL VOUS PLAÎT. VOUS POUVEZ LES GRAVIR SUR LES GENOUX. MERCI !

Il y a vingt-huit marches. Personne dans les parages. Je pourrais les grimper à pied, mais Finch est passé par ici avant moi, et je sais qu'il n'a pas triché. Je m'agenouille donc pour monter.

En haut, le prêtre me tend la main pour m'aider à me relever.

– Ça vous a plu ?

– C'est magnifique, surtout la salle éclairée à la lumière noire.

Il hoche la tête.

– Ah… *L'Apocalypse en Ultraviolet*. Les gens viennent de tout le pays pour voir ça.

L'Apocalypse en Ultraviolet. Je le remercie et je tourne les talons, mais en regagnant ma voiture, je me rends compte que j'ai toujours le caillou au creux de la main. J'ouvre mon poing et je le contemple : la première chose qu'il m'ait offerte, que je lui ai redonnée et qu'il me rend aujourd'hui : « À ton tour ».

Le soir, j'ai rendez-vous avec Brenda et Charlie au pied de la Purina Tower. J'ai invité Ryan et Amanda à se joindre à nous. Et une fois arrivés en haut, nous nous asseyons en cercle tous les cinq, une bougie à la main. Au fur et à mesure que Brenda les allume, une à une, chacun de nous dit quelque chose au sujet de Finch.

Quand vient son tour, elle ferme les yeux et déclame :

– *Saute, bondis, lèche les cieux ! Je bondis avec toi, je brûle avec toi !*[1]

Elle rouvre les paupières et sourit.

---

1. *Moby Dick ou le cachalot*, Herman Melville, traduction de Philippe Jaworski, 2006, Gallimard – La Pléiade (*NdT*).

– Herman Melville.

Puis elle pianote sur son portable et la musique résonne dans la nuit, la *playlist* favorite de Finch – Split Enz, The Clash, Johnny Cash et tout et tout.

Brenda se lève d'un bond et se met à danser. Elle se trémousse, elle lève les bras. Elle saute de plus en plus haut, à deux pieds, comme un gamin qui fait un caprice. Sans le savoir, elle refait la petite danse que Finch et moi avons improvisée, ce fameux soir, dans le rayon jeunesse de Bookmarks.

Elle chante à tue-tête, c'est trop drôle. Je suis obligée de m'allonger en me tenant les côtes, tant je ris. C'est la première fois que je ris comme ça depuis bien longtemps.

Charlie m'aide à me relever et il se met à sauter, et Amanda aussi, et Ryan s'y met également. On fait tous des bonds, on saute, on se trémousse comme des dingues sur le toit, tant et si bien qu'on décolle presque. On met le feu.

En rentrant à la maison, je n'ai aucune envie de dormir. J'étale la carte sur mon bureau pour l'étudier. Il me reste une dernière balade à faire. J'ai envie de la garder pour plus tard, parce que, une fois que ce sera fait, notre périple sera terminé, notre œuvre achevée, je n'aurai plus d'indices laissés par Finch à découvrir… alors que je n'ai encore rien trouvé, en fait, à part la preuve qu'il est passé à chacun de ces endroits sans moi.

C'est à Farmersburg, à moins de trente kilomètres de Prairieton et du Blue Hole. Je n'arrive pas à me rappeler ce qu'on devait voir là-bas. Son texto devrait me mettre sur la voie – s'il est dans la lignée des autres. C'est le dernier que j'ai reçu : Un lac. Une prière. C'est si joli d'être en Privé.

Mes recherches Internet sur Farmersburg ne donnent pas grand-chose d'intéressant. Il y a à peine mille habitants, et le fait le plus marquant semble être le grand nombre d'antennes TV et radio.

Nous n'avons pas choisi cet endroit ensemble.

Mes cheveux se dressent sur ma nuque.

C'est un site que Finch a rajouté sans me le dire.

VIOLET

LA DERNIÈRE BALADE

Le lendemain matin, je me lève et je pars aux aurores. À mesure que j'approche de Prairieton, ma gorge se serre. Je suis obligée de passer tout près du Blue Hole pour rejoindre Farmersburg. J'ai presque envie de faire demi-tour, c'est trop dur, je ne veux pas repasser par là, mais je tiens bon.

Une fois arrivée à Farmersburg, je ne sais pas trop où aller. Je tourne en rond en cherchant ce que Finch voulait que je voie.

Je cherche.

Je cherche un endroit en rapport avec la prière, ce que j'interprète comme une église. Internet m'a appris qu'il y avait cent trente-trois lieux de culte dans cette petite ville, mais ce serait un choix bizarre de la part de Finch pour la dernière balade.

Et pourquoi, hein? Tu le connaissais à peine.

Farmersburg est l'une de ces petites bourgades tranquilles d'Indiana, aux petites maisons tranquilles et au petit centre-ville tranquille. Des fermes, des routes de campagne, puis des rues goudronnées et numérotées. Comme je n'ai aucune piste, je fais comme d'habitude, je m'arrête sur Main Street (il y en a une dans chaque ville), à la recherche de quelqu'un qui pourra m'aider. Hélas, comme c'est dimanche, les boutiques et les restaurants sont fermés. J'arpente l'artère principale, mais on se croirait dans une ville fantôme.

Je reprends la voiture pour examiner toutes les églises que je croise, mais elles ne sont pas particulièrement jolies et en plus, il n'y a pas de lac à côté. Je m'arrête alors dans une station-service. Le pompiste – à peine plus âgé que moi – m'apprend que je trouverai des lacs en remontant la route 150 vers le nord.

– Et il y a des églises par là-bas ?

– Au moins une ou deux. Mais on a en a ici aussi.

Il m'adresse un sourire éteint.

– Merci.

Je suis ses indications jusqu'à la route 150 qui quitte la ville vers le nord. J'allume la radio, mais je ne capte que de la country ou des grésillements – je ne sais pas ce qui est pire. J'écoute les grésillements un moment avant d'éteindre. Je m'arrête dans un bazar à un dollar le long de la route, ils pourront peut-être m'indiquer où se trouvent les lacs.

J'achète un paquet de chewing-gum et une bouteille d'eau. Quand je lui dis que je cherche un lac et une église, un endroit joli, la femme qui est derrière le comptoir fait la moue, pianote sur sa caisse, avant de décréter :

– L'église baptiste Emmanuel, un peu plus loin sur cette route. Il y a un lac pas loin. Pas immense, mais mes gamins allaient s'y baigner.

– C'est privé ?

– Quoi ? Le lac ou l'église ?

– Les deux. L'endroit que je cherche est privé.

– Le lac est sur la route de Privé, si c'est ce que vous voulez dire.

Les poils de mes bras se hérissent. Dans son texto, Finch a mis une majuscule à Privé.

– Oui, je confirme, c'est ce que je voulais dire. Comment on y va ?

– Continuez la route 150 vers le nord. Vous verrez l'église sur votre droite, et le lac un peu plus loin, puis vous croiserez la route de Privé. Prenez-la et vous y êtes.

– À droite ou à gauche ?

– On ne peut tourner que sur la droite. C'est une petite route. Au bout, il y a l'académie de formation technologique, vous verrez le panneau.

Je la remercie et je remonte vite en voiture.

Je suis tout près. *J'y serai bientôt et alors tout sera fini – les balades, Finch, nous, tout.*

Je reste assise au volant et je prends le temps d'inspirer lentement, de manière à me concentrer sur l'instant présent. Je pourrais attendre, garder cette balade pour plus tard…

Mais maintenant que je suis là, je démarre, je roule dans la bonne direction et voilà déjà l'église baptiste Emmanuel, plus tôt que je ne le pensais, puis le lac, et la route. Je la prends, j'ai les mains moites, la chair de poule, je retiens mon souffle.

Je passe devant le panneau de l'académie, que j'aperçois au bord de la route, en fait, j'y suis déjà, c'est une impasse. Je fais marche arrière, je repasse devant l'académie, en me mordant les lèvres. Ça n'a rien de joli, je ne suis pas au bon endroit, ce n'est pas possible.

Je remonte la route de Privé en marche arrière, c'est là que je repère un embranchement, un chemin que je n'avais pas vu à l'aller. Je le prends, et voilà le lac, et un nouveau panneau : CHAPELLE TAYLOR.

Une croix de bois, aussi haute qu'un homme, se dresse à

quelques mètres de là. Et derrière j'aperçois une petite chapelle blanche, avec son petit clocher blanc. Je distingue des maisons et le lac au-delà, tout vert d'algues.

Quand je coupe le moteur, je ne descends pas tout de suite. Je ne sais pas combien de temps je reste là. Est-il passé ici le jour de sa mort ? Ou la veille ? Quand est-il venu ? Comment a-t-il trouvé cet endroit ?

Je sors de la voiture. Tandis que je me dirige vers la chapelle, j'entends mon cœur qui bat à tout rompre, et dans les arbres les oiseaux qui chantent. Ça sent déjà l'été.

Je tourne la poignée, la porte s'ouvre, tout simplement. À l'intérieur, la chapelle est fraîche, mais pas humide, ni renfermée, comme si elle avait été aérée récemment. Il n'y a que quelques bancs, car l'ensemble est plus petit que ma chambre, et devant, sur l'autel en bois, surmonté d'un portrait de Jésus, deux vases de fleurs, deux plantes en pot et une Bible ouverte.

Les fenêtres hautes et étroites laissent entrer le soleil. Je m'assieds, je regarde autour de moi, en me demandant : *Et maintenant, je fais quoi ?*

Je m'approche de l'autel. Quelqu'un a rédigé et plastifié une courte histoire de l'église et l'a mise à disposition, appuyée contre l'un des vases.

La chapelle Taylor est un sanctuaire où le voyageur fatigué peut s'arrêter et se reposer avant de reprendre sa route. Elle a été construite en mémoire de ceux qui ont perdu la vie dans un accident de la route, c'est également un lieu de guérison. Nous nous remémorons ceux qui ne sont plus, ceux qui nous ont été enlevés trop tôt et que nous garderons toujours dans nos cœurs. La chapelle est ouverte au public nuit et jour, ainsi que les jours fériés. Nous sommes toujours là.

Je comprends alors pourquoi Finch a choisi cet endroit – pour Eleanor et pour moi. Et pour lui également, le voyageur fatigué, qui cherchait un endroit où se reposer. Quelque chose dépasse de la Bible, une enveloppe blanche. Quand je l'ouvre à la page où elle est coincée, je vois une phrase soulignée : « Et parmi eux, tu brilleras comme les étoiles dans le ciel. »

Sur l'enveloppe, je lis mon nom : Ultraviolet Re-Markey-able.

J'hésite à la prendre pour la lire dans la voiture, mais finalement je m'assieds sur place, contente de trouver sous mes fesses un solide banc en bois.

Suis-je prête à découvrir ce qu'il pensait de moi ? À apprendre ce qu'il avait à me reprocher ? À entendre à quel point je l'ai blessé, enfoncé, alors que j'aurais pu, j'aurais dû, le sauver si seulement j'avais fait plus attention, si j'avais vu les signes au lieu d'ouvrir ma grande bouche, si je l'avais écouté, si je lui avais suffi, et si peut-être je l'avais aimé encore plus ?

J'ouvre l'enveloppe, les mains tremblantes. J'en tire trois feuilles, l'une couverte de notes de musique et d'accords, les autres de ce qui ressemble à des paroles de chanson.

Tu me rends heureux,
Bien à l'abri de ton sourire radieux.
Tu me rends plus beau,
Quand mon nez me semble un peu trop gros.
Tu me rends spécial,
Et Dieu sait que j'ai cherché à être ce garçon idéal.
Tu me rends fou amoureux de toi,
La plus belle chose qui soit arrivée à mon cœur, c'est de battre pour toi…

Je pleure, à gros sanglots, secouée de hoquets, comme si j'avais ravalé mes larmes si longtemps que, tout à coup, elles jaillissent sans retenue.

Tu me rends joli,
Et c'est si joli d'être joli pour celle que j'aime…

Je lis et je relis les paroles.

Tu me rends heureux…
Tu me rends spécial…
Tu me rends joli…

Je les lis et les relis jusqu'à les connaître par cœur. Puis je replie les feuilles et je les remets dans l'enveloppe.

Je reste un moment, le temps que mes larmes cessent de couler, la lumière commence à changer, à baisser, la douce lueur rosée du crépuscule baigne la chapelle.

Il fait nuit quand j'arrive à la maison. Dans ma chambre, je ressors la chanson, je joue la partition à la flûte. La mélodie se grave dans ma tête, si bien que, quelques jours plus tard, je la fredonne toujours.

Peu importe que Finch et moi nous n'ayons pas filmé nos balades, que nous n'ayons pas rapporté de souvenirs, que nous n'ayons pas eu le temps de mettre en forme notre carnet pour qu'il soit accessible à d'autres que nous.

Le truc le plus important, ce n'est pas ce qu'on prend, c'est ce qu'on laisse.

VIOLET

20 JUIN

C'est une journée d'été brûlante. Le ciel est d'un bleu pur et lumineux. Je gare la voiture, je gravis le talus et je demeure longtemps sur la rive du Blue Hole, m'attendant presque à le voir surgir.

J'ôte mes chaussures et je me jette à l'eau, je plonge profond. Je le cherche à travers mes lunettes, même si je sais que je ne le trouverai pas. Je nage les yeux grands ouverts. Je remonte à la surface, sous ce ciel immense, je reprends mon souffle et je replonge, encore plus profond. J'aime m'imaginer qu'il se balade dans un autre monde, qu'il voit des choses inimaginables.

En 1950, le poète Cesare Pavese était au sommet de sa carrière littéraire, reconnu par ses pairs et son pays comme le plus grand auteur italien vivant. En août de cette même année, il a avalé une dose mortelle de somnifères et même en étudiant son journal intime, personne n'a jamais pu vraiment comprendre son geste. L'écrivaine Natalia Ginzburg se souvient de lui en ces termes : « Il avait la tristesse d'un jeune homme, la voluptueuse et insouciante mélancolie d'un garçon qui n'a pas encore les pieds sur terre et qui se meut dans le monde aride et solitaire des rêves. »

Cette épitaphe aurait pu convenir à Finch, s'il n'en avait déjà rédigé une lui-même :

Theodore Finch – j'ai été vivant. Je me suis vite consumé. Et puis je suis mort, mais pas vraiment. Parce que quelqu'un comme moi ne peut pas mourir comme tout le monde. Je demeurerai telles les légendes du Blue Hole. Je serai toujours là, grâce aux offrandes et aux gens que j'ai laissés derrière moi.

Je nage sur place, sous l'eau, sous ce ciel immense et ce grand soleil, tout ce bleu qui me rappelle Theodore Finch. Tout me rappelle Theodore Finch. Et je pense à ma propre épitaphe, pas encore rédigée, et à tous les endroits où j'aimerais me balader. Je ne suis plus enracinée, mais je m'écoule, comme de l'or. Je sens mille capacités fleurir en moi.

Note de l'auteur

Toutes les quarante secondes, quelqu'un se suicide dans le monde. Toutes les quarante secondes, quelqu'un se trouve frappé par ce deuil impossible.

Bien avant ma naissance, mon arrière-grand-père s'est tiré une balle et il en est mort. Son fils aîné, mon grand-père, avait à peine treize ans. Personne n'a jamais su si c'était intentionnel ou accidentel – mon grand-père, ses sœurs et leur mère n'en ont jamais discuté, ça ne se faisait pas dans leur petite ville du sud des États-Unis. Mais cette mort a affecté notre famille sur plusieurs générations.

Il y a quelques années, un garçon que j'aimais s'est tué. C'est moi qui l'ai découvert. Sur le coup, je n'avais pas envie d'en parler, pas même à mes proches. Jusqu'à ce jour, la plupart de mes amis et des membres de ma famille ne savent pas grand-chose à ce sujet. Pendant longtemps, c'était trop douloureux pour moi, je ne voulais plus y penser, loin d'envisager de pouvoir en parler, et pourtant, il est capital de discuter de ce genre de choses.

Dans *Tous nos jours parfaits*, Finch s'inquiète beaucoup de l'étiquette qu'on pourrait lui coller. Malheureusement, le suicide et les maladies mentales sont très stigmatisés. Quand mon arrière-grand-père est mort, les gens ont colporté des rumeurs. Sa veuve et ses trois enfants avaient beau n'avoir jamais parlé de ce qui s'était passé ce jour-là, ils se sentaient jugés, et même exclus, montrés du doigt. J'ai perdu cet ami un an avant que mon père ne meure d'un cancer. Ils ont été malades au même moment, ils sont morts à quatorze mois d'écart, mais en apprenant leur maladie et leur mort, les gens ont réagi on ne peut plus différemment. On offre rarement des fleurs à un suicidé.

C'est seulement en écrivant ce livre que j'ai découvert l'étiquette que je portais : « survivante d'un suicidé ». Par chance, de nombreuses structures de soutien existent pour ceux qui restent, afin de leur permettre de surmonter cet événement tragique, les aider à comprendre ce qui s'est passé, tout comme il existe de nombreuses structures de soutien pour tous ceux, adultes ou jeunes, qui rencontrent des difficultés émotionnelles – dépression, anxiété, instabilité mentale ou pensées suicidaires.

Parfois, ce genre de pathologie n'est pas diagnostiqué parce que la personne qui souffre de ces symptômes a trop honte pour en parler ou parce que son entourage ne peut pas ou ne veut pas voir le problème. Selon le Département américain de la santé mentale, environ deux millions et demi d'Américains ont été diagnostiqués comme souffrant de troubles bipolaires, mais le chiffre réel s'élèverait à plus du double ou du triple. Quatre-vingts pour cent des gens atteints de cette maladie ne sont pas ou sont mal diagnostiqués.

Si vous pensez qu'il y a quelque chose qui ne va pas, n'hésitez pas à en parler.

Vous n'êtes pas seul.

Ce n'est pas votre faute.

Quelqu'un peut vous aider. Entre autres... :

FIL SANTÉ JEUNES
Tél. : 0800 235 236 ou 01 44 93 30 74 depuis un portable.
Service anonyme et gratuit, tous les jours de 9 h à 23 h.
Possibilité de chatter sur le site :
http://www.filsantejeunes.com
Informations santé à destination des jeunes
Site : http://www.portail-sante-jeunes.fr/

119, ALLÔ ENFANCE EN DANGER
Service national d'accueil téléphonique de l'enfance en danger
Numéro anonyme et gratuit destiné aux enfants, aux adolescents ou aux adultes ayant dans leur entourage un jeune en danger.
http://www.allo119.gouv.fr/

Pour trouver un lieu d'écoute partout en France, la carte recense :
Les PAEJ (Points d'accueil écoute jeunes)
Les MDA (Maisons des adolescents)
Site http://cartosantejeunes.org/

SUICIDE ÉCOUTE
Association de prévention du suicide régie par la loi de 1901.
Appels 7 j / 7 et 24 h / 24 au 01 45 39 40 00
http://www.suicide-ecoute.fr/

SOS DÉPRESSION
Association d'écoute psychologique régie par la loi de 1901.
Appels 7 j / 7 et 24 h / 24 au 01 40 47 95 95
http://sos.depression.free.fr/

STOP HARCÈLEMENT
Tél. : 0808 807 010

http://www.agircontreleharcelementalecole.gouv.fr/que-faire-qui-contacter/

En Belgique :
Le 103, numéro gratuit Écoute-Enfant de 9 h à minuit, peut orienter les enfants, les jeunes, leur famille en cas de difficultés.

Au Québec :
Les services sociaux et de santé ont mis en place le Tél. jeunes, accueil anonyme, gratuit, 7 j / 7, 24 h / 24 par des professionnels de l'écoute.
http://teljeunes.com/accueil
Tél. : 1-800-263-2266

REMERCIEMENTS

En juin 2013, deux jours après avoir fini de travailler sur mon septième livre et l'avoir envoyé à mon éditeur, à New York, j'ai eu une nouvelle idée de roman. Pourtant, j'étais épuisée, j'avais besoin de vacances, cela faisait deux ans que j'écrivais un livre après l'autre.

Cependant, cette idée était différente des autres. Pour commencer, elle était très personnelle. Et destinée aux jeunes adultes. Après avoir écrit de la fiction et des documentaires pour les adultes, j'avais envie de nouveauté.

J'avais envie d'écrire un truc déroutant.

J'avais envie d'écrire une histoire contemporaine.

J'avais envie d'écrire un roman dur, difficile, triste, mais drôle.

J'avais envie d'écrire du point de vue d'un garçon.

En juillet, j'ai signé un contrat avec la plus extraordinaire des agents (qui fait aussi office d'éditrice, de collègue, de coéquipière). Merci à l'incomparable Kerry Sparks d'avoir cru en moi sur la base des cinquante premières pages. Personne ne saura jamais à quel point son enthousiasme et son soutien m'ont portée à ce moment-là de ma vie. Je sais la chance que j'ai d'avoir à mes côtés Kerry et toute la fantastique équipe de Levine Greenberg Rostan (et en particulier, Monika Verma et Elizabeth Fisher). Ils me rendent la vie plus jolie.

Tout comme ma merveilleuse éditrice, Allison Wortche, qui est aussi futée et perspicace que douce et chaleureuse, et qui s'est autant investie que moi dans l'histoire de Finch et Violet. Leur histoire ne serait pas la même si elle n'était pas passée entre ses mains expertes. Allison et toute l'équipe de Knopf et Random House (l'éditrice et présidente, Barbara Marcus; la vice-présidente et directrice d'édition, Nancy Hinkel; la vice-présidente senior et éditrice associée, Judith Haut; Isabel Warren-Lynch, Alison Impey et Stephanie Moss au studio artistique; Artie Bennett ainsi que les merveilleuses Renée Cafiero et Katharine Wiencke au suivi éditorial; la responsable d'édition, Shasta Clinch; Tim Terhune et Barbara Cho à la fabrication; Pam White et Jocelyn Lange aux droits dérivés; Felicia Frazer, John Adamo, Kim Lauber, Lynn Kestin, Stephanie O'Cain, Adrienne Waintraub, Laura Antonacci, Dominique Cimina et le reste des services commerciaux, marketing et publicitaire) m'ont permis de passer les jours les plus parfaits, tant dans ma vie que dans mon travail, et je suis tellement heureuse de les avoir!

Je suis aussi ravie de travailler avec la merveilleuse agent cinématographique Sylvie Rabineau et l'agence littéraire RWSG.

Merci à ma famille et à mes amis pour leur soutien inconditionnel, même quand je laisse le travail empiéter sur le reste de ma vie (c'est-à-dire pratiquement tout le temps). Je ne pourrais pas y arriver sans vous. Un grand remerciement à ma cousine chérie, Annalise von Sprecken, ma consultante particulière sur les sujets «jeunes», qui a eu l'idée de «La vie, c'est...».

Merci à Louis, l'amour de ma vie, mon coéquipier éternel, qui a dû supporter mes heures d'angoisse, mes séances de brainstorming, mes infos sur le suicide, mes questions incessantes («Et si Finch et Violet se rencontraient en haut d'un clocher?», «Et si

Finch et Gabe avaient été amis avant ?», « Et si Amanda assistait aussi à la réunion de C'est la Vie ? »), sans parler des heures à écouter One Direction (mon Boy Parade perso). Lui, plus que tout autre (à l'exception de nos trois chats amateurs de littérature) a vécu ce livre de l'intérieur avec moi.

Merci à John Ivers (Blue Flash, Blue Too) et Mike Carmichael (la plus grande boule de peinture du monde) d'avoir créé des sites aussi uniques et étonnants, des buts de balade incroyables et de m'avoir laissée utiliser vos vrais noms.

Merci à mon tout premier éditeur, Will Schwalbe, qui reste un mentor avisé et un ami proche. À Amanda Brower et Jennifer Gerson Uffalussy de m'avoir orientée vers Kerry Sparks.

Merci, Briana Harley, ma conseillère personnelle pour tout ce qui concerne les jeunes. Merci, Lara Yacoubian, tu es la meilleure assistante au monde.

Merci aux filles et aux gars de *Germ*, pour tout ce que vous êtes, tout ce que vous faites, et en particulier à Louis, Jordan, Briana Bailey, Shannon, Shelby et Lara. Vous êtes adorables !

Merci aux témoins généreux (qui préfèrent rester anonymes) qui ont accepté de partager leur vécu personnel de la maladie mentale, de la dépression et du suicide. Merci aux spécialistes de l'American Association of Suicidology, de la Mayo Clinic, et du National Institute of Mental Health.

Merci surtout à ma merveilleuse mère, collègue de plume, Penelope Niven, qui a rendu le monde plus beau par sa simple présence. C'était ma meilleure amie. C'était ma meilleure tout. On avait l'habitude de se féliciter l'une l'autre en se disant : « Tu es la meilleure. » C'était la meilleure et elle le restera. Elle m'a appris dans l'enfance que ma montagne m'attendait et n'a jamais cessé de m'encourager à l'escalader. Sa mort soudaine le 28 août 2014 a été la pire tragédie de ma vie. Ce roman et tous ceux qui viendront sont pour elle et grâce à elle. Pour citer Theodore Finch : « Tu es toutes les couleurs en une, à leur maximum d'éclat. »

Enfin, merci à mon arrière-grand-père, Olin Niven. Et au garçon que j'aimais, qui est mort trop tôt, mais m'a laissé une chanson.

Dans deux semaines, encore on s'envolera
Peut-être pour un resto chinois
Tu me rends heureux, tu me rends le sourire

L'AUTEUR

Tous nos jours parfaits est le premier roman de **Jennifer Niven** pour les jeunes adultes, mais elle a écrit quatre romans pour adultes – *American Blonde, Becoming Clementine, Velva Jean Learns to Fly et Velva Jean Learns to Drive* –, ainsi que trois ouvrages de non-fiction *The Ice Master, Ada Blackjack* et *The Aqua Net Diaries*, journal de ses années lycée. Elle a grandi en Indiana mais vit désormais avec son fiancé et leurs trois chats amateurs de littérature à Los Angeles, où elle aime par-dessus tout se balader.

Pour plus d'informations, rendez-vous sur :
jenniferniven.com et **germmagazine.com** ou sur sa page Facebook.